Jacinthe
nov. 2016

VOLTE-FACE

Avec plus de cinquante millions de livres vendus dans le monde entier, Michael Connelly, l'auteur du roman culte *Le Poète*, est l'un des maîtres de la littérature policière américaine. Il débute sa carrière dans le journalisme, ses articles sur les survivants d'un crash d'avion en 1986 lui valant d'être sélectionné pour le prix Pulitzer. Passé au *Los Angeles Times*, il se lance dans l'écriture avec *Les Égouts de Los Angeles*, pour lequel il reçoit l'Edgar du premier roman. Il y campe le célèbre personnage du policier Harry Bosch, que l'on retrouvera notamment dans *L'Oiseau des ténèbres* et *L'Envol des anges*. Mickey Haller, son nouveau personnage, avocat de la défense incarné au cinéma par Matthew McConaughey dans le film adapté du roman éponyme, *La Défense Lincoln*, retrouve Harry Bosch dans *Volte-Face*.

Paru dans Le Livre de Poche :

L'ENVOL DES ANGES
LA LUNE ÉTAIT NOIRE
L'OISEAU DES TÉNÈBRES

MICHAEL CONNELLY

Volte-face

ROMAN TRADUIT DE L'ANGLAIS (ÉTATS-UNIS) PAR ROBERT PÉPIN

CALMANN-LÉVY

Titre original (États-Unis) :

THE REVERSAL

Publié avec l'accord de Little, Brown and Company, Inc., New York.

ISBN : 978-2-253-17572-8 – 1re publication LGF

Pour Shannon Byrne,
avec tous mes remerciements.

PREMIÈRE PARTIE

La présentation du suspect

Chapitre 1

Mardi 9 février – 13 h 43

La dernière fois que j'avais déjeuné au Water Grill, j'étais assis en face d'un client qui avait froidement abattu sa femme et son amant à coups de pistolet dans la figure, son crime étant prémédité. Il m'avait engagé non seulement pour que j'assure sa défense au procès, mais aussi pour que je l'exonère de son forfait et redore son blason aux yeux du public. Cette fois, j'étais en face de quelqu'un avec qui je devais me montrer encore plus prudent, l'homme avec qui je déjeunais n'étant autre que Gabriel Williams, le district attorney du comté de Los Angeles.

Nous étions en plein hiver et l'air était vif en ce début d'après-midi. Williams s'était fait accompagner par son secrétaire général et conseiller politique Joe Ridell, en qui il avait toute confiance. Le repas avait été fixé à 13 h 30, soit au moment où, la plupart des avocats ayant regagné le bâtiment du tribunal pénal, le district attorney ne ferait pas étalage de son petit flirt avec un membre de la confrérie des ténèbres – à savoir moi, Mickey Haller, qui défends les damnés.

Le Water Grill est un bon endroit où déjeuner en centre-ville. Les plats et l'atmosphère y sont agréables,

les tables bien séparées pour les conversations en privé et la liste des vins difficile à battre. C'est le genre d'endroit où l'on n'enlève pas sa veste de costume et où le garçon vous glisse une serviette noire sur les genoux pour vous épargner la peine de le faire vous-même. L'équipe du district attorney s'était commandé des cocktails martini aux frais du contribuable, je m'en tenais à l'eau du robinet qu'offrait le restaurant. Il ne fallut à Williams qu'une olive et deux gorgées de sa boisson au gin pour qu'on en vienne à ce que nous cachions de manière aussi manifeste.

— Mickey, me dit-il, j'ai une proposition à vous faire.

Je hochai la tête. Ridell ne m'avait pas dit autre chose lorsqu'il m'avait appelé dans la matinée pour organiser ce déjeuner. J'avais accepté le rendez-vous, puis j'avais commencé à user de mon téléphone pour essayer d'avoir autant de renseignements que possible en interne sur ce dont il pouvait s'agir. Mais même mon ex – et c'était pourtant pour le district attorney qu'elle travaillait – ignorait de quoi il était question.

— Je suis tout ouïe, répondis-je. Ce n'est pas tous les jours que le district attorney tient à vous proposer des choses, et qui plus est, en personne. Je sais déjà que cela ne saurait avoir le moindre rapport avec l'un quelconque de mes clients… comme s'ils pouvaient mériter la moindre attention du mec tout en haut de l'échelle ! Sans compter que pour l'instant, je n'ai que peu d'affaires à défendre. Les temps sont durs.

— Là-dessus, vous avez raison, me renvoya Williams. Cela n'a rien à voir avec aucun de vos clients. Mais j'ai une affaire dont j'aimerais que vous vous occupiez.

Je hochai encore une fois la tête. Maintenant je comprenais. Tout le monde déteste l'avocat de la défense jusqu'au moment où on en a besoin. Je ne savais pas si Williams avait des enfants, mais un audit préalable lui aurait appris que je ne faisais pas dans la défense des délinquants juvéniles. Je me dis donc qu'il devait s'agir de son épouse. Une histoire de vol à l'étalage ou de conduite en état d'ivresse qu'on essayait de garder secrète.

— Bon alors, qui s'est fait gauler ? demandai-je.

Williams regarda Ridell et se fendit d'un petit sourire.

— Non, non, dit-il, rien à voir avec ça. Ma proposition est la suivante : j'aimerais vous engager. Je voudrais que vous veniez travailler dans mon service.

Bon nombre d'idées m'avaient traversé l'esprit depuis que j'avais pris l'appel de Ridell, mais qu'on veuille m'embaucher comme procureur n'en faisait pas partie. J'étais un membre attitré du conseil de l'ordre des avocats de la défense depuis plus de vingt ans et cela m'avait donné tout le temps de devenir l'objet des plus grands soupçons de la police et des procureurs – peut-être pas autant que les gangsters des Nickerson Gardens, mais assez pour qu'on m'interdise à jamais de rejoindre les forces du maintien de l'ordre. Ce qui, en langage clair, signifie qu'on n'aurait pas plus voulu de moi que moi d'elles. À l'exception de l'ex dont je viens de parler et d'un demi-frère qui travaille au LAPD, je ne me permettrais jamais de tourner le dos à ces gens-là. Surtout à Williams. Le district attorney Williams était d'abord un politicien, et cela le rendait encore plus dangereux. Au début de sa carrière, il avait brièvement servi comme procureur, puis il avait donné vingt ans de sa vie à défendre les droits civiques des citoyens avant de chercher à se faire élire au poste de district attorney comme candidat indépendant porté par un mouvement essentiellement antiflics et antiprocureurs. Le serveur me glissa une serviette sur les genoux – le repas était luxueux, dans l'instant je me montrai des plus méfiants à l'égard de Williams.

— Moi, travailler pour vous ? m'exclamai-je. Et pour faire quoi, au juste ?

— En qualité de procureur spécial. Une seule fois. J'aimerais que vous vous occupiez de l'affaire Jason Jessup.

Je le regardai un bon moment. Au début, je crus que j'allais rire très fort. Il s'agissait sûrement d'une espèce de plaisanterie savamment orchestrée. Jusqu'au moment où je compris que ça ne pouvait pas être ça. On ne vous invite pas au Water Grill dans le seul but de vous faire une blague.

— Vous voulez que je poursuive Jessup ? répétai-je. D'après ce qu'on m'a dit, il n'y a rien à poursuivre dans cette affaire. Un vrai canard sans ailes, ce truc. La seule chose qu'il reste à faire, c'est de le flinguer et de le bouffer.

Williams hocha la tête comme si, au lieu de vouloir me convaincre, il cherchait, lui, à se persuader de quelque chose.

— Mardi prochain sera le jour anniversaire de ce meurtre, dit-il. Je vais annoncer que nous avons l'intention de rejuger l'affaire. Et j'aimerais que vous soyez à côté de moi à cette conférence de presse.

Je me renversai sur ma chaise et les regardai, tous les deux. J'ai passé une bonne partie de mon existence dans des prétoires à essayer de lire dans les pensées des jurés, des juges, des témoins et des procureurs tout là-bas, à l'autre bout de la salle. Et je crois être devenu assez bon à cet exercice. Mais là, assis à cette table, je fus incapable de deviner ce que pensait Williams ou son acolyte alors qu'ils n'étaient qu'à un mètre de mon nez.

Jessup était un assassin d'enfant qui avait fait presque vingt-quatre ans de prison jusqu'à ce que, un mois plus tôt, la Cour suprême de Californie casse sa condamnation et renvoie son affaire devant le tribunal du comté de Los Angeles pour qu'il y soit rejugé ou bénéficie d'un non-lieu. Cette cassation était survenue au terme d'une bagarre juridique que Jessup avait en gros lancée de sa cellule même. Si aucun des recours, pétitions, plaintes et autres récusations que cet avocat autoproclamé était parvenu à porter devant des tribunaux locaux ou fédéraux n'avait abouti, il avait néanmoins réussi à attirer l'attention d'un collectif d'avocats connu sous le nom de Genetic Justice Project[1]. Ces derniers avaient pris fait et cause pour lui et, s'emparant de son affaire, avaient fini par obtenir une ordonnance de test génétique du sperme retrouvé sur la robe de l'enfant qu'il avait étranglée.

Jessup avait été condamné avant qu'on ait recours aux tests ADN dans les affaires criminelles. Effectué bien des années après le meurtre, ce test avait établi que ce n'était pas son sperme qu'on avait retrouvé sur la robe de la victime, mais celui d'un inconnu. Les tribunaux avaient certes systématiquement maintenu sa condamnation, mais cette nouvelle information avait

1. Ou « Pour une justice génétique ». *(Toutes les notes sont du traducteur.)*

fait pencher la balance en sa faveur. Au vu des résultats de cette analyse et de certaines contradictions dans l'énoncé des preuves et des minutes du procès, la Cour suprême avait alors cassé le verdict.

Voilà, en gros, ce que je connaissais de l'affaire, et je le tenais pour l'essentiel des journaux que j'avais lus et des ragots que j'avais entendus au tribunal. Si je n'avais pas parcouru tout le texte de l'injonction de la Cour, j'en avais lu assez dans le *Los Angeles Times* pour savoir que, cinglante, elle reprenait nombre d'assertions d'innocence longtemps proférées par le condamné et mettait en lumière des fautes professionnelles graves dans la gestion de l'affaire par la police et l'accusation. L'avocat de la défense que j'étais ne peut pas dire qu'il n'aurait pas été ravi de voir le Bureau du district attorney se faire cramer les fesses par les médias suite à cette sentence. Appelez ça la mauvaise joie de l'opprimé, si vous voulez. Peu m'importait qu'il ne s'agisse pas d'un de mes dossiers ou que la pilule que devait maintenant avaler le Bureau du district attorney n'ait rien à voir avec l'affaire telle qu'elle avait été jugée en 1986. Les avocats de la défense connaissent si peu de victoires qu'ils éprouvent toujours comme une joie commune lorsqu'un de leurs collègues réussissant son coup, l'establishment est vaincu.

La décision de la Cour suprême avait été annoncée la semaine précédente et avait ainsi ouvert une période de soixante jours durant laquelle le district attorney devrait ou rejuger Jessup, ou renoncer à le poursuivre. Tout donnait l'impression que pas une seule journée ne se passait sans que Jessup soit aux infos. Il accordait des interviews par téléphone, voire en personne, à la prison de San Quentin, et y déclarait son innocence avant de tirer au jugé sur les flics et les procureurs qui l'y avaient collé. Dans son épreuve, il avait obtenu le soutien de plusieurs athlètes professionnels et de quelques autres célébrités d'Hollywood, et avait déjà initié une plainte au civil contre la ville et le comté, plainte dans laquelle il exigeait plusieurs millions de dollars de dédommagements pour les longues années de prison qu'il avait dû effectuer à tort. En ces temps de cycles médiatiques non-stop, il avait droit à une manière de forum interminable et s'en servait pour se hisser au niveau de héros du peuple. Il serait lui aussi une célébrité lorsque, enfin, il sortirait de prison.

Le peu que je connaissais des détails de l'affaire faisait que pour moi, Jessup était un innocent qu'on avait soumis à un quart de siècle de torture et qu'il méritait amplement tout ce qu'il pourrait en tirer. Cela dit, j'en savais assez pour comprendre qu'avec ce test ADN qui parlait en sa faveur, l'affaire était perdue d'avance et que si c'était Williams et Ridell qui avaient eu l'idée de rejuger Jessup, cela tenait du grand masochisme politique.

À moins que…

— Que savez-vous que j'ignorerais ? demandai-je. Et que le *Los Angeles Times* ne saurait pas lui non plus ?

Williams y alla d'un petit sourire satisfait et se pencha au-dessus de la table pour me faire part de sa réponse.

— Tout ce que Jessup a établi avec l'aide du GJP est que ce n'est pas son ADN qu'on a retrouvé sur la robe de la victime, dit-il. Et ce n'est pas au plaignant d'établir à qui appartient cet ADN.

— Vous êtes donc allé voir dans les banques de données.

Il acquiesça d'un signe de tête.

— Oui, dit-il. Et nous avons trouvé une occurrence.

Mais il n'alla pas plus loin.

— Bon alors, qui est-ce ?

— Pas question de vous le révéler avant de savoir si vous prenez l'affaire. Sinon, je ne peux pas faire autrement que de garder ça pour moi. Cela étant, je peux vous dire qu'à mon avis, ces résultats conduisent tout droit à une tactique d'accusation qui pourrait neutraliser le problème de l'ADN et laisser le reste, à savoir les pièces à conviction, pratiquement intact. Recourir à un test ADN n'était pas nécessaire à sa condamnation à l'époque et ne l'est pas davantage aujourd'hui. À nos yeux, Jessup est tout aussi coupable de ce crime qu'en 1986 et je faillirais à mes devoirs si je n'essayais pas de le poursuivre quelles que soient mes chances de l'emporter, les retombées politiques possibles et la perception qu'en a le public.

Tout cela énoncé comme s'il parlait devant les caméras et pas du tout comme si c'était moi qu'il regardait.

— Mais alors... pourquoi ne le poursuivez-vous pas, vous ? demandai-je. Pourquoi venir me chercher, moi, alors que vous avez trois cents avocats plus que compétents à votre service ? Je peux vous citer une avocate que vous gardez enfermée au bureau de Van Nuys et qui s'emparerait du dossier en moins de deux !

— Parce que ces poursuites ne peuvent pas émaner du Bureau du district attorney. Je suis sûr que vous avez lu ou entendu tout ce qu'on dit des allégations. L'affaire est polluée et il importe peu que je n'aie aucun avocat à mon service qui y ait travaillé à l'époque. J'ai toujours besoin de quelqu'un d'extérieur, d'un indépendant qui portera l'affaire devant les tribunaux. De quelqu'un qui…

— C'est à ça que sert le Bureau de l'attorney général, lui renvoyai-je. Vous avez besoin d'un avocat indépendant, c'est à lui que vous vous adressez.

Je ne faisais que l'emmerder et tout un chacun autour de la table le savait parfaitement. Il était absolument hors de question qu'il aille demander à l'attorney général de l'État de s'emparer du dossier. Ç'aurait été franchir la ligne rouge de la politique. La charge d'attorney général de l'État de Californie est élective et tous les experts politiques de la ville n'ignoraient pas qu'il s'agissait là du prochain poste que briguait Williams dans son ascension vers les sommets du gouvernorat ou de toute autre position de haut niveau. La dernière chose dont il avait envie était bien de filer à x ou y rival politique potentiel une affaire que celui-ci pourrait retourner contre lui et ce, quelle qu'en soit l'ancienneté. En politique, au prétoire et dans la vie, on ne donne pas à son adversaire le gourdin avec lequel il peut vous assommer.

— Nous n'avons pas l'intention de demander à l'attorney général de se charger de cette affaire, dit Williams d'un ton neutre. C'est pour ça que j'ai besoin de vous, Mickey. Vous êtes un avocat de la défense très connu et respecté au pénal. Votre indépendance ne fera sûrement aucun doute aux yeux du public et l'on ne remettra donc pas en cause la condamnation que vous obtiendrez.

Tandis que je continuais de le dévisager, un serveur vint prendre nos commandes. Sans me lâcher des yeux, Williams lui intima l'ordre de nous laisser.

— Je ne me suis pas beaucoup intéressé à cette affaire, dis-je enfin. Qui est le défenseur de Jessup ? Il me serait assez difficile d'affronter un collègue que je connais bien.

— Pour l'instant, il n'a que l'avocat du GJP et celui qui plaidera pour lui au civil. Il n'a engagé personne pour le défendre au pénal parce que très franchement, il s'attend à ce qu'on laisse tomber.

Je hochai la tête – un autre obstacle venait de disparaître, pour l'instant.

— Mais une grosse surprise l'attend, reprit Williams. On va le déférer et le rejuger. Il est coupable, Mickey, et c'est tout ce que vous avez vraiment besoin de savoir. La petite fille qu'il a tuée est toujours morte et c'est tout ce que le procureur, quel qu'il soit, a besoin de savoir. Prenez l'affaire, Mickey. Faites quelque chose pour la communauté et pour vous. Qui sait ? Il se pourrait même que ça vous plaise et que vous ayez envie de rester. Si c'était le cas, nous envisagerions la chose plus que sérieusement.

Je baissai les yeux sur la nappe en lin et réfléchis à ce qu'il venait de me dire. L'espace d'un instant, sans même le vouloir, je vis ma fille assise dans la salle du prétoire à me regarder plaider pour l'accusation au lieu de défendre l'accusé. Williams continua de parler sans se douter que j'avais déjà pris ma décision.

— Je ne peux évidemment pas vous consentir les honoraires que vous pratiquez, mais si vous prenez cette affaire, je ne pense pas que vous le ferez pour l'argent de toute façon. Par contre, je peux vous donner un bureau et une secrétaire. Et tout ce que vous pourriez vouloir en matière de police scientifique et de médecine légale. Tout ce qu'il y a de mieux dans…

— Je ne veux pas de bureau chez vous. J'ai besoin d'être indépendant. Il faut que je sois complètement autonome. Fini les déjeuners. On annonce la nouvelle et vous me laissez immédiatement tranquille. Et c'est moi qui arrête la manière de procéder.

— Parfait. Vous vous servez de votre bureau, du moment que vous n'y entreposez aucune pièce à conviction. Et bien sûr, c'est vous qui décidez de tout.

— Et si je dis oui, je choisis mon second et mon enquêteur du LAPD. Je veux des gens en qui je peux avoir confiance.

— Pour votre second, vous voulez quelqu'un qui fait ou ne fait pas partie de mon service ?

— Qui en fait partie.

— J'imagine donc que c'est de votre ex-épouse que vous parlez.

— Tout à fait… à condition qu'elle accepte. Et si, Dieu sait comment, nous emportons le morceau, vous me la sortez de Van Nuys et vous me la mettez en centre-ville, aux Major Crimes, où elle devrait être.

— Plus facile à dire qu'à…

— C'est ça ou rien. À prendre ou à laisser.

Il jeta un coup d'œil à Ridell et je vis son soi-disant copain y aller d'un imperceptible hochement de tête approbatif.

— Bon, d'accord, dit Williams en se retournant vers moi. Et donc, je prends. Vous gagnez, elle vient chez moi. Marché conclu

Il me tendit la main par-dessus la table, je la lui serrai. Il sourit, je m'en gardai bien.

— « Mickey Haller au nom du peuple », dit-il. Ça sonne bien.

Au nom du peuple. Ç'aurait dû me faire chaud au cœur. Ç'aurait dû me donner l'impression de faire partie de quelque chose de noble et de juste. De fait, côté impressions, je n'en éprouvai qu'une mauvaise : celle d'avoir franchi une manière de ligne rouge en moi-même.

— Génial, dis-je.

Chapitre 2

Vendredi 12 février – 10 heures

Harry Bosch se présenta à la réception du Bureau du district attorney, au dix-huitième étage du bâtiment du tribunal pénal. Il donna son nom et annonça qu'il avait rendez-vous avec le district attorney Gabriel Williams à 10 heures.

— La réunion se tient dans la salle de conférences A, lui renvoya la réceptionniste après avoir vérifié sur son écran d'ordinateur. Passez la porte, tournez à droite et allez jusqu'au bout du couloir. Tournez encore à droite et vous trouverez la salle de conférences à votre gauche. C'est marqué sur la porte. Ils vous attendent.

La porte découpée dans le mur lambrissé derrière la réceptionniste s'ouvrant avec un petit bourdonnement, Bosch la franchit en se demandant qui étaient ces gens qui l'attendaient. La secrétaire du district attorney l'avait appelé la veille dans l'après-midi pour lui donner l'ordre de se présenter au Bureau, mais il n'arrivait toujours pas à savoir de quoi il pouvait bien retourner. Certes, le secret était de rigueur au Bureau du district attorney, mais on arrivait toujours à savoir quelque chose. Là non. Jusqu'à cet instant, il ne savait même pas qu'il allait rencontrer plus d'une personne.

Il suivit le chemin qu'on lui avait indiqué, arriva devant la porte barrée de l'inscription *Salle de conférences A*, frappa une fois et entendit une voix de femme lui lancer :

— Entrez !

Il s'exécuta et découvrit une femme assise toute seule à une table de huit places, un ordinateur portable et tout un tas de documents, de dossiers et de photos devant elle. Elle lui disait vaguement quelque chose, mais pas moyen de la remettre. Attirante, elle avait des cheveux noirs et bouclés qui lui encadraient le visage. Elle le suivit de ses yeux au regard acéré lorsqu'il entra, un sourire agréable et curieux sur les lèvres. Comme si elle savait quelque chose qu'il ignorait. Elle portait le costume bleu marine standard propre à l'avocate du ministère public. Il n'arrivait toujours pas à la remettre, mais se dit qu'elle devait être une adjointe du district attorney.

— Inspecteur Bosch ?

— Lui-même.

— Entrez. Prenez un siège.

Il tira une chaise et s'assit en face d'elle. Sur la table, il vit une photo de scène de crime représentant un corps d'enfant dans une benne à ordures ouverte. Il s'agissait d'une fillette habillée d'une robe bleue à manches longues. Elle était pieds nus et reposait sur un tas d'ordures et de débris de chantier de construction. Les bords blancs du cliché avaient jauni. Le tirage était ancien.

La femme posa un dossier sur la photo et lui tendit la main par-dessus la table.

— Je ne pense pas que nous nous soyons jamais rencontrés, dit-elle. Je m'appelle Maggie McPherson.

Bosch reconnut le nom, mais fut incapable de retrouver d'où il le connaissait et à quelle affaire il était rattaché.

— Je suis une adjointe du district attorney, reprit-elle, et je vais seconder le procureur dans l'affaire Jason Jessup. L'avocat de l'accusa…

— L'affaire Jason Jessup ? répéta Bosch. Vous allez la rejuger ?

— Oui, nous allons la rejuger. Nous annoncerons la nouvelle la semaine prochaine et je vous prierais de garder ça pour vous jusqu'à ce moment-là. Je suis désolée de constater que notre avocat est en retard pour ce…

La porte s'ouvrit et Bosch se retourna. Mickey Haller entra dans la salle. Bosch sursauta. Pas du tout parce qu'il ne l'aurait pas reconnu. Ils étaient demi-frères et il le reconnaissait facilement. Mais le voir là, dans le bureau du district attorney… ça n'avait pas de sens. Haller, c'était un avocat de la défense. Il cadrait à peu près aussi bien dans cette salle qu'un chat dans une niche à chien.

— Je sais, dit Haller. Tu te demandes ce que c'est que ce bordel.

Le sourire aux lèvres, il gagna le côté de la table où se trouvait McPherson et se mit en devoir de tirer une chaise. C'est alors que Bosch se souvint d'où il connaissait McPherson.

— Vous deux…, dit-il. Vous étiez mariés, non ?

— C'est exact, répondit Haller. Nous l'avons été huit merveilleuses années.

— Et donc, c'est quoi ? Elle poursuit Jessup et toi, tu le défends ? Il n'y aurait pas conflit d'intérêts ?

Le sourire de Haller s'agrandit encore.

— Il y aurait effectivement conflit d'intérêts si nous étions adversaires, Harry. Mais ce n'est pas le cas. Nous allons le poursuivre tous les deux. Ensemble. Je suis le procureur désigné et Maggie me seconde. Et nous voulons que tu sois notre enquêteur.

Bosch était complètement interloqué.

— Minute, dit-il. Tu n'es pas procureur. Ça n'a pas de…

— Je viens d'être nommé procureur indépendant, Harry. Tout cela est parfaitement légal. Je ne serais pas ici si ça ne l'était pas. Oui, nous allons poursuivre Jessup et nous voulons que tu nous aides.

Bosch prit une chaise à son tour et s'assit lentement.

— D'après ce que j'ai entendu dire, aider, y a pas moyen. Sauf si vous me dites que Jessup a truqué le test ADN.

— Non, Harry, ce n'est pas ça que nous vous demandons, lui renvoya McPherson. Nous avons mené nos propres tests et, oui, les résultats sont justes. Ce n'est effectivement pas son ADN qui se trouve sur la robe de la victime.

— Mais cela ne signifie pas que nous ayons déjà perdu l'affaire, s'empressa d'ajouter Haller.

Bosch regarda McPherson, puis revint sur Haller. Il était clair que quelque chose lui échappait.

— Alors, à qui il est, cet ADN ? demanda-t-il.

McPherson coula un regard de côté à Haller avant de répondre.

— À son beau-père, dit-elle. Il est mort, mais nous pensons qu'il y a une explication au fait que c'est son sperme qui a été retrouvé sur la robe de sa belle-fille.

Haller se pencha en travers de la table et ajouta :

— Et cette explication laisse assez de place pour que Jessup soit encore une fois reconnu coupable du meurtre de la petite.

Bosch réfléchit un instant, l'image de sa propre fille lui vint brusquement à l'esprit. Il savait qu'il y avait en ce monde des esprits malins qu'il fallait absolument contenir, quel que soit le prix à payer. Et l'assassin d'enfant était le premier sur la liste.

— Bien, dit-il. Comptez-moi dans votre équipe.

Chapitre 3

Mardi 16 février – 13 heures

Le Bureau du district attorney était doté d'une salle de conférences de presse jamais rénovée depuis l'époque où l'on s'en était servi pour faire le point dans l'affaire Charles Manson. Ses murs lambrissés et ses drapeaux qui pendouillaient dans un coin avaient constitué l'arrière-plan de milliers de points de presse et donnaient à tout ce qui s'y déroulait un air élimé qui faisait mentir la puissance véritable de l'institution. Sans jamais être totalement dépourvu de moyens dans ce qu'il entreprenait, le ministère public donnait malgré tout l'impression de ne même pas avoir assez d'argent pour se payer un bon coup de peinture.

Ce cadre servit pourtant au mieux l'annonce de la décision qui avait été prise dans l'affaire Jessup. Pour la première fois peut-être dans ces lieux sacrés de la justice, le district attorney allait bien être celui qu'on donnait perdant. La décision de rejuger présentait de graves dangers, l'échec étant vraisemblable d'un point de vue réaliste. Alors que je me tenais debout à côté de Gabriel Williams, là, devant une véritable phalange de caméras vidéo, de reporters et de projecteurs aveuglants, je commençai enfin à comprendre l'horrible erreur que je venais de commettre. La décision que j'avais prise de m'emparer de l'affaire dans l'espoir de remonter en grâce dans l'esprit de ma fille, de mon ex et de moi-même allait avoir des conséquences désastreuses. J'allais me faire descendre en flammes.

C'était un de ces rares moments que l'on doit vivre en personne. Les médias s'étaient rassemblés pour rapporter la fin de l'histoire. Le district attorney allait sûrement annoncer que Jason Jessup ne serait pas rejugé. S'il n'irait peut-être pas jusqu'à se fendre d'une excuse, au moins reconnaîtrait-il que les preuves n'étaient pas suffisantes. Qu'on ne pouvait donc pas poursuivre cet homme qui avait été incarcéré si longtemps. L'affaire serait close et, aux yeux du droit et du public, Jason Jessup serait enfin déclaré libre et innocent.

Les médias sont rarement trompés dans leur ensemble et ne réagissent généralement pas très bien lorsque cela se produit. Cela dit, aucun doute n'était permis : Williams les avait tous filoutés. Nous avions constitué notre équipe et étudié tous les éléments de preuves encore disponibles la semaine précédente et avions avancé à pas feutrés. Pas un mot n'avait filtré, ce qui devait être une première dans cette enceinte. Si je vis bien quelques soupçons se marquer sur le front des journalistes qui me reconnurent lorsque nous entrâmes, ce fut Williams qui les mit KO lorsque, sans perdre de temps, il se planta devant un pupitre couvert de micros et d'enregistreurs numériques.

— Un dimanche matin, il y a vingt-quatre ans de cela, lança-t-il, Melissa Landy, alors âgée de douze ans, fut enlevée dans son jardin de Hancock Park et sauvagement assassinée. L'enquête conduisit rapidement à un certain Jason Jessup. Il fut arrêté, jugé et condamné à la prison à perpétuité sans possibilité de libération conditionnelle. Ce verdict a été cassé il y a quinze jours par la Cour suprême de l'État, l'affaire étant renvoyée devant ma juridiction. Je suis ici pour vous annoncer que le Bureau du district attorney du comté de Los Angeles a décidé de rejuger Jason Jessup pour le meurtre de Melissa Landy. Les chefs d'accusation d'enlèvement et de meurtre restent les mêmes. Mon service a de nouveau l'intention de poursuivre M. Jessup dans toute la mesure de la loi.

Et de marquer une pause pour ajouter à la gravité de l'annonce.

— Comme vous le savez, la Cour suprême a trouvé des irrégularités dans la façon dont ont été menées les premières poursuites… poursuites qui, bien sûr, remontent à plus de vingt ans avant l'installation de la présente administration[1]. Afin d'éviter les conflits politiques et tout ce qui pourrait ressembler à des irrégularités à venir de la part de mes services, j'ai nommé un procureur spécial indépendant pour s'occuper de cette affaire. Bon nombre d'entre vous connaissent l'homme qui se tient ici, à ma droite. Cela fait maintenant deux décennies que Mickey Haller est un avocat de la défense réputé. Membre respecté du barreau, il est impartial. Nous avons pour ligne politique de ne pas faire juger nos affaires par les médias. Cela étant, maître Haller et moi-même sommes prêts à répondre à quelques questions, du moment qu'elles n'empiètent pas sur les particularités et éléments de preuves de l'affaire.

---

1. Aux États-Unis, le procureur (ou district attorney) est élu.

S'ensuivit une véritable explosion de voix nous criant des questions. Williams leva la main pour ramener le calme dans la salle.

— Un seul à la fois, messieurs dames. Commençons par vous, dit-il en montrant une femme assise au premier rang.

Je ne me rappelais pas son nom, mais savais qu'elle travaillait pour le *Times.* Williams ne se trompait pas dans ses priorités.

— Kate Salters, du *Times*, dit-elle obligeamment. Pouvez-vous nous dire comment vous êtes arrivés à la décision de rejuger Jason Jessup alors que le test ADN l'exonère de ce crime ?

Avant d'entrer dans la salle, Williams m'avait informé qu'il s'occuperait de l'annonce et de toutes les questions à moins qu'elles ne me soient expressément adressées. Il m'avait fait clairement comprendre que ce serait lui qui organiserait le spectacle. Mais j'avais, moi, et dès le début, tout aussi clairement établi que cette affaire serait la mienne.

— Je veux bien répondre, dis-je en me penchant vers le pupitre et les micros. Le test ADN effectué par le Genetic Justice Project n'a établi qu'une chose, à savoir que le fluide corporel retrouvé sur la robe de la victime n'appartient pas à Jason Jessup. Cela ne l'exonère en rien de ce crime. C'est très différent. Ce test ne donne que des renseignements supplémentaires à porter à l'attention des jurés.

Je me redressai et surpris le coup d'œil « faudrait-voir-à-pas-me-faire-chier » de Williams.

— C'est l'ADN de qui alors ? lança quelqu'un.

Williams se pencha vite en avant pour prendre la question.

— Nous ne répondrons pas aux questions portant sur les éléments de preuves pour l'instant, dit-il.

— Mickey, pourquoi prenez-vous cette affaire ?

La question venait du fond de la salle, de derrière les projecteurs, et je fus incapable de voir celui qui me l'avait posée. Je regagnai les micros et me positionnai de façon à ce que Williams soit obligé de reculer.

— Bonne question, dis-je. Il n'est certainement pas dans mes habitudes de passer de l'autre côté de l'allée, pour ainsi dire[1]. Mais là, il me semble que ça vaut le coup. Je suis affilié à ce tribunal et fier d'appartenir au barreau de Californie. Nous devons tous jurer de rechercher la justice et l'équité tout en défendant la Constitution et les lois de ce pays et de cet État. Un des devoirs de l'avocat est de prendre des causes justes sans se soucier de son bien-être personnel. Cette affaire en est une. Quelqu'un doit parler au nom de Melissa Landy. J'ai examiné les éléments de preuves et je pense être du bon côté de l'allée. Ne pas oublier que la preuve ne doit pas faire l'ombre d'un doute raisonnable. Pour moi, cette preuve existe.

Williams s'interposa et posa la main sur mon bras pour m'éloigner gentiment des micros.

— Nous n'irons pas plus loin que cela en ce qui concerne les éléments de preuves, s'empressa-t-il de dire.

— Jessup a déjà passé vingt-quatre ans en prison, fit remarquer Salters. S'il n'est pas au minimum reconnu coupable de meurtre avec préméditation, il sera libre vu le temps qu'il a déjà passé en prison. Maître Williams,

---

1. Dans la salle d'audience, l'accusation et la défense se trouvent de part et d'autre d'une allée centrale.

rejuger cet homme vaut-il bien tous les efforts et les sommes qu'il faudra y consacrer ?

Avant même qu'elle ait fini de poser sa question, je compris que Williams et elle avaient conclu un marché : elle allait lui envoyer des balles toutes douces et lui les renverrait à toute volée en ayant l'air bien comme il faut et vertueux aux infos de 23 heures et dans les journaux du matin. Pour sa peine, elle aurait droit, elle, aux scoops en interne côté éléments de preuves et stratégies au prétoire. Dans l'instant, j'arrêtai qu'il s'agissait de mon affaire à moi, de mon procès et de mon deal.

— Rien de tout cela n'a d'importance, lançai-je très fort de l'endroit un peu décalé où je me trouvais.

Tous les regards se portèrent sur moi. Jusqu'à Williams qui se retourna vers moi.

— Vous pouvez parler dans le micro, Mickey ?

C'était toujours la même voix qui montait de derrière les projecteurs. Il m'appelait Mickey. À nouveau, je m'approchai des micros en poussant Williams de côté tel l'avant qui cherche le rebond du ballon.

— L'assassinat d'un enfant est un crime qui doit être poursuivi dans toute la mesure du droit et ce, quels que soient les risques et les retombées possibles. La victoire n'est nullement garantie dans le cas présent. Mais cela n'a pas compté dans notre décision. Ne pas oublier que la preuve ne doit pas faire l'ombre d'un doute raisonnable et pour moi, nous sommes bien au-delà de ça. Pour nous, tout prouve que c'est cet homme qui a commis ce crime horrible, et la question de savoir combien de temps s'est écoulé depuis lors et combien d'années il a été incarcéré n'a aucune importance. Il doit être poursuivi. J'ai une fille qui est à peine plus âgée que l'était Melissa… Vous savez, on oublie que dans le premier procès, le ministère public avait requis la peine de mort, mais que les jurés s'y étant opposés, le juge a prononcé la perpétuité. C'était hier et nous sommes aujourd'hui. Oui, nous demanderons à nouveau la peine de mort dans cette affaire.

Williams posa la main sur mon bras et m'écarta des micros.

— Euh... bon, dit-il aussitôt, n'allons pas trop vite en besogne. Mes services n'ont pas encore décidé s'ils demanderont la peine capitale ou pas. Cela viendra plus tard. Mais maître Haller souligne un point aussi valide que triste. Il ne saurait y avoir pire crime dans notre société que l'assassinat d'un enfant. Nous devons donc faire tout ce qui est en notre pouvoir pour que justice soit rendue à Melissa Landy. Je vous remercie d'être venus.

— Attendez une minute ! s'écria un des journalistes assis dans une des rangées du milieu. Et Jessup là-dedans ? Quand sera-t-il déféré devant ce tribunal ?

Williams posa les mains des deux côtés du pupitre en un geste nonchalant mais destiné à m'interdire tout accès aux micros.

— Tôt ce matin, M. Jessup a été remis à la police de Los Angeles, qui est présentement en train de l'amener de la prison de San Quentin. Il sera incarcéré à la prison du centre-ville, la procédure suivant aussitôt son cours. Sa condamnation a été cassée, mais les charges retenues contre lui demeurent. Nous n'avons rien d'autre à ajouter pour l'instant.

Il recula d'un pas et me fit signe de regagner la porte. Et attendit que je me mette en marche et m'éloigne des micros. Alors il me suivit, me rattrapa et me chuchota des choses à l'oreille tandis que nous franchissions la porte.

— Vous recommencez et je vous vire dans l'instant, dit-il.

Je me retournai vers lui sans cesser de marcher.

— Je recommence quoi ? À répondre à vos questions préparées à l'avance ?

Nous passâmes dans le couloir. Ridell nous y attendait avec le porte-parole du Bureau, un certain Fernandez. Mais Williams me détourna d'eux en poursuivant son chemin. Et en continuant de me chuchoter des choses à l'oreille.

— Vous vous êtes écarté du scénario. Vous recommencez et c'est fini entre nous.

Je m'arrêtai et me retournai, Williams me rentrant presque dedans.

— Écoutez-moi, lui dis-je. Je ne suis pas votre marionnette. Je suis un avocat indépendant, vous vous rappelez ? Traitez-moi autrement sinon la patate chaude, c'est vous qui allez la tenir, et sans manique.

Il se contenta de me fusiller du regard. Il était évident que je ne me faisais pas comprendre.

— Et c'est quoi, ces conneries sur la peine de mort ? reprit-il. On n'en est même pas là et vous n'aviez pas le feu vert pour dire ça.

Il était plus costaud que moi, plus grand. Il s'était servi de son corps pour envahir mon espace et me coincer contre le mur.

— Ça reviendra aux oreilles de Jessup et ça le fera réfléchir, lui dis-je. Et si nous avons de la chance, il cherchera un plaider-coupable et tout ce truc disparaîtra, y compris les poursuites au civil. Ça vous économisera des tonnes de fric. Parce qu'au fond, c'est bien de ça qu'il s'agit, non ? Le fric. On obtient une condamnation, terminé les poursuites au civil. Vous et moi économisons quelques millions de dollars à la ville.

— Ça n'a rien à voir avec ça, me renvoya-t-il. Il s'agit de justice et vous auriez dû me dire ce que vous alliez faire. On ne bloque pas toutes les issues à son patron.

Ses intimidations physiques commençaient à me fatiguer. Je posai la paume de ma main sur sa poitrine et le fis reculer.

— Peut-être, mais vous n'êtes pas mon patron. Je n'ai pas de patron.

— Tiens donc ! Comme je vous l'ai dit, je pourrais vous virer tout de suite !

Je lui montrai la porte de la salle de conférences au bout du couloir.

— Alors là, ç'aurait l'air bien ! On vire le procureur indépendant qu'on vient de choisir ? Ce n'est pas ça que Nixon aurait fait pendant le Watergate ? Qu'est-ce que vous diriez de retourner là-bas et de le leur annoncer ? Je suis sûr qu'il y a encore quelques caméras prêtes à tourner.

Il hésita en comprenant le pétrin dans lequel il s'était mis. Je venais de le coincer contre le mur sans même bouger. Qu'il me vire et il aurait l'air d'un crétin tellement complet que plus personne ne voudrait l'élire, et il le savait. Il s'approcha, ses chuchotements se faisant de plus en plus bas tandis qu'il y allait de la plus vieille menace connue. Mais je l'attendais.

— Ne m'emmerdez pas, Haller !

— Et vous, ne me foutez pas la merde dans mon affaire. On n'est pas en campagne électorale et ça n'a rien à voir avec le fric. C'est d'un meurtre qu'il s'agit…

patron. Vous voulez que je décroche une condamnation, vous dégagez de mon chemin !

Je lui avais jeté l'os de l'appeler « patron ». Il pinça les lèvres et me dévisagea longuement.

— C'était juste pour qu'on se comprenne bien, finit-il par dire.

J'acquiesçai d'un signe de tête.

— Je crois que c'est fait.

— Avant de parler de cette affaire aux médias, vous faites approuver vos propos par mes services. C'est entendu ?

— Pigé.

Il se retourna et redescendit le couloir, son entourage lui emboîtant le pas. Je restai là à les regarder partir. La vérité était bien qu'il n'y avait rien à quoi j'étais plus opposé que la peine de mort. Et ce n'est pas parce que j'aurais eu un client exécuté, ni même parce que j'en aurais défendu un menacé de cette peine. C'était tout simplement que je croyais à l'idée qu'une société éclairée ne tue pas ses enfants.

Mais, va savoir pourquoi, cela ne m'avait pas empêché de recourir à cette menace pour prendre l'avantage dans cette affaire. Seul dans le couloir, je songeai soudain que c'était peut-être ce qui faisait de moi un meilleur procureur que celui que je pensais pouvoir être.

Chapitre 4

Mardi 16 février – 14 h 43

C'était généralement le meilleur moment dans une affaire. Celui où l'on descend en ville avec un suspect menotté sur la banquette arrière. Il n'y avait rien de mieux. Bien sûr, il y avait aussi la récompense possible de la condamnation au bout du parcours. Être là, dans le prétoire, au moment où le verdict est rendu… être là et voir la réalité choquer le condamné, voir son regard qui meurt… Mais descendre en ville était toujours mieux, toujours plus immédiat et personnel. C'était toujours ce moment-là que Bosch savourait le plus. La traque ayant pris fin, l'affaire allait passer de la fougue implacable de l'enquête à l'allure mesurée de la poursuite au pénal.

Sauf que cette fois-ci, ce n'était pas pareil. Ces deux derniers jours avaient été passablement longs et il ne savourait rien du tout. La veille, avec son coéquipier, David Chu, il s'était rendu à Corta Madera et y avait passé la nuit dans un motel en retrait de la 101. Le matin venu, ils avaient gagné la prison de San Quentin, présenté une injonction du tribunal ordonnant que Jason Jessup leur soit remis et avaient pris livraison du prisonnier pour le ramener à Los Angeles. Sept heures de route dans chaque sens avec un coéquipier qui parlait trop. Sept heures de trajet retour avec un suspect qui ne parlait pas assez.

Ils se trouvaient maintenant à l'entrée de la vallée de San Fernando, soit à une heure de la prison municipale du centre de Los Angeles. Bosch avait mal au dos après toutes ces heures de conduite. À force d'appuyer sur la pédale des gaz, il avait la cuisse droite endolorie. La voiture n'était pas équipée d'un régulateur de vitesse.

Chu lui avait bien proposé de prendre le volant, mais il avait dit non. Chu respectait religieusement les limites de vitesse, même sur autoroute. Bosch préférait se taper une heure de plus de mal de dos et l'anxiété que cela ne manquerait pas de générer.

Tout cela mis à part, il conduisait dans un silence difficile en ruminant cette affaire qui lui semblait partir à l'envers. Il ne s'en occupait que depuis quelques jours, n'avait pas encore eu l'occasion de se mettre au courant de tous les faits et là il était, avec le suspect attaché à la banquette arrière. Il avait l'impression que l'arrestation arrivait en premier et que l'enquête ne démarrerait vraiment qu'une fois que Jessup serait bouclé.

Il jeta un coup d'œil à sa montre et sut que la conférence de presse programmée devait avoir pris fin. Il était prévu qu'il retrouve Haller et McPherson à 16 heures et qu'il continue d'étudier l'affaire avec eux. À ceci près que lorsque Jessup serait enfin derrière les barreaux, il aurait du retard. Sans parler du fait qu'il devait aussi passer aux archives du LAPD pour y prendre deux boîtes qui l'y attendaient.

— Qu'est-ce qui ne va pas, Harry? lui demanda Chu.

Bosch le regarda.

— Rien.

Il n'était pas question de parler devant le suspect. En plus de quoi, cela ne faisait qu'un an que Chu et lui faisaient équipe. Il était un peu trop tôt pour que Chu se permette de lire dans les attitudes de son coéquipier. Harry ne voulait pas le laisser penser qu'il ne s'était pas trompé dans ses déductions, à savoir qu'il était effectivement mal à l'aise.

C'est alors que Jessup éleva la voix à l'arrière de la voiture et y alla de ses premières paroles depuis qu'il avait demandé un arrêt pipi à la sortie de Stockton.

— Ce qui ne va pas, c'est que cette affaire ne tient pas. Ce qui ne va pas, c'est qu'il sait très bien que tout ça, c'est des conneries, et qu'il ne veut pas y être mêlé.

Bosch lui jeta un coup d'œil dans le rétroviseur. Il s'était un peu tassé, ses menottes étant fixées à une chaîne qui descendait jusqu'aux fers qu'il avait autour des chevilles. Il avait le crâne rasé caractéristique des prisonniers qui cherchent à intimider leur monde. Bosch se dit qu'avec lui, ç'avait dû marcher.

— Je croyais que tu ne voulais pas parler, lui renvoya Bosch. Tu n'aurais pas invoqué tes droits constitutionnels ?

— Si, c'est vrai. Je vais justement la fermer et attendre mon avocat.

— Il est à San Francisco. Moi, j'y compterais pas trop.

— Il a appelé quelqu'un. Le GJP a des mecs dans tout le pays. On s'était préparés.

— Ah bon ? Tu étais prêt ? Tu veux dire que tu avais pris ton portable parce que tu pensais être transféré ? Ou bien alors… tu pensais rentrer à la maison ?

Jessup ne répondit pas.

Bosch passa sur la 101, qui les conduirait à Hollywood par le col de Cahuenga avant de les amener en centre-ville.

— Hé, Jessup, comment tu t'es connecté avec le Genetic Justice Project ? demanda-t-il en essayant encore une fois de faire démarrer quelque chose. C'est toi qui les as contactés ou c'est eux qui sont venus te chercher ?

— Le Web, mec. Je leur ai envoyé mon appel et ils ont vu les conneries qu'il y avait dans cette affaire. Ils l'ont prise et me voilà. Vous êtes complètement à la masse si vous pensez emporter le morceau. Vous m'avez déjà baisé la gueule une fois, bande d'enfoirés. Mais dans deux mois, tout ça sera fini. Vingt-quatre ans de taule que j'ai faits ! Alors deux mois de plus ! Ça fera monter mes droits d'auteur et c'est tout. Peut-être même que je devrais vous en remercier, toi et le district attorney.

Bosch jeta un autre coup d'œil dans le rétro. En temps normal, il adorait les suspects qui jacassent. Très souvent, ils se conduisaient droit en prison rien qu'en l'ouvrant. Mais Jessup était bien trop malin et méfiant. Il choisissait ses mots avec soin, se gardait de parler du crime et n'allait sûrement pas commettre une erreur dont Bosch pourrait se servir.

Dans le rétroviseur, celui-ci vit que Jessup regardait droit devant lui par la fenêtre. Pas moyen de savoir à quoi il pouvait penser. Ses yeux semblaient morts. Bosch aperçut le haut d'un tatouage de prison dans son cou, juste au-dessus de son col de chemise. Il eut l'impression que ça faisait partie d'un mot, mais n'aurait pu en jurer.

— Bienvenue à L. A., Jessup ! lança Chu sans se retourner. Ça doit faire une paie, non ?

— Va te faire mettre, espèce d'enculé de chinetoque ! lui renvoya Jessup. Tout ça va se terminer bientôt, je serai libre et j'irai me balader à la plage. Même que je vais me payer un *longboard* et me faire de super vagues.

— Faudrait pas trop y croire, l'assassin, lui renvoya Chu. Non, parce que toi, tu vas tomber. On te tient par les couilles.

Bosch savait qu'il essayait de provoquer une réponse, de faire en sorte qu'il lâche une bourde. Mais ça sentait l'amateur et Jessup était bien trop malin pour lui.

Il commença à se lasser de ces échanges, même après six heures de silence presque complet. Il alluma la radio et eut droit à la fin d'un reportage sur la conférence de presse du district attorney. Il monta le son pour que Jessup puisse entendre et que Chu la ferme un peu : « Williams et Haller ont refusé de discuter des éléments de preuves, mais ont indiqué qu'ils étaient beaucoup moins impressionnés par le test ADN que l'avait été la Cour suprême de l'État. Haller a reconnu que l'ADN trouvé sur la robe de la victime n'appartenait pas à Jessup. Mais il a ajouté que ces conclusions ne l'exonéraient pas de ce crime. C'est la première fois que maître Haller, qui est un avocat de la défense reconnu, sera procureur dans une affaire criminelle. Il ne nous a pas paru avoir la moindre hésitation ce matin. "Oui, nous demanderons à nouveau la peine de mort dans cette affaire", a-t-il déclaré. »

Bosch baissa le volume et vérifia dans le rétroviseur : Jessup regardait toujours dehors.

— Qu'est-ce que tu dis de ça, Jessup ? Il va demander qu'on t'injecte du jus de Jésus dans les veines.

— Pose de trou-du-cul, tout ça ! rétorqua Jessup d'un ton las. En plus qu'on n'exécute plus personne dans cet État. Vous savez ce que ça veut dire « couloir de la mort » ? Ça veut dire qu'on a une cellule à soi tout seul et qu'on peut regarder ce qu'on veut à la télé. Ça veut dire meilleur accès au téléphone, meilleure nourriture et plein de visiteurs. Putain, j'espère qu'il va la demander, sa peine de mort ! Mais ça n'a aucune importance. Tout ça, c'est des conneries. Tout ce truc ne vaut pas un clou. Tout ça, c'est une question de pognon.

Cette dernière phrase flotta longtemps dans l'air avant que Bosch ne finisse par mordre à l'hameçon.

— Quel pognon ? demanda-t-il.

— Mon pognon à moi. Attends un peu, mec : tu verras qu'ils viendront me proposer un marché. Mon avocat me l'a dit. Ils voudront que je plaide coupable et que je demande la confusion des peines pour pas avoir à me payer. C'est pas autre chose que ça, bordel, et vous autres, vous êtes que des facteurs. Que les mecs de chez FedEx qui m'apporteront la lettre.

Bosch garda le silence. Il se demandait si c'était possible. Jessup réclamait des millions de dollars à la ville et au comté. Se pouvait-il que cette décision de rejuger l'affaire ne soit qu'une manœuvre destinée à économiser de l'argent ? Ces deux entités administratives étaient assurées et les jurés n'aimaient rien tant que d'assommer des corporations sans visage à coups de dommages et intérêts d'un montant proprement obscène. Qu'ils croient que des procureurs et des policiers corrompus avaient emprisonné un innocent vingt-quatre ans durant et ils sauraient se montrer plus que généreux. Une amende de plusieurs dizaines de millions de dollars serait désastreuse pour les finances de la ville et du comté, même une fois la note partagée.

Mais s'ils arrivaient à coincer Jessup et à le pousser à un deal qui le verrait reconnaître sa culpabilité en échange de sa liberté, les poursuites au civil s'envoleraient. Et avec elles, tout le fric qu'il comptait tirer de son livre et ses droits d'adaptation au cinéma.

— Comme si ça tombait pas sous le sens, hein ? reprit Jessup.

Bosch regarda dans le rétroviseur et s'aperçut que le prisonnier l'observait. Il reporta son attention sur la route. Puis il sentit vibrer son portable et le sortit de sa veste.

— Tu veux que je prenne l'appel ? lui demanda Chu.

Façon comme une autre de lui rappeler qu'il est interdit de parler au téléphone quand on conduit. Bosch l'ignora et prit l'appel. C'était le lieutenant Gandle.

— Harry, t'es encore loin ?

— Je quitte la 101.

— Parfait. Je voulais juste te mettre au courant. Ça va se bousculer à la mise sous écrou. Va falloir se donner un coup de peigne.

— Compris, mais peut-être que je vais laisser le temps d'antenne à mon coéquipier.

Bosch jeta un coup d'œil à Chu, mais ne lui donna aucune explication.

— Comme tu voudras. Et la suite, c'est quoi ?

— Il a invoqué ses droits, alors on se contente de le boucler. Après, faudra que je retourne à la salle du conseil de guerre où je dois retrouver les procureurs. J'ai des questions à leur poser.

— Harry, ils le tiennent, ce mec, ou ils le tiennent pas ?

Bosch vérifia dans le rétro. Jessup s'était remis à regarder par la fenêtre.

— Je sais pas, lieutenant. Vous le saurez quand je le saurai.

Quelques minutes plus tard, ils entrèrent dans le parking situé à l'arrière de la prison. Plusieurs caméras de télévision et leurs opérateurs s'alignaient le long d'une rampe conduisant à la réception. Chu se redressa.

— La présentation du suspect, Harry.

— Oui, je sais. Allez, tu l'emmènes.

— Non, on fait ça tous les deux.

— Non, non, je reste ici.

— T'es sûr ?

— Oui. N'oublie pas de reprendre mes menottes, juste ça.

— D'accord, Harry.

Le parking regorgeait de vans des médias avec leurs émetteurs levés au maximum. Mais on avait laissé vide l'espace devant la rampe. Bosch y entra et se gara.

— OK, Jessup, dit Chu. T'es prêt là-bas derrière ? C'est le moment de vendre des billets.

Jessup ne répondit pas. Chu ouvrit la portière, sortit et ouvrit au détenu.

Bosch contempla le spectacle du fond de la voiture.

Chapitre 5

Mardi 16 février – 16 h 14

Une des meilleures choses à mettre au compte de mon mariage avec Maggie McPherson est que je n'eus jamais à l'affronter au prétoire.

Notre séparation donna naissance à un conflit d'intérêts qui m'épargna la défaite et l'humiliation qu'elle m'aurait infligées à plus d'une occasion. Maggie était assurément le meilleur procureur que j'aie jamais vu entrer dans une salle d'audience et ce n'est pas pour rien qu'on l'appelait Maggie McFierce[1].

Mais là, pour la première fois, nous allions faire partie de la même équipe et nous asseoir côte à côte à la table de l'accusation. Sauf que ce qui semblait une excellente idée au début – ne parlons même pas du bénéfice qu'elle pourrait peut-être en tirer – commençait déjà à paraître fatigué et plein d'aspérités. Maggie n'appréciait guère d'être avocat en second. Et pour de bonnes raisons. Le procureur professionnel, c'était elle. Du dealer à l'assassin en passant par le violeur et le voleur de troisième zone, c'étaient des dizaines de cri-

1. Maggie McFéroce, en français.

minels qu'elle avait mis sous les verrous. J'avais moi aussi participé à des dizaines de procès, mais jamais en tant que procureur. C'était donc un novice qu'elle allait devoir seconder et le savoir ne la réjouissait pas vraiment.

Nous nous étions installés dans la salle de conférences A et avions étalé tous les dossiers de l'affaire devant nous sur la grande table. Williams m'avait certes dit que je pouvais m'occuper de tout dans mon bureau indépendant, mais la vérité était bien que ça n'était pas pratique pour l'instant. Je n'avais pas de bureau en dehors de chez moi. C'était essentiellement la banquette arrière de ma Lincoln Town Car qui me servait de bureau et ça ne pouvait convenir à l'affaire « Le peuple contre Jason Jessup ». J'avais demandé à mon assistant de me préparer un bureau provisoire en centre-ville, mais cela lui demanderait encore quelques jours, voire plus. Bref, pour l'heure, c'était là que nous nous tenions, tête baissée et tension maximale.

— Maggie, lançai-je, pour ce qui est de poursuivre les voyous, je suis prêt à reconnaître que je ne t'arrive pas à la cheville. Le problème, c'est qu'il est en effet question d'en poursuivre un, mais aussi de faire de la politique et que ce sont les pouvoirs en place qui m'ont donné le premier rôle. C'est comme ça et on peut l'accepter ou pas. J'ai pris le boulot et je t'ai demandée. Si tu ne crois pas que nous…

C'est juste que je n'apprécie pas l'idée de porter ta mallette pendant tout ce truc.

— Il n'en est pas question. Écoute, les conférences de presse et les airs qu'on se donne sont une chose, mais moi, j'assume complètement le fait que nous allons faire équipe. Tu conduiras l'enquête tout autant que moi, peut-être même plus. Et le procès ne devrait rien y changer. Nous allons définir une stratégie et la chorégraphier ensemble. Mais il faut que tu me reconnaisses quelque mérite. Au prétoire, je sais ce que je fais. Sauf que cette fois, je serai assis à l'autre table.

— C'est là que tu te trompes, Mickey. En défense, tu n'es responsable que d'une personne. Le procureur, lui, représente le peuple et cette responsabilité est bien plus grande. C'est même pour cela qu'on parle de « la charge de la preuve ».

— Comme tu voudras. Si tu penses que je ne suis pas à ma place, ce n'est pas à moi qu'il faut te plaindre. Descends le couloir et va en parler à ton patron. Mais s'il me jette, toi aussi tu te fais virer et tu retournes à Van Nuys pour le restant de tes jours. C'est ça que tu veux ?

Elle ne répondit pas, ce qui était une réponse en soi.

— Bon, alors, repris-je. Essayons d'aller au bout de ce truc sans nous arracher les cheveux, d'accord ? N'oublie pas que je ne suis pas ici pour obtenir une condamnation de plus et booster ma carrière. Pour moi, c'est du *one shot* et *basta*. Bref, nous voulons tous les deux la même chose. Oui, il va falloir que tu m'aides. Mais tu aideras aussi tes…

Mon portable se mit à vibrer. Je l'avais laissé sur la table. Je ne reconnus pas le numéro qui s'affichait à l'écran, mais je pris l'appel, rien que pour pouvoir échapper à cette conversation.

— Haller à l'appareil.

— Hé, Mick, t'as vu comment je me suis débrouillé ?

— Qui est à l'appareil ?

— Sticks.

Sticks était un vidéaste free-lance qui fournissait de l'image aux chaînes d'infos locales, parfois même aux nationales. Je le connaissais depuis si longtemps que je ne me rappelais même plus son vrai nom.

— Comment tu t'es débrouillé à faire quoi, Sticks ? Je suis très occupé.

— À la conférence de presse. Je t'ai servi la soupe, mec !

Je compris alors que c'était lui le type qui m'avait lancé des questions, là-bas, derrière les projecteurs.

— Oui, tu t'es vraiment bien débrouillé, Sticks. Et je t'en remercie.

— Tu me renverras l'ascenseur comme il faut, hein ? Tu me mets le premier au courant s'il y a du nouveau, d'accord ? De l'exclusif, quoi.

— Oui, pas besoin de t'inquiéter, Sticks. Je te couvre. Mais là, faut que j'y aille.

Je mis fin à l'appel et reposai l'appareil sur la table. Maggie s'était mise à écrire quelque chose sur son portable. Tout semblant dire que le malaise s'était dissipé, j'hésitai à y revenir.

— C'est un type qui travaille pour la chaîne infos, dis-je. Il pourrait nous être utile un jour.

— Pas question de faire des coups en douce, me renvoya-t-elle. L'accusation obéit à des critères éthiques nettement plus élevés que ceux de la défense.

Je hochai la tête. Avec elle, il n'y avait jamais moyen de l'emporter.

— Des conneries, oui, et je ne parle pas de faire quoi que ce soit de…

La porte s'ouvrit et Bosch entra dans la salle. Il avait deux grosses boîtes dans les mains et referma la porte avec son dos.

— Désolé du retard, dit-il en posant ses boîtes sur la table.

Je sus tout de suite que la plus grande venait des archives. Je me dis que la plus petite devait contenir le dossier que la police avait monté lors de la première enquête.

— Il leur a fallu trois jours pour trouver la boîte à malices. Elle était dans la rangée 85 au lieu de 86, reprit-il en me regardant, puis en se tournant vers Maggie avant de revenir sur moi. Bon, alors… qu'est-ce que j'ai raté ? La guerre est déclarée dans la salle du conseil ?

— Nous parlions tactiques de l'accusation et il s'avère que nous avons des vues opposées sur la question.

— Ça alors !

Il tira la chaise du bout de la table. Je devinai qu'il allait avoir d'autres choses à nous dire. Il ouvrit le couvercle de la boîte à malices, en sortit trois classeurs accordéon et les plaça sur la table. Et reposa la boîte sur le plancher.

— Tu sais, Mick, dit-il, puisqu'on en est à nous servir nos quatre vérités… t'aurais quand même pu me dire certaines choses avant de m'attirer dans ton petit *soap opera*.

— De quel genre, ces choses, Harry ?

— Du genre que tout ce foutoir a plus à voir avec le fric qu'avec un meurtre.

— Qu'est-ce que tu racontes ? Quel fric ?

Il se contenta de me dévisager.

— C'est des poursuites au civil de Jessup que tu parles ?

— Exactement. J'ai eu une petite discussion fort intéressante avec lui en le ramenant en ville. Ça m'a donné à réfléchir et il m'est venu à l'esprit que si on accule ce mec à un arrangement, les poursuites contre la ville et le comté disparaissent parce qu'un type qui reconnaît avoir tué ne peut pas attaquer en justice en faisant croire qu'on lui a forcé la main. Bref, ce que j'aimerais vraiment savoir, c'est ce qu'on fabrique. Est-ce qu'on essaie de mettre en accusation un assassin ou bien est-ce qu'on essaie seulement de faire économiser quelques millions de dollars à la ville et au comté ?

Je remarquai que Maggie s'était redressée en pensant à la même chose.

— Vous rigolez, non ? dit-elle. Si ce…

— Minute, minute ! lançai-je. Prenons les choses calmement. Je ne crois pas que ce soit ça, d'accord ? Et ce n'est pas que je n'y aurais pas pensé, mais Williams n'a jamais dit quoi que ce soit sur un deal dans cette affaire. Il m'a enjoint de porter ce truc devant un tribunal. De fait, c'est pour la même raison que tu invoques que, d'après lui, ça passera devant un tribunal. Jamais Jessup n'acceptera de plaider coupable parce qu'il n'y a pas de fric à y gagner. Fini le livre, fini le film, fini les dommages et intérêts de la ville. Il veut du pognon ? Il faut qu'il aille au procès et qu'il l'emporte.

Maggie hocha lentement la tête comme si elle évaluait une idée pertinente. Bosch, lui, n'avait pas du tout l'air calmé.

— Comme si tu pouvais savoir à quoi joue Williams ! Tu es un *outsider*. Et s'ils t'avaient recruté, bien remonté comme il faut et mis dans la bonne direction pour pouvoir se rasseoir et te regarder faire ?

— Il a raison, ajouta Maggie. Jessup n'a même pas de défenseur. Dès qu'il en aura un, il causera arrangement.

Je levai les mains en un geste d'apaisement.

— Vous avez vu ce qui s'est passé à la conférence de presse aujourd'hui ? J'ai balancé qu'on allait demander la peine de mort. Et je l'ai fait pour voir comment Williams allait réagir. Il ne s'y attendait pas et juste après, il m'a serré dans le couloir. Et m'a dit que ce n'était pas à moi de prendre ce genre de décisions. Je lui ai renvoyé que ce n'était que de la stratégie et que je voulais seulement que Jessup commence à penser à un deal. Et ça, ça l'a fait réfléchir, le Williams. S'il envisageait un arrangement rien que pour enterrer les poursuites au civil, je m'en serais aperçu. Lire dans les pensées des gens, je sais faire.

Je m'aperçus que je n'avais toujours pas complètement gagné Bosch à ma cause.

— Tu te rappelles l'année dernière, quand les deux mecs de Hong Kong voulaient te coller les fesses dans le premier avion pour la Chine[1] ? ajoutai-je. Je l'ai senti tout de suite et je les ai bernés comme il fallait.

Je le regardai dans les yeux et vis qu'il se laissait fléchir. Cette histoire de Hong Kong lui rappelait qu'il me devait une faveur et j'étais justement en train de la lui demander.

— D'accord, dit-il. Alors, qu'est-ce qu'on fait ?

— Supposons que Jessup aille au procès. Dès qu'il prendra un avocat, on le saura pour de bon. Mais on commence à se préparer dès maintenant parce que si c'était moi qui le représentais, je refuserais toute possi-

1. Cf. *Les Neuf Dragons*.

bilité de délai et tenterais de coincer l'accusation côté temps de préparation pour obliger le ministère public à miser ou à la fermer. (Je vérifiai la date à ma montre.) À moins que je ne me trompe, cela nous laisse quarante-huit jours avant le début du procès. Et on a beaucoup de travail à faire d'ici là.

Nous nous regardâmes et restâmes silencieux quelques instants avant que je rende le commandement des opérations à Maggie.

— Maggie a passé le plus clair de la semaine dernière à étudier le dossier de l'accusation, repris-je. Harry, je sais que ce que tu nous apportes générera beaucoup de recoupements. Mais… et si on commençait par laisser Mags analyser l'affaire telle qu'elle a été exposée au tribunal en 86 ? Ça devrait nous donner un bon point de départ pour savoir ce que nous allons devoir faire ce coup-ci.

Bosch me signala son accord d'un hochement de tête et fit signe à Maggie d'y aller. Elle tira son portable devant elle.

— Bon alors, dit-elle. Commençons par deux ou trois trucs de base. Vu que la peine de mort était requise, la sélection des jurés a été la partie la plus longue de la procédure. Ça a pratiquement pris trois semaines. Le procès en lui-même n'a duré que sept jours, après quoi il y a eu trois jours de délibérations pour arriver au verdict des jurés, la demande de peine de mort demandant quinze jours de débats supplémentaires. Cela dit, sept jours de témoignages et d'argumentation… pour moi, c'est du rapide quand on pense qu'il y a la peine de mort à la clé. C'était du tout cuit, cette affaire. Et la défense… eh bien, il n'y en a pas eu beaucoup.

Elle me regarda comme si j'étais responsable de la piètre qualité de ladite défense, alors qu'en 86, je n'avais même pas fini mes études de droit.

— Qui était son avocat ? demandai-je.

— Charles Barnard. J'ai vérifié auprès du barreau de Californie. Ce n'est pas lui qui plaidera à ce procès. Il est décédé depuis 94. Et le procureur, Gary Lintz, a disparu depuis longtemps, lui aussi.

— Je ne me souviens ni de l'un ni de l'autre. Qui était le juge ?

— Walter Sackville. Il y a beau temps qu'il a pris sa retraite, mais lui, je m'en souviens bien. Il était dur.

— J'ai travaillé sur plusieurs affaires avec lui, ajouta Bosch. Il ne se laissait pas marcher sur les pieds. Ni par la défense ni par l'accusation.

— Continue, dis-je.

— Bien, et donc, voici la version du procureur : la famille de Landy – à savoir notre victime, Melissa, qui avait douze ans, sa sœur de treize ans Sarah, sa mère Regina et son beau-père Kensington – habitait à Hancock Park, dans Windsor Boulevard. La maison se trouvait une rue au nord de Wilshire Boulevard, près de l'église Trinity United Church of God, qui, à l'époque, attirait environ six mille personnes à ses deux offices du dimanche matin. Les gens se garaient dans tout Hancock Park pour y assister. Enfin… jusqu'au moment où les résidents en ont eu assez de voir leur quartier envahi un dimanche après l'autre. Ils sont allés voir la mairie pour se plaindre des problèmes de parking et de circulation. Et ont réussi à faire de leur quartier une zone de stationnement résidentiel pendant ces heures-là. Il fallait avoir un autocollant pour pouvoir se garer, y compris dans Windsor Boulevard. Cela a permis à des sociétés de dépannage mandatées par la municipalité de patrouiller la zone tous les dimanches matin comme de vrais requins. Tout véhicule sans l'autocollant approprié apposé sur le pare-brise était une proie rêvée qui se faisait embarquer à la fourrière. Ce qui nous amène à notre suspect, Jason Jessup.

— Il conduisait une dépanneuse, dis-je.

— Exactement. Il était chauffeur dans une société de dépannage de la ville, l'Aardvark Towing[1]. Mignon, le nom. Ça la mettait en tête des listes de l'annuaire du téléphone à l'époque où l'on se servait encore de ce genre de livres.

Je jetai un coup d'œil à Bosch, sa réaction disant clairement qu'il était toujours de ceux qui se servent de l'annuaire plutôt que du Net. Maggie ne remarqua rien et continua.

— Ce matin-là donc, Jessup patrouillait dans Hancock Park. Chez les Landy, on s'occupait à installer une piscine dans le jardin de derrière. Kensington Landy écrivait des musiques de film et s'en sortait très bien à l'époque. Et donc, comme ils étaient en train d'installer une piscine, il y avait un grand trou et des énormes tas de terre dans le jardin de derrière. Les parents ne voulaient évidemment pas que les filles y jouent. Ils trouvaient que c'était dangereux, d'autant plus que ce matin-là, elles portaient leurs belles robes pour l'église. Mais il y avait un grand jardin devant la maison. Le beau-père avait donc dit aux filles d'aller jouer dehors quelques instants avant que la famille soit prête à partir. Sarah, l'aînée, avait reçu ordre de veiller sur Melissa.

1. Ou « Les Dépanneuses de l'Oryctérope ».

— Ils allaient à Trinity United ? demandai-je.

— Non, au Sacred Heart[1] de Beverley Hills. Toujours est-il que les filles ne sont restées dehors qu'à peu près un quart d'heure. La mère était encore à l'étage, où elle se préparait, le beau-père, qui lui aussi était censé garder un œil sur les filles, regardant la télévision à l'intérieur. Un reportage sportif sur la chaîne ESPN, enfin… celle qu'ils avaient à l'époque. Il avait oublié les filles.

Bosch hocha la tête et je sus très exactement ce qu'il ressentait. Il ne jugeait pas le père, mais comprenait comment tout cela avait pu se produire et la peur de tout parent qui sait jusqu'où peut conduire une faute insignifiante.

— À un moment donné, il a entendu un hurlement, reprit Maggie. Il est sorti en courant et a trouvé l'aînée, Sarah, dans le jardin de devant. Elle hurlait qu'un type avait pris Melissa. Le beau-père a remonté la rue en courant pour la chercher, mais il n'a vu personne. Elle avait disparu… comme ça.

Mon ex-épouse s'arrêta un instant pour se calmer. Tout le monde dans la salle avait une fillette et comprenait le déchirement qui s'était alors emparé de tous les membres de la famille Landy.

— La police a été appelée et a réagi très vite, enchaîna-t-elle. C'était quand même à Hancock Park que ça se passait. Les premiers avis de recherche ont été lancés en quelques minutes. Et des inspecteurs ont immédiatement été dépêchés sur place.

— Et donc, tout ça se serait passé en plein jour ? demanda Bosch.

---

1. Au « Sacré-Cœur de Jésus ».

Maggie acquiesça d'un signe de tête.

— Ça s'est produit aux environs de 10 h 40. Les Landy avaient prévu de se rendre au service de 11 heures.

— Et personne d'autre n'a vu ce qui se passait ?

— Ne pas oublier que c'était à Hancock Park. Il y a beaucoup de grandes haies et des tas de murs qui isolent des voisins. Les gens y sont très habiles pour tenir le monde à distance. Personne n'a rien vu. Et personne n'a rien entendu jusqu'à ce que Sarah se mette à crier, mais à ce moment-là, c'était déjà trop tard.

— Y avait-il un mur ou une haie pour cacher la maison des Landy ?

— Il y avait des haies de deux mètres de haut le long des limites nord et sud de la propriété, mais rien du côté rue. À l'époque, on s'est dit que Jessup avait longé le jardin avec son camion et y avait vu la fillette toute seule. Et qu'il avait agi sur un coup de tête.

Nous restâmes assis en silence un instant et songeâmes aux horribles hasards du destin. Une dépanneuse passe devant une maison. Le chauffeur aperçoit une fillette toute seule et vulnérable. Et brusquement, il se dit qu'il peut l'attraper et s'en tirer sans encombre.

— Bien, dit enfin Bosch, comment a-t-on eu Jessup ?

— Les inspecteurs qui ont répondu à l'appel ont mis moins d'une heure à rejoindre les lieux. Celui en charge de l'enquête était un certain Donald Kloster, son coéquipier s'appelant Chad Steiner. J'ai vérifié. Steiner est mort et Kloster est à la retraite et en phase terminale de la maladie d'Alzheimer. Il ne nous sera plus d'aucune utilité maintenant.

— Merde ! s'exclama Bosch.

— Toujours est-il qu'ils se sont pointés rapidement et ont agi très vite. Ils ont interrogé Sarah qui leur a affirmé que le ravisseur était habillé comme un éboueur. Des questions plus poussées ont permis de comprendre ce que ça voulait dire : il portait une salopette sale comme les éboueurs municipaux. Elle leur a donc dit avoir entendu le camion des éboueurs dans la rue, mais a ajouté qu'elle n'avait pas pu le voir à travers le buisson derrière lequel elle s'était cachée de sa sœur pendant leur partie de cache-cache. Le problème, c'est qu'il n'y avait pas de ramassage des ordures le dimanche. Mais le beau-père a entendu et expliqué : il y avait des dépanneuses qui patrouillaient dans la rue tous les dimanches matin. C'était leur meilleure piste. Les inspecteurs ont obtenu la liste des sociétés sous contrat avec la ville et ont commencé à visiter des fourrières.

« Il y avait trois sociétés sous contrat qui contrôlaient la zone de Wilshire. L'une d'elles était l'Aardvark. Ils s'y sont rendus et on leur a dit qu'il y avait trois camions dehors. Les conducteurs ont été rappelés et l'un d'entre eux était Jessup. Les deux autres s'appelaient Derek Wilbern et William Clinton… non vraiment ! On les a interrogés séparément, mais rien de douteux n'en est sorti. Les inspecteurs les ont alors passés à l'ordinateur central. Jessup et Clinton étaient clean, mais Wilbern avait été arrêté, mais pas condamné, pour tentative de viol deux ans plus tôt. Ç'aurait suffi à ce qu'on le descende en ville pour une séance de tapissage, mais la fillette étant toujours portée disparue, il n'y avait pas le temps d'entamer les formalités ni de monter ce tapissage.

— Il est probable qu'ils l'aient ramené à la maison, dit Bosch. Ils n'avaient pas le choix. Il ne fallait pas que ça traîne.

— Voilà. Mais Kloster savait qu'il avançait en terrain miné. Il serait peut-être arrivé à ce que la fillette identifie Wilbern, mais tout aurait été perdu au tribunal où on l'aurait accusé d'avoir influencé le témoin… du genre lui dire : « Alors, c'est lui ? » Il a donc fait ce qu'il y avait de mieux après ça. Il a ramené les trois types chez les Landy. Les trois employés étaient blancs et âgés d'une vingtaine d'années. Et tous portaient la salopette de la société. Kloster a donc enfreint la procédure pour essayer d'aller vite : il espérait encore avoir une chance de retrouver la fille vivante. La chambre de Sarah Landy se trouvait au premier étage et donnait sur le devant de la maison. Kloster a fait monter la fille dans sa chambre et lui a demandé de regarder par la fenêtre. Entre les lames du store vénitien. Il a ensuite passé un appel radio à son collègue, qui a alors obligé les trois types à sortir des deux voitures de patrouille et à se tenir debout dans la rue. Mais ce n'est pas Wilbern que Sarah a identifié. Elle a montré Jessup du doigt et a dit que c'était lui.

Maggie chercha dans les documents qu'elle avait devant elle et vérifia la chronologie établie par l'enquête avant de poursuivre.

— L'identification est donc faite à 13 heures. Ce qui est vraiment rapide, la fillette n'ayant disparu qu'un peu plus de deux heures auparavant. Ils commencent à travailler Jessup, mais il ne lâche rien. Il nie tout. Ils sont toujours à le cuisiner sans le moindre résultat lorsque l'appel arrive. Le corps d'une fillette a été retrouvé dans une benne à ordures de Wilshire Boulevard, derrière l'El Rey Theater. C'est à une dizaine de rues de Windsor et de la maison des Landy. Plus tard, la mort sera attribuée à un étranglement manuel. La fillette n'a pas été violée et il n'y a de sperme ni dans sa bouche ni dans sa gorge.

Arrivée là, Maggie arrêta son résumé. Puis elle regarda Bosch, et moi après, et hocha solennellement la tête en hommage à la morte.

Chapitre 6

Mardi 16 février – 16 h 48

Bosch aimait bien la regarder et l'écouter parler. Il sentait qu'elle avait déjà l'affaire dans la peau. Maggie McFierce. Bien sûr, c'est ainsi qu'on l'appelait. Plus important encore, c'est ainsi qu'elle se voyait. Il l'avait compris à peine une heure après l'avoir rencontrée, alors que ça faisait moins d'une semaine qu'il travaillait sur ce dossier avec elle. Elle connaissait le secret. Elle savait que ce n'était pas une histoire de code et de procédure. Ni non plus de jurisprudence et de stratégie. Elle savait qu'il s'agissait de s'emparer de la chose sombre qui rôde là-bas dehors dans le monde et de la ramener à soi. De la faire sienne. De la passer à son feu interne et d'en faire quelque chose de dur et de fort qu'on pourra tenir dans ses mains, quelque chose avec quoi l'on pourra rendre les coups.

Implacablement.

— Jessup a exigé un avocat et n'a plus fait de déclarations, dit-elle en reprenant son résumé. À l'origine, le dossier s'est appuyé sur l'identification effectuée par la sœur aînée et sur les pièces à conviction retrouvées dans la dépanneuse. À savoir trois mèches de cheveux de la victime découvertes dans la fente du siège. C'est probablement là qu'il l'a étranglée.

— Et il n'y avait rien sur elle ? demanda Bosch. Rien qui provienne de Jessup ou du camion ?

— Non, rien dont on aurait pu se servir au tribunal. L'ADN a été retrouvé sur sa robe lorsqu'on l'a examinée deux jours plus tard. De fait, c'était la robe de la sœur aînée. Ce jour-là, la cadette la lui avait empruntée. On y a découvert un petit dépôt de sperme sur l'ourlet de devant. Il a été analysé, évidemment, mais à l'époque, l'ADN n'était pas retenu comme élément de preuve dans les poursuites au pénal. Le groupe sanguin a été déterminé… A positif, à savoir le deuxième groupe le plus répandu chez les humains, soit trente-quatre pour cent de la population. Il y avait bien correspondance, mais ça n'a eu pour résultat que d'inclure Jessup dans le pool génétique des suspects. Le procureur a décidé de ne pas s'en servir au procès dans la mesure où cela n'aurait fait que donner à la défense la possibilité de rappeler aux jurés que rien que dans le comté de Los Angeles, ce pool génétique compte plus d'un million d'individus.

Bosch remarqua qu'elle jetait un autre coup d'œil à son ex-époux. Comme s'il était responsable de tous les faux-fuyants auxquels se livrent les avocats de la défense partout dans le monde. Il commença à comprendre pourquoi leur mariage n'avait pas tenu.

— Le chemin parcouru depuis lors est étonnant, lança Haller. Maintenant, c'est sur des histoires d'ADN et d'ADN seulement qu'on gagne ou perd un procès.

— Bref, lui renvoya McPherson, l'accusation disposait des cheveux de la victime et d'un témoignage oculaire. Elle avait aussi pour elle que l'assassin avait la possibilité de tuer… Jessup connaissait le quartier et y travaillait le matin du meurtre. Pour ce qui est du mobile, un examen des antécédents du monsieur avait révélé des comportements de psychopathe et qu'il avait été victime d'abus sexuels de la part de son père. Nombre de ces éléments sont aussi apparus lors des discussions sur l'applicabilité de la peine de mort. Mais… et je le dis avant que tu ne sautes dessus, Haller… il n'y avait jamais eu de condamnations pénales.

— Et vous dites bien qu'il n'y a pas eu agression sexuelle non plus ? demanda Bosch.

— Rien n'indique qu'il y aurait eu pénétration ou agression sexuelle. Cela dit, il ne fait aucun doute que la motivation du crime est sexuelle. Sperme mis à part, il s'agit d'un cas de domination absolument classique. L'auteur du crime se retrouve un bref instant à tout contrôler dans un monde où il a l'impression de ne pas contrôler grand-chose. Il agit alors sur une impulsion. À l'époque, le sperme retrouvé sur la robe a été vu comme une pièce typique de ce genre de puzzle. Il a été théorisé que l'assassin avait commencé par tuer la fillette, puis qu'il s'était masturbé et nettoyé, mais en laissant par erreur un petit dépôt de sperme sur la robe, cette tache ayant tout du dépôt de transfert. Car il ne s'agissait pas d'une goutte, mais d'une trace.

— La concordance avec l'ADN qu'on vient d'avoir va dans le sens de cette explication, fit remarquer Haller.

Ce n'est pas impossible, lui renvoya McPherson. Mais parlons de nouveaux éléments de preuves plus tard, d'accord ? Pour l'instant, je vous rappelle ce qu'on avait à l'époque et ce qu'on savait en 1986.

— D'accord. Continue.

— C'est tout ce qu'on a côté éléments de preuves, mais pas côté dossier monté par l'accusation. Deux mois avant le procès, elle reçoit en effet un appel du voisin de cellule de Jessup à la prison du comté. Il…

— Mensonges de mouton ! lança Haller en l'interrompant. Je n'ai jamais rencontré un seul mouton qui dise la vérité, ni non plus aucun procureur qui, malgré tout, ne s'appuie pas sur eux.

— Je peux continuer ? s'écria McPherson, indignée.

— Mais je t'en prie !

— Un certain Felix Turner, un drogué récidiviste qui fréquentait si souvent la prison du comté qu'on en avait fait un aide-gardien parce qu'il en connaissait aussi bien le fonctionnement quotidien que les matons. On le laissait même porter les repas aux détenus du quartier de haute sécurité. Et voilà qu'il déclare aux enquêteurs que Jessup lui a donné des détails que seul le tueur pourrait connaître. On l'interroge et oui, il est bien en possession de détails qui n'ont pas été rendus publics. Du genre que la victime s'est fait enlever ses chaussures, qu'elle n'a pas été agressée sexuellement et que l'assassin s'est essuyé sur sa robe.

— Et donc, on l'a cru et on en a fait le témoin clé, dit Haller.

— On l'a cru et on l'a fait passer à la barre, oui. Mais pas en qualité de témoin clé. Cela dit, sa déposition a pesé lourd. Sauf que quatre ans plus tard, le *Times* sort, et en première page, un article sur Felix Turner « le Donneur », mouton professionnel qui a déjà témoigné seize fois pour l'accusation en sept ans, ce qui lui a valu d'importantes réductions de peines, de belles diminutions des charges retenues contre lui et autres petits à-côtés du genre cellule privée, bons boulots et grosses quantités de cigarettes.

Bosch se rappela le scandale. Il avait ébranlé le Bureau du district attorney au début des années 90 et donné lieu à d'importants changements dans le recours aux moutons comme témoins dans les procès. Ç'avait été un bel œil au beurre noir dans la réputation des forces de l'ordre pendant cette décennie.

— L'enquête du journal le discréditait complètement. Elle montrait comment il se servait d'un privé qui lui fournissait les renseignements qu'il rassemblait sur tel ou tel autre crime. Comme vous vous en souvenez peut-être, ça a changé la manière dont on tire partie des infos qui nous arrivent de l'intérieur des prisons.

— Pas assez, fit remarquer Haller. Ça n'a pas entièrement mis fin à ces pratiques, comme ç'aurait dû.

— On ne pourrait pas se concentrer un peu sur notre affaire ! s'écria McPherson qui en avait manifestement assez des poses de Haller.

— Bien sûr, bien sûr, dit-il. Concentrons-nous.

— Bon alors, lorsque le *Times* a sorti tout ça, Jessup avait été condamné depuis longtemps et purgeait sa peine à San Quentin. Bien sûr, il a aussitôt fait appel en invoquant des abus de la police et de l'accusation. Ça n'a pas beaucoup avancé, chaque cour d'appel faisant remarquer que si se servir de Turner comme témoin avait été certes parfaitement lamentable, l'impact de son témoignage sur les jurés n'aurait à lui seul pas suffi à modifier le verdict. Le reste des pièces à conviction était plus que suffisant pour le condamner.

— Et on en est restés là, dit Haller. Le verdict a été maintenu sans discussion.

— Fait intéressant, Felix Turner a été retrouvé assassiné à West Hollywood un an après le papier du *Times*, ajouta McPherson. Et ce meurtre n'a jamais été résolu.

— Pour moi, ça lui pendait au nez, dit Haller.

Silence dans la discussion. Bosch en profita pour ramener tout un chacun à l'examen des preuves et pour s'immiscer dans la conversation avec quelques questions qui l'inquiétaient.

— Les cheveux sont-ils toujours disponibles comme pièce à conviction ? demanda-t-il.

McPherson mit un petit moment à laisser tomber Felix Turner et à revenir aux éléments de preuves.

— Oui, on les a toujours, dit-elle. L'affaire remonte à vingt-quatre ans, mais le verdict a toujours été contesté. C'est là que Jessup et tout le droit qu'il a fait en taule nous aident. Il n'a pas cessé d'assigner les uns et les autres et d'interjeter appel sur appel. Les pièces à conviction retenues au procès n'ont donc jamais été détruites. Bien sûr, c'est ce qui a fini par lui donner le droit de faire procéder à un test ADN sur le bout de tissu découpé dans la robe, mais nous avons encore toutes les autres pièces à conviction retenues à l'audience et pourrons donc nous en servir. Il prétend, et ce depuis le début, que les cheveux retrouvés dans le camion y ont été déposés par la police.

— Je ne pense pas que sa défense sera très différente de celle mise en œuvre lors du premier procès et de tous ces pourvois, dit Haller. La fillette s'étant trompée dans son identification alors que le cadre était contre lui, on se rue au verdict. Confrontée à une absence monumentale d'éléments de preuves, la police colle des cheveux de la victime dans son camion. Ça n'est pas trop bien passé devant les jurés de 1986, mais c'était avant l'affaire Rodney King, les émeutes de 92, la relaxe d'O.J. Simpson, le scandale de la division Rampart et toutes les controverses dans lesquelles la police s'est trouvée engloutie depuis lors. Aujourd'hui, ça devrait marcher comme sur des roulettes.

— Bien, mais... quelles sont nos chances de l'emporter ? demanda Bosch.

— Vu ce qu'on sait pour l'instant, répondit Haller, j'en aurais certainement beaucoup plus si je me trouvais de l'autre côté de l'allée.

Bosch vit le regard de McPherson s'assombrir.

— Eh bien, mais... rien ne t'empêche d'y retourner ! dit-elle.

Haller hocha la tête.

— Non, dit-il, j'ai conclu un marché. Il est peut-être mauvais, mais j'entends m'y tenir. Sans compter que ce n'est pas tous les jours que j'ai la chance d'œuvrer du côté de la force et du droit. Qui sait si je ne pourrais pas m'y habituer... même en commençant par une cause perdue.

Et de sourire à son ex-épouse, qui ne lui retourna pas sa gentillesse.

— Et la sœur ? s'enquit Bosch.

McPherson se tourna vers lui.

— Le témoin ? C'est notre deuxième problème. Si elle est encore vivante, elle doit avoir trente-sept ans. Quant à la retrouver... Aucune aide n'est à espérer du côté des parents. Son père biologique est mort quand elle avait sept ans. Et sa mère s'est suicidée sur la tombe de sa sœur trois ans après le meurtre. Le beau-père, lui, a bu jusqu'à en avoir le foie qui lâche et il est mort il y a six ans de ça, en attendant une greffe hypothétique. J'ai demandé à un de nos enquêteurs de passer la sœur à l'ordinateur central et la piste de Sarah Landy disparaît à San Francisco à peu près au moment où son beau-père meurt. Cette année-là, elle se libère de sa mise à l'épreuve suite à sa condamnation pour possession de substances illicites. Les documents montrent qu'elle s'est mariée et a divorcé deux fois, qu'elle a été arrêtée à de multiples reprises pour des histoires de drogue et de petits larcins. Et là, comme je l'ai dit, elle disparaît de l'écran radar. Ou bien elle est morte, ou bien elle s'est refait une conduite. Et même si elle a changé de nom, ses empreintes auraient laissé une trace si jamais elle s'était encore fait arrêter ces six dernières années. Mais il n'y a rien.

— Du coup, je ne pense pas qu'on ait grand-chose si on ne la retrouve pas, fit remarquer Haller. Il va nous falloir quelqu'un de bien vivant pour montrer ce type du doigt et dire vingt-quatre ans après que c'est lui qui a fait le coup.

— Je suis d'accord, dit McPherson. C'est elle, la clé de tout. Les jurés auront besoin d'entendre cette femme leur dire que la fillette qu'elle était à l'époque ne s'est pas trompée. Qu'elle était sûre de son identification d'alors et qu'elle l'est toujours aujourd'hui. Si nous n'arrivons pas à la retrouver et à le lui faire dire, il nous restera les cheveux de la victime pour appuyer notre accusation et ce sera à peu près tout. Mais eux auront l'ADN et ce sera l'atout maître.

— Et nous nous ferons descendre en flammes, conclut Haller.

McPherson ne dit rien, mais ce n'était pas nécessaire.

— Ne vous inquiétez pas, lança Bosch. Je la retrouverai.

Les deux avocats le regardèrent. Ce n'était pas le moment de se lancer dans des fanfaronnades vides de sens, mais Bosch ne plaisantait pas.

— Si elle est vivante, je la retrouverai, répéta-t-il.

— Bien, dit Haller. Ce sera ta tâche prioritaire.

Bosch sortit son porte-clés, ouvrit le petit canif qui y était attaché et s'en servit pour briser le cachet de cire rouge apposé sur la boîte des pièces à conviction. Il n'avait aucune idée de ce qu'il allait y trouver. Les éléments de preuves retenus au procès vingt-quatre ans plus tôt étaient toujours la propriété du Bureau du district attorney. La boîte contenait d'autres pièces à conviction qu'on avait rassemblées, mais jamais présentées à la cour.

Il enfila une paire de gants en latex sortie de sa poche et ouvrit la boîte. Au-dessus se trouvait un sac en papier contenant la robe de la victime. La surprise était de taille. Il s'était dit qu'elle avait dû être montrée aux jurés, ne serait-ce que pour la réaction de sympathie qu'elle aurait suscitée.

Une odeur de moisi se répandit dans la pièce dès qu'il ouvrit le sac. Il souleva la robe et la tint par les épaules. Tous gardèrent le silence. C'était la robe que portait une petite fille au moment où elle s'était fait assassiner. Bleue, elle s'ornait d'un nœud en tissu d'un bleu plus foncé sur le devant. Un carré de trois centimètres de côté avait été découpé dans l'ourlet de devant, à l'endroit où l'on avait découvert la tache de sperme.

— Pourquoi ce truc est-il ici ? demanda Bosch. On ne l'aurait pas présenté comme pièce à conviction au procès ?

Haller restait silencieux. McPherson se pencha et examina la robe de près en réfléchissant à ce qu'elle allait lui répondre.

— Je crois… je crois qu'ils ne l'ont pas montrée à cause du carré découpé. La montrer aurait permis à la défense de poser des questions sur ce carré. Ce qui aurait conduit droit au problème du groupe sanguin. L'accusation a donc choisi de ne pas se lancer dans cette bataille au moment de la présentation des pièces à conviction. Elle a dû s'appuyer sur des photos de scène de crime montrant la fillette habillée avec cette robe. Elle a laissé à la défense le choix de la présenter ou pas et la défense ne l'a jamais fait.

Bosch replia le vêtement et le posa sur la table. Dans la boîte se trouvait aussi une paire de souliers en cuir noir. Ils lui parurent tout petits et bien tristes. Il y avait encore un deuxième sac en papier qui, lui, contenait les sous-vêtements et les socquettes de la victime. Une note du labo signalait qu'on avait cherché des fibres et des traces de fluides corporels sur ces deux articles, mais que rien n'avait été trouvé.

Au fond de la boîte, Bosch découvrit encore un sac en plastique renfermant un collier en argent muni d'une breloque. Il le regarda à travers le plastique et s'aperçut que la breloque représentait Winnie l'ourson. Un autre sac contenait un bracelet de perles bleu marine enfilées sur un élastique.

— C'est tout, dit-il.

— On devrait demander au labo de jeter un nouveau coup d'œil à tout ça, dit McPherson. On ne sait jamais. La technologie a fait de gros progrès en vingt-quatre ans.

— J'y veillerai.

— À ce propos… où a-t-on retrouvé les chaussures ? La victime ne les a pas aux pieds sur les photos de scène de crime.

Bosch consulta la fiche de propriété collée dans le couvercle de la boîte.

— D'après ça, on les a trouvées sous le corps. Elles ont dû tomber dans le camion, peut-être au moment où elle a été étranglée. L'assassin les a jetées dans la benne en premier, avant d'y balancer le cadavre.

Les images suscitées par les articles contenus dans la boîte avaient fait naître un sentiment des plus sombres chez les membres de l'accusation. Bosch se mit en devoir de tout remettre dans la boîte avec soin. Ce fut l'enveloppe où était enfermé le collier qu'il y déposa en dernier.

— Quel âge avait votre fille quand elle a laissé tomber Winnie l'ourson ? demanda-t-il.

Haller et McPherson se regardèrent. Haller attendit.

— Cinq ou six ans, répondit McPherson. Pourquoi ?

— La mienne aussi, je crois. Mais cette gamine de douze ans l'avait encore accroché à son collier. Je me demande pourquoi.

— Peut-être à cause de son origine, dit Haller. Hayley… notre fille… porte toujours un bracelet que je lui ai acheté il y a environ cinq ans.

McPherson le regarda comme si elle mettait en doute sa déclaration.

— Pas toujours, s'empressa-t-elle de préciser. Mais à l'occasion oui. Parfois elle l'a, quand je la reprends à l'école. Peut-être ce collier lui venait-il de son père biologique.

Un petit carillon montant de son ordinateur, McPherson vérifia ses e-mails. Elle regarda son écran quelques instants avant de parler.

— J'ai un message de John Rivas, dit-elle. C'est lui qui supervise les mises en accusation à la 100e chambre l'après-midi. Jessup vient de prendre un défenseur au pénal et John essaie de l'inscrire au rôle des causes pour une audition de mise en liberté sous caution cette après-midi. Jessup arrivera par le dernier bus de la prison municipale.

— Et qui est l'avocat ? demanda Haller.

— Tu vas adorer. C'est Clive Royce l'Astucieux qui prend l'affaire en *pro bono*. C'est le GJP qui l'a choisi.

Bosch le connaissait de nom. Royce était un type très en vue. Grand chéri des médias, il ne ratait jamais une occasion de parader devant les caméras pour dire tout ce qu'il n'avait pas le droit de lâcher en salle d'audience.

— Bien sûr qu'il prend l'affaire en *pro bono* ! s'écria Haller. Il se rattrapera à la fin. Les petites phrases et les manchettes, il n'y a que ça qui l'intéresse.

— Je ne l'ai jamais combattu à l'audience, dit McPherson. Je meurs d'envie d'y aller !

— Et Jessup est déjà inscrit au rôle ?

— Pas encore. Mais Royce est en train de parler au greffier. Rivas veut savoir si nous voulons nous occuper de l'affaire. Il va s'opposer à la liberté sous caution.

— Non, c'est nous qui allons prendre, dit Haller. Allons-y !

McPherson ferma son ordinateur au moment même où Bosch reposait le couvercle sur la boîte des pièces à conviction.

— Tu veux venir ? lui demanda Haller. Tu veux jeter un coup d'œil à l'ennemi ?

— Je viens de passer sept heures avec lui, tu l'as oublié ?

— Je ne pense pas qu'il parlait de Jessup, dit McPherson.

— Merci, mais je vais passer mon tour, dit Bosch en hochant la tête. Je vais apporter ça à la Scientifique et commencer à chercher notre témoin. Je vous fais signe dès que je l'ai retrouvée.

Chapitre 7

Mardi 16 février – 17 h 30

La 100e chambre était la plus grande du tribunal pénal et, réservée aux audiences de mises en accusation du matin et du soir, constituait le point d'entrée du système judiciaire local. Tous les individus accusés de crime devaient être présentés à un juge sous vingt-quatre heures et cela exigeait une grande salle avec une belle galerie, où les parents et les amis des accusés puissent s'asseoir. Ce prétoire servait à la première apparition publique de l'accusé après son arrestation, celle où les êtres aimés ignoraient encore tout du long périple dévastateur dans lequel il s'embarquait. À cette audience, il n'était pas rare de voir la maman, le papa, l'épouse, la belle-sœur, la tante, l'oncle et même un ou deux voisins venir montrer leur soutien à l'accusé, quand ce n'était pas l'indignation que leur inspirait son arrestation. Dix-huit mois plus tard, quand l'affaire touchait péniblement à sa fin avec l'annonce du verdict, l'accusé avait bien de la chance si sa maman chérie était encore présente dans la salle.

L'autre côté de la barrière était en général tout aussi encombré, des avocats de tout poil s'y pressant sans arrêt. Vétérans aux cheveux grisonnants, avocats commis d'office qui se barbent, représentants des cartels tout ce qu'il y a de plus onctueux, procureurs méfiants et loups des médias, tous se mélangeaient devant le fauteuil du juge ou s'appuyaient contre la paroi de verre entourant la cage aux détenus pour parler à leurs clients.

À présider aux destinées de cette fourmilière se trouvait le juge Malcolm Firestone, tête baissée, épaules maigres qui faisaient saillie et se rapprochaient encore plus de ses oreilles avec chaque année qui passait. Sa robe noire les faisait ressembler à des ailes repliées, l'image générale étant celle d'un vautour attendant impatiemment de se repaître des sanglants détritus laissés par le système judiciaire.

Firestone gérait le rôle des mises en accusation du soir, les audiences commençant à 15 heures et se poursuivant jusqu'aussi tard dans la nuit que l'exigeait la liste des détenus. C'était donc un monsieur qui aimait bien ne pas faire traîner les choses. Il fallait faire vite à la 100e chambre, sinon, l'on risquait fort de se faire écraser et de rester sur le carreau. Dans cette salle, la justice tenait de la chaîne de production qui n'arrête jamais. Firestone voulait rentrer chez lui. Les avocats voulaient rentrer chez eux. Tout le monde voulait rentrer à la maison.

Dès mon arrivée dans la salle avec Maggie, je vis les caméras installées dans un corral de deux mètres de côté, à gauche de la salle, juste en face du box en verre où l'on amenait les détenus par groupes de six. Les projecteurs ne m'inondant pas de leur éclat cette fois, je vis mon ami Sticks écarter les pieds de l'outil qui lui avait valu son surnom, à savoir son trépied[1]. Il m'aperçut et m'adressa un hochement de tête, que je lui rendis.

Maggie me tapota le bras et me montra un type assis à la table de l'accusation avec trois autres avocats.

— Rivas est celui au bout, me dit-elle.

— D'accord. Tu vas lui parler pendant que je vais voir le greffier ?

— Tu n'as pas besoin de vérifier, Haller. Tu es du côté de l'accusation, ne l'oublie pas.

— C'est vrai, génial. Oui, j'avais oublié.

Nous nous dirigeâmes vers la table de l'accusation et Maggie me présenta à Rivas. Le procureur était du genre avocat en herbe, avec à peine quelques années d'expérience après sa sortie d'une des meilleures écoles de droit du pays. Je me dis qu'il devait attendre son heure en jouant la politique du Bureau du district attorney et en se demandant à quel moment se montrer pour monter en grade et sortir enfin du trou que constituait le tribunal des mises en accusation. Cela ne l'aidait pas vraiment que je sois passé de l'autre côté pour m'emparer du plus beau bijou dans la liste des affaires en cours. Rien qu'à voir son langage corporel, je compris sa méfiance. Ce n'était pas à la bonne table que je me trouvais. J'avais tout du renard dans le poulailler. Et je savais qu'avant même la fin de l'audience, tous ses soupçons seraient confirmés.

Nous nous serrâmes la main pour la forme, puis je cherchai Clive Royce des yeux et le trouvai assis contre la barrière, en pleine conversation avec une

---

1. Sticks signifie « bâtons », ici au sens de « maigre comme un bâton » ou de « maigre comme un pied de trépied ».

jeune femme qui devait être son associée. Penchés l'un vers l'autre, ils regardaient un classeur ouvert bourré de documents. Je m'approchai, main tendue.

— Maître Clive Royce, lançai-je, comment allez-vous, mon vieil ami ?

Il leva la tête, un sourire plissant aussitôt son visage bien bronzé. Tel le parfait gentleman, il se mit debout et prit la main que je lui tendais.

— Mickey, comment allez-vous ? s'exclama-t-il. Je suis désolé de constater que nous allons être opposés dans cette affaire.

Désolé, il l'était, je le savais, mais pas tant que ça. Royce s'était construit sa carrière en choisissant des dossiers gagnants. Il ne se serait pas risqué à jouer *pro bono* dans une affaire à fort coefficient médiatique si elle ne pouvait pas lui apporter une énième victoire et lui valoir beaucoup de publicité gratuite. Il avait décidé d'y aller pour gagner et son sourire cachait des dents plus que tranchantes.

— Et moi donc ! lui renvoyai-je. Je suis bien sûr que vous allez me faire regretter le jour où j'ai choisi de passer de l'autre côté.

— Bah, il faut donc croire que l'un comme l'autre, nous remplissons notre devoir, n'est-ce pas ? Vous, en aidant le district attorney et moi, en prenant l'affaire à crédit.

Royce avait toujours un léger accent britannique bien qu'il ait passé plus de la moitié de ses cinquante années de vie aux États-Unis. Cela lui conférait une aura de culture et de distinction qui faisait mentir l'habitude qu'il avait de défendre des gens accusés des crimes les plus horribles. Il portait un costume trois-pièces avec un trait de craie à peine visible dans la gabardine. Son crâne chauve était parfaitement lisse et bronzé, sa barbe teinte en noir et soignée jusqu'au dernier poil.

— C'est une manière de voir les choses, lui fis-je remarquer.

— Ah mais, où sont donc passées mes manières ? Mickey, laissez-moi vous présenter mon associée Denise Graydon. Elle va me seconder dans ma défense de M. Jessup.

Graydon se leva et me serra fermement la main.

— Enchanté de faire votre connaissance, dis-je.

Et je regardai autour de moi pour voir si Maggie était dans le coin afin que je puisse la lui présenter, mais elle conférait avec Rivas à la table de l'accusation.

— Alors, repris-je à l'adresse de Royce, vous avez réussi à ajouter votre client au rôle des causes ?

— Mais bien sûr, dit-il. Ce sera le premier du groupe après celui-ci. Je suis déjà allé le voir là-bas derrière et nous sommes prêts à demander la liberté sous caution. Mais je me demandais… étant donné que nous avons quelques minutes… si nous ne pourrions pas aller bavarder un peu dans le couloir ?

— Pas de problème, Clive. Allons-y tout de suite.

Il demanda à son associée d'attendre dans la salle et de venir nous chercher lorsque le deuxième groupe de détenus entrerait dans la cage de verre. Je suivis Royce de l'autre côté de la grille et descendis avec lui l'allée entre les rangées de bancs surpeuplés de la galerie. Nous franchîmes le sas et entrâmes dans le couloir.

— Vous voulez un thé ? me demanda-t-il.

— Je ne crois pas que nous ayons le temps. Qu'y a-t-il, Royce ?

Il croisa les bras et se fit sérieux.

— Il faut que je vous dise que je ne suis pas là pour vous mettre dans l'embarras. Vous êtes un ami et un collègue de la défense. Mais là, vous vous êtes mis du côté des perdants, non ? Et donc, qu'allons-nous faire ?

Je souris et regardai de haut en bas le couloir encombré de gens. Personne ne nous accordait la moindre attention.

— Voulez-vous dire que votre client demande un arrangement à l'amiable ?

— Tout au contraire. Il n'y aura pas de négociations de ce genre dans cette affaire. Le district attorney a pris la mauvaise décision et la manœuvre dans laquelle il se lance ici est des plus claires, tout comme la façon dont il se sert de vous comme d'un pion dans ce processus. Je ne puis donc que vous avertir que si jamais vous insistez pour que Jason Jessup repasse devant un tribunal, vous ne manquerez pas de vous mettre dans l'embarras. Par pure courtoisie professionnelle, je ne pouvais pas ne pas vous mettre en garde.

Avant même que je puisse lui répondre, Graydon sortait de la salle d'audience et se dirigeait vers nous.

— Quelqu'un du premier groupe n'étant pas prêt, Jessup est remonté d'une place et vient juste d'être amené dans la salle.

— Nous arrivons tout de suite, dit Royce.

Elle hésita, puis comprit que son patron voulait qu'elle réintègre la salle d'audience. Elle en franchit à nouveau les portes, Royce reportant aussitôt son attention sur moi. Je pris la parole avant qu'il ne puisse le faire.

— Clive, lui dis-je, j'apprécie votre courtoisie et votre inquiétude, mais si votre client veut aller au procès, nous irons au procès. Nous serons prêts et nous verrons qui sera dans l'embarras et qui retournera en prison.

— Absolument génial ! J'attends cette confrontation avec impatience !

Je le suivis à l'intérieur de la salle. L'audience avait commencé et là, en descendant l'allée, je repérai Lorna Taylor, ma directrice de gestion et deuxième ex assise au bout d'une des rangées de spectateurs. Je me penchai vers elle et lui murmurai :

— Mais qu'est-ce que tu fais ici ?

— Je ne pouvais pas ne pas venir assister au grand moment !

— Comment l'as-tu appris ? Je ne l'ai su moi-même qu'il y a un quart d'heure.

— Il faut croire que la station KNX elle aussi. J'étais déjà dans le coin pour essayer de trouver un bureau quand j'ai entendu à la radio que Jessup allait être présenté à la cour. Alors je suis venue.

— Oui bon, merci d'être là, Lorna. Comment se porte notre recherche ? Faut vraiment que je sorte de ce bâtiment aussi vite que possible.

— On doit me montrer trois autres bureaux après l'audience. Ça suffira. Je te donnerai mes derniers choix demain, d'accord ?

— Oui, c'est…

Puis j'entendis l'huissier appeler Jessup.

— Écoute, faut que j'y aille. On se parle de tout ça plus tard.

— Va les coincer, Mickey !

Je trouvai un siège vide à côté de Maggie à la table de l'accusation. Rivas avait gagné la rangée de sièges contre la grille. Royce, lui, s'était posté près de la cage de verre, où il chuchotait des choses à son client. Jessup portait une salopette jaune – l'uniforme des détenus – et paraissait calme et mesuré. Un hochement de tête après l'autre, il acquiesçait à tout ce que Royce lui soufflait à l'oreille. Dieu sait pourquoi, il avait l'air plus jeune que ce à quoi je m'attendais. Je devais croire que toutes ces années de prison l'auraient marqué. Je savais qu'il avait quarante-huit ans, mais il ne semblait pas en avoir plus de quarante. Il n'avait même pas le teint pâle du prisonnier. Il était pâle, oui, mais d'une pâleur de bonne santé, surtout à côté du hâle trop prononcé de Royce.

— Où étais-tu passé ? me chuchota Maggie. J'ai cru que j'allais devoir gérer toute seule.

— J'étais juste dehors, à parler avec l'avocat de la défense. Tu as les charges sous la main ? Au cas où je devrais les lire pour le procès-verbal.

— Tu n'as pas à les lire. Tu n'as qu'une chose à faire : te lever et dire que pour toi, Jessup risque de s'enfuir et qu'il représente un danger pour la communauté. Il…

— Mais je ne pense vraiment pas qu'il risque de filer. Son avocat vient juste de me dire qu'ils sont prêts à y aller et que trouver un arrangement ne les intéresse pas. Il veut le fric et la seule façon qu'il a d'y arriver est de ne pas bouger et d'aller au procès… et de le gagner.

— Et alors ?

Elle avait l'air étonné et baissa le nez sur les dossiers qui s'empilaient devant elle.

— Mags, ta ligne de conduite, c'est de tout disputer et de ne pas faire de quartier. Je ne pense pas que ça marche dans le cas présent. J'ai une stratégie et…

Elle se tourna et se pencha plus près de moi.

— Parfait. Je vais donc vous laisser y aller, toi, ta stratégie et ton chauve de copain de la défense.

Elle recula son siège, se leva et prit sa mallette posée par terre.

— Maggie…

Elle se rua pour franchir le portillon et se dirigea vers la porte du fond. Je la regardai partir en sachant que si le résultat ne me plaisait pas, il fallait quand même bien que je marque les limites de nos relations d'avocats de l'accusation.

Jessup étant appelé, Royce s'identifia pour le procès-verbal. Je me levai à mon tour et prononçai les mots que je ne pensais jamais devoir lancer :

— Michael Haller, au nom du peuple.

Jusqu'au juge Firestone qui leva les yeux du haut de son perchoir et me regarda par-dessus ses lunettes de vue. C'était probablement la première fois depuis des semaines que quelque chose d'inhabituel se produisait dans son prétoire. Un défenseur patenté prenait la parole au nom de l'accusation !

— Bien, messieurs, dit-il, nous sommes dans une chambre de mise en accusation et j'ai devant moi une note où l'on me dit vouloir parler de liberté sous caution.

Vingt-quatre ans plus tôt, Jessup avait été accusé de meurtre et d'enlèvement. Si elle avait cassé sa condamnation, la Cour suprême de l'État n'en avait pas pour autant abandonné les charges retenues contre lui. Cela avait été laissé à la discrétion du district attorney. Jessup était donc toujours accusé de ces crimes et la décision de plaider non coupable qu'il avait prise vingt-quatre ans plus tôt tenait toujours. L'affaire devait donc être assignée à un tribunal et à un juge afin de passer en procès. D'habitude, parler de caution ne se faisait pas avant ces nouvelles assignations, sauf que Jessup, par l'intermédiaire de Royce, poussait les feux en se présentant devant Firestone.

— Monsieur le juge, lança Royce, mon client a déjà été mis en accusation il y a vingt-quatre ans. Ce que nous aimerions faire aujourd'hui, c'est établir le montant de la caution et demander à ce que cette affaire soit portée devant un tribunal. Cela fait longtemps que M. Jessup attend liberté et justice. Il n'a aucune intention de renoncer à son droit d'être jugé rapidement.

Je savais que c'était ce que Royce allait demander parce que c'était très exactement ce que j'aurais demandé moi aussi. Tout individu accusé d'un crime a le droit d'être jugé promptement. La plupart du temps, le procès est retardé à la demande de la défense ou après accord des deux parties sur le temps de préparation nécessaire. Moyen de pression tactique oblige, Jessup n'allait pas renoncer au droit d'être jugé rapidement. Affaire et pièces à conviction qui remontaient à vingt-quatre ans, sans même parler d'un témoin dont on ne savait toujours pas où il se trouvait, il n'était pas seulement prudent de jouer la pendule contre l'accusation : ça ne prêtait même pas à discussion. Dès que la Cour suprême casse un jugement, la pendule commence à tourner. Le ministère public avait soixante jours pour coller Jessup devant un juge. Et douze d'entre eux s'étaient déjà écoulés.

— Je suis en mesure de donner l'affaire au greffier pour assignation, reprit Firestone.

— Et moi, je préférerais que le juge qui sera désigné s'occupe de la caution, le contrai-je.

Royce ordonna un instant ses pensées avant de répondre. Et ce faisant, se tourna légèrement de façon à ce que les caméras le prennent sous son meilleur jour.

— Monsieur le juge, dit-il, cela fait vingt-quatre ans que mon client est incarcéré à tort. Et ce ne sont pas seulement mes paroles, c'est aussi l'avis de la Cour suprême de l'État. Cour suprême de l'État qui vient de le faire sortir de prison et de l'amener ici afin qu'il puisse être rejugé. Tout cela fait partie d'un plan qui n'a rien à voir avec la justice, mais tout avec l'argent et la politique. Il s'agit surtout d'épargner à quiconque la responsabilité d'avoir ôté la liberté à quelqu'un de manière frauduleuse. Repousser cette audience à un autre jour ne ferait que prolonger la parodie de justice dont Jason Jessup est victime depuis plus de deux décennies.

— Très bien.

Firestone avait toujours l'air déconcerté et agacé. La chaîne de montage avait cassé un pignon. Il avait un rôle des causes qui avait dû commencer avec plus de soixante-quinze noms et il désirait sans doute en finir à temps pour rentrer dîner à la maison sur le coup de 20 heures. Et Royce allait tout ralentir de manière incommensurable en exigeant un plein débat sur la question de savoir si l'on devait permettre à Jessup d'être libre en attendant d'être rejugé. Sauf que Firestone, tout comme Royce, était sur le point d'avoir la plus belle surprise de la journée : si le juge Firestone n'arrivait pas à rentrer chez lui à temps pour dîner, ce ne serait pas ma faute.

Royce demanda au juge de libérer Jessup sans condition, à savoir sans avoir à déposer une caution pour que son client se retrouve libre de ses mouvements. Et ce n'était qu'un début. Royce s'attendait pleinement à ce qu'une somme soit attachée à la libération de son client, s'il devait même seulement réussir. Les gens inculpés de meurtre n'obtiennent jamais d'être libérés sans condition. Les rares fois où le paiement d'une caution est accordé dans une affaire de meurtre, le montant est en général très élevé. Que Jessup puisse rassembler cet argent grâce à ses partisans ou en puisant dans les royalties du livre et du film qu'il aurait été en train de négocier n'avait rien à voir avec le débat.

Royce conclut sa requête en arguant qu'on ne pouvait pas considérer que Jessup risquait de s'enfuir pour la raison même que j'avais expliquée à Maggie : il n'avait aucun intérêt à filer. Son seul intérêt était de se battre pour blanchir son nom après vingt-quatre ans d'une incarcération injustifiée.

— M. Jessup n'a pour l'instant pas d'autre but que celui de se tenir tranquille et de prouver une fois pour toutes qu'il est innocent et a payé un prix infernal pour les erreurs et les fautes professionnelles du Bureau du district attorney.

Tout le temps qu'il parla, je regardai Jessup dans la cage de verre. Il savait que les caméras étaient braquées sur lui et ne cessa de jouer les êtres justement indignés. Malgré tous ses efforts, il ne pouvait pourtant pas masquer la colère et la haine qu'il avait dans le regard. Vingt-quatre ans de prison les y avaient imprimées de façon permanente.

Firestone acheva de rédiger une note et me demanda ma réponse. Je me levai et attendis qu'il veuille bien me regarder.

— Je vous en prie, maître Haller, dit-il.

— Monsieur le juge, lançai-je, à condition que M. Jessup puisse apporter une preuve de domiciliation, le ministère public ne s'opposera pas pour l'instant à ce qu'il bénéficie d'une libération sous caution.

Firestone me dévisagea un bon moment en découvrant que ma réponse était à l'exact opposé de ce à quoi il s'attendait. Les murmures étouffés qui parcoururent la salle parurent encore s'atténuer au fur et à mesure que l'impact de ma réponse était compris par tous les avocats présents au prétoire.

— Vous ai-je bien compris, maître Haller ? me demanda Firestone. Vous ne vous opposez pas à ce qu'il y ait libération sous caution dans une affaire de meurtre ?

— C'est exact, monsieur le juge. Nous comptons bien que M. Jessup se présente à son procès. Il ne gagnerait pas un sou à ne pas le faire.

— Objection, monsieur le juge ! s'écria Royce. Je m'oppose à ce que maître Haller contamine le procès-verbal en lançant des remarques aussi préjudiciables à mon client qu'aux médias présents dans cette salle ! M. Jessup n'a pour l'instant d'autre but que celui de…

— Je comprends, maître Royce, dit Firestone. Mais je pense que vous avez vous-même déjà assez joué la comédie pour les caméras. Nous en resterons donc là. Puisque l'accusation ne s'y oppose pas, je libère donc M. Jessup dès qu'il aura apporté une preuve de domiciliation au greffier. M. Jessup ne devra pas quitter Los Angeles sans l'aval de la cour devant laquelle cette affaire sera déférée.

Firestone passa donc le dossier au greffier pour réassignation à une autre chambre aux fins de procès. Nous étions enfin hors de la juridiction de Firestone.

Il pouvait remettre la chaîne d'assemblage en route et espérer rentrer à la maison pour le dîner. Je ramassai les dossiers que Maggie avait laissés derrière elle et quittai la table. Royce avait regagné son siège près de la rambarde et jetait des dossiers dans une mallette en cuir. Sa jeune associée lui donnait un coup de main.

— Alors, quelle impression cela vous a-t-il fait, Mick ? me demanda-t-il.

— Quoi ? D'être avocat de l'accusation ?

— Oui, d'être passé de l'autre côté.

— À dire vrai, ce n'est pas très différent. Aujourd'hui, on n'a fait que de la procédure.

— On va vous passer aux charbons ardents pour avoir laissé filer mon client.

— Bah, qu'ils aillent se faire foutre s'ils ne sont pas capables d'apprécier une petite blague. Assurez-vous seulement que Jessup reste clean, Clive. Parce que s'il ne le fait pas, j'aurai vraiment le cul sur des charbons ardents. Mais lui aussi.

— Pas de problème de ce côté-là. Nous allons nous occuper de lui. C'est le cadet de nos soucis, vous savez ?

— Comment ça, Clive ?

— Vous n'avez quand même pas grand-chose côté preuves, vous êtes incapables de retrouver votre témoin clé et l'ADN vous tue votre dossier. Vous êtes le capitaine d'un vrai *Titanic*, Mickey, et c'est Gabriel Williams qui vous a nommé à ce poste. J'en viens à me demander ce qu'il a contre vous.

Dans tout ce qu'il venait de dire, une seule chose m'inquiétait. Comment était-il au courant du témoin manquant ? Bien sûr, je ne réagis pas et ne lui posai aucune question sur ce que le district attorney pouvait avoir contre moi. Je la jouai comme tous les procureurs trop sûrs d'eux contre lesquels je m'étais battu.

— Dites à votre client de savourer sa liberté tant qu'elle dure. Parce que dès que le verdict tombera, il retournera au trou.

Royce sourit et referma sa mallette d'un coup sec. Et changea de conversation.

— Quand pourrons-nous parler de l'échange des éléments de preuves[1] ?

— Dès que vous voudrez. Je commence à monter un dossier dès demain matin.

— Bien. On en parle vite, d'accord ?

— C'est comme je vous l'ai dit, Clive : quand vous voudrez.

Il se dirigea vers le bureau du greffier, très probablement pour se renseigner sur la libération de son client. Je franchis le portillon, retrouvai Lorna et nous quittâmes le prétoire ensemble. Un petit groupe de reporters et de cameramen m'attendait dehors. Les journalistes me lancèrent des questions sur le fait que je ne m'étais pas opposé à la caution, je leur renvoyai un « sans commentaire » et nous poursuivîmes notre chemin. Ils restèrent sur place pour attendre la sortie de Royce.

— Je ne sais pas, Mickey, me confia Lorna. Comment crois-tu que le district attorney va réagir à cette libération sans caution ?

Juste au moment où elle me posait la question, mon portable se mit à vibrer dans ma poche. Je m'aperçus

1. Avant le procès, les deux parties doivent avoir communication des éléments de preuves et des noms des témoins de la partie adverse afin que le débat contradictoire se fasse sur des bases égales.

alors que j'avais oublié de l'éteindre au prétoire. C'était une erreur qui aurait pu me coûter cher, tout dépendant de la façon dont Firestone voyait une interruption de type électronique au beau milieu d'une audience du tribunal.

— Je n'en sais rien, mais je pense être sur le point de le savoir, répondis-je à Lorna en consultant l'écran.

Je levai mon portable en l'air pour qu'elle puisse voir que celui qui m'appelait n'était autre que le district attorney de L. A.

— Tu le prends, dit-elle. Moi, je file. Fais attention, Mickey.

Elle m'embrassa sur la joue et rejoignit le coin des ascenseurs. Je me connectai. J'avais deviné juste. C'était bien Gabriel Williams.

— Haller, me lança-t-il, mais qu'est-ce que vous fabriquez, nom de Dieu ?

— Que voulez-vous dire ?

— On m'informe que vous laissez filer Jessup sans caution ?

— C'est juste.

— Donc, je vous le redemande : mais qu'est-ce que vous fabriquez, nom de Dieu ?

— Écoutez, je…

— Non, c'est vous qui m'écoutez. Je ne sais pas si vous étiez en train de donner à l'un de vos copains de la défense tout ce qu'il voulait ou si vous êtes tout bonnement idiot, mais sachez qu'on ne laisse jamais filer un assassin. Vous me comprenez ? Bon et maintenant, je veux que vous retourniez au prétoire et que vous demandiez une nouvelle audience pour établir la caution.

— Pas question, je ne le ferai pas.

Il y eut un silence pesant pendant au moins dix secondes avant que Williams reprenne la parole.

— Vous ai-je bien entendu, Haller ?

— Je ne sais pas ce que vous avez entendu, Williams, mais il n'est pas question que je retourne là-bas pour demander une nouvelle audience. Il va falloir que vous compreniez quelque chose : ce que vous m'avez donné comme affaire n'est qu'un gros tas de merde et il va falloir que je m'en débrouille au mieux. Les pièces à conviction que nous avons remontent à vingt-quatre ans. On a un gros trou dans notre dossier, à savoir l'ADN, et un témoin sur lequel on n'arrive pas à mettre la main. Et tout ça me dit que je vais devoir faire tout ce que je peux pour l'emporter.

— Et quel est le rapport avec le fait de laisser sortir ce type de prison ?

— Parce que vous ne le voyez pas ? Cela fait vingt-quatre ans que Jessup est en taule. Et la taule, ce n'est pas une école où on apprend les bonnes manières. Quel que soit ce qu'il a été en entrant, il est dix fois pire maintenant. Dès qu'il sera dehors, il va merder. Et qu'il merde ne peut que nous aider.

— En d'autres termes, vous mettez la population en danger en le laissant filer.

— Non, parce que vous allez parler aux flics du LAPD et leur dire de le surveiller. Personne ne souffrira et eux pourront intervenir et le cueillir dès qu'il fera le con.

S'ensuivit un autre silence, mais cette fois, j'entendis des bruits de voix étouffés et compris que Williams discutait avec son conseiller, Joe Ridell. Lorsque enfin sa voix me revint, le ton était sévère, mais on ne jouait plus les outragés.

— Bon, d'accord, voilà ce que je veux que vous fassiez, dit-il. Quand vous voudrez faire un truc de ce genre, vous commencerez par me consulter. Vous comprenez ?

— Pas question. C'est un procureur « indépendant » que vous avez voulu. Et c'est ce que vous avez. C'est à prendre ou à laisser.

Encore une pause, puis il raccrocha sans rien ajouter. Je refermai mon portable et pendant quelques instants, je regardai Clive Royce sortir du prétoire et aller barboter dans la foule des journalistes et des cameramen. En expert chevronné, il attendit un moment que tout le monde s'installe et règle ses objectifs. Alors seulement il se lança dans le premier de ce qui allait devenir une série de points de presse impromptus mais très soigneusement préparés.

— J'ai l'impression que le Bureau du district attorney commence à avoir peur, dit-il.

Je savais qu'il allait dire ça. Je n'avais pas besoin d'écouter le reste. Je m'éloignai.

Chapitre 8

Mercredi 17 février – 9 h 48

Certaines personnes ne veulent pas qu'on les retrouve. Et prennent des mesures dans ce sens. Elles traînent une branche dans la poussière derrière elles pour brouiller la piste. D'autres se contentent de filer et se moquent bien de ce qu'elles peuvent laisser dans leur sillage. Ce qui importe, c'est que le passé reste derrière elles et qu'à aucun moment elles ne cessent de s'en éloigner.

Dès qu'il eut pris connaissance du travail effectué par l'enquêteur du district attorney, il ne fallut que deux heures à Bosch pour trouver un nom et une adresse valide pour le témoin manquant, Sarah, la sœur aînée de Melissa Landy. Elle n'avait pas traîné de branche dans la poussière derrière elle. Elle s'était servie de procédés similaires tout en continuant sa vie. L'enquêteur du district attorney qui avait perdu sa trace à San Francisco n'avait pas cherché dans son passé pour trouver des indices. C'était là qu'il s'était trompé. Il avait cherché dans le présent et n'avait trouvé qu'une piste vide.

Bosch, lui, avait commencé ses recherches comme son prédécesseur, en entrant « Sarah Landy » et sa date de naissance, le 14 avril 1972, dans son ordinateur. Les divers moteurs de recherche du Bureau lui avaient alors donné des tonnes de collisions avec la société et les forces de l'ordre.

Il y avait d'abord eu des arrestations pour possession de drogue en 1989 et 1990 – toutes gérées avec discrétion et sympathie par la division de la Protection infantile. Mais Sarah ne pouvait déjà plus compter sur la compréhension de la DPI lorsqu'elle s'était fait arrêter pour des motifs identiques à la fin 91 et deux fois encore en 92. Elle avait été mise à l'épreuve avec période de réadaptation, tout cela suivi par quelques années où elle n'avait plus laissé la moindre empreinte digitale nulle part. Un autre site de recherche avait alors fourni à Bosch une série d'adresses à Los Angeles, où elle avait habité au début des années 90. Il avait aussitôt reconnu des quartiers en marge, où les loyers étaient probablement bas et la drogue facile à trouver. Sarah semblait préférer le cristal, qui grille les cellules du cerveau par millions.

C'était là que se terminait la piste de Sarah Landy, la fillette qui s'était cachée derrière les buissons et avait regardé sa cadette se faire enlever par un tueur.

Bosch ouvrit le premier dossier qu'il avait sorti du classeur et consulta la fiche de renseignements de Sarah. Il y trouva son numéro de sécurité sociale et l'entra avec sa date de naissance dans le moteur de recherche. Cela lui donna deux autres noms : Sarah Edwards au début de 1991 et Sarah Witten en 1997. Chez les femmes, changer de nom de famille indiquant seulement, en général, qu'il y a eu mariage, l'enquêteur du district attorney déclarait avoir retrouvé deux procès-verbaux de mariage. Sous ce nouveau nom d'Edwards, Sarah avait continué à se faire arrêter, dont deux fois pour vol et une pour prostitution. Mais ces arrestations étaient assez espacées et le passé de la jeune femme suffisamment triste pour qu'une fois encore, elle évite la prison.

Bosch cliqua alors sur la série de photos d'identité prises lors de ces arrestations. On y voyait une femme qui avait changé de coupe et de couleur de cheveux, mais qui avait toujours l'air blessé et beaucoup de défi dans le regard. Un de ces clichés laissait apparaître un gros bleu sous son œil gauche et des plaies ouvertes le long de sa mâchoire. C'étaient ces photos qui semblaient le mieux raconter son histoire – celle d'une spirale descendante dans la drogue et le crime. Celle d'une blessure intérieure qui ne guérissait pas, d'une culpabilité que rien n'apaisait jamais.

Sous le nom de Witten, Sarah avait continué de se faire arrêter, seuls changeant les lieux où se produisaient ces arrestations. Elle avait dû comprendre qu'elle commençait à lasser la patience des procureurs et des juges qui ne cessaient de lui redonner sa chance – très vraisemblablement après avoir lu le résumé de sa vie contenu dans les enquêtes de pré-sentence. Elle était alors montée dans le nord, jusqu'à San Francisco et, encore une fois, avait eu fréquemment maille à partir avec la justice. Pour des problèmes de drogue et de petits larcins, toutes charges qui vont souvent ensemble. En regardant ces photos d'identité, Bosch découvrit une femme qui avait l'air plus vieille que son âge. On lui aurait donné quarante ans alors qu'elle n'en avait pas encore trente.

C'était en 2003 qu'elle avait purgé sa première peine d'emprisonnement significative – six mois à la prison du comté de San Mateo après avoir plaidé coupable pour possession de drogue. Les procès-verbaux montraient qu'elle y avait fait quatre mois, suivis d'une cure de rééducation en service fermé. C'était là qu'on perdait sa trace dans le système. Personne sous aucun de ces noms ou ayant le même numéro de sécurité sociale n'avait été arrêté depuis lors ou demandé un nouveau permis de conduire dans aucun des cinquante États de l'Union.

Bosch essaya encore plusieurs manœuvres numériques qu'il avait apprises en travaillant à l'unité des Crimes non résolus, où remonter des pistes par l'Internet avait été élevé au statut d'art à part entière, mais non, pas moyen de retrouver sa trace. Sarah avait disparu.

Après avoir écarté l'ordinateur, il sortit tous les dossiers du classeur. Et commença à en éplucher les documents pour y chercher des indices qui pourraient l'aider. Il trouva bien plus que ça en tombant sur une photocopie de l'acte de naissance de la jeune femme. C'est alors en effet qu'il se rappela qu'elle vivait avec sa mère et son beau-père au moment où sa sœur s'était fait assassiner.

Le nom de jeune fille porté sur l'acte de naissance était Sarah Ann Gleason. Il l'entra dans l'ordinateur avec sa date de naissance. Il ne trouva aucun casier sous ce nom, mais un permis de conduire de l'État de Washington établi quelque six ans plus tôt et renouvelé il y avait à peine deux mois de cela. Il ressortit la photo et oui, il y avait bien une ressemblance. Mais légère. Il examina longuement le cliché. Il aurait juré que Sarah Ann Gleason avait rajeuni.

Il se dit qu'elle avait dû renoncer à sa vie de misère. Elle avait dû trouver quelque chose qui l'avait fait changer. Il n'était pas impossible qu'elle ait suivi une cure. Ou alors qu'elle ait eu un enfant. Quoi qu'il en fût, elle avait changé et c'était pour le mieux.

Bosch entra aussitôt son nom dans un autre moteur de recherche avec logiciel utilitaire et raccordement satellitaire. L'adresse correspondait bien à celle de son permis de conduire. Bosch fut sûr de l'avoir retrouvée. Il alla sur Google et entra l'info. Et bientôt, contempla une carte de l'Olympic Peninsula au nord-ouest de l'État de Washington. Sarah Landy avait changé trois fois de nom et s'était enfuie dans le coin le plus reculé des États-Unis, mais il l'avait retrouvée.

Le téléphone sonna au moment même où il tendait la main pour le décrocher. C'était le lieutenant Stephen Wright, le commandant de la section des Recherches spéciales du LAPD.

— Je voulais juste vous avertir que depuis un quart d'heure, nous sommes tous déployés sur la personne de Jessup. Toute l'unité est impliquée et nous vous donnerons un rapport de surveillance tous les matins. Si vous avez besoin de quoi que ce soit d'autre ou si vous désirez vous joindre à nous à n'importe quel moment, appelez-moi.

— Merci, lieutenant. Je n'y manquerai pas.

— Espérons qu'il se passera quelque chose.

— Ça serait bien, oui.

Il raccrocha. Et passa son coup de fil à Maggie McPherson.

— Deux ou trois trucs, dit-il. Un, les types du service des Recherches spéciales ont dès maintenant

Jessup dans le collimateur. Vous pouvez en informer Gabriel Williams.

Il crut entendre un petit gloussement avant qu'elle lui réponde :

— Ironique, non ?

— Ah ça ! Peut-être qu'ils finiront par tuer Jessup et que nous n'aurons plus à nous inquiéter d'un quelconque procès !

Le service des Recherches spéciales était un escadron de surveillance d'élite qui avait plus de quarante ans d'existence malgré un taux de suspects abattus plus élevé que celui de n'importe quelle autre unité du LAPD, SWAT[1] compris. Le SRS servait à surveiller clandestinement des prédateurs de premier ordre – tous individus soupçonnés de commettre des crimes violents et qui ne cesseraient pas de le faire avant d'être pris sur le fait et arrêtés par la police. Maîtres dans l'art de la filature, les officiers du SRS attendaient que les suspects commettent un nouveau crime avant d'entrer dans la danse pour l'arrêter, l'affaire se soldant souvent de manière fatale.

L'ironie dont parlait McPherson était que Gabriel Williams avait été un avocat des droits civiques avant d'essayer de se faire élire au poste de district attorney. Il avait poursuivi le SRS à de multiples reprises en prétendant que les stratégies de cette unité avaient pour seul but d'attirer les suspects dans des confrontations mortelles avec la police. Il était même allé jusqu'à la traiter d'« escadron de la mort » en annonçant qu'il allait la poursuivre en justice suite à une fusillade qui avait laissé quatre voleurs morts devant un fast-food

1. Équivalent américain de notre GIGN.

de la chaîne Tommy's. Et c'était maintenant ce même « escadron de la mort » dont on se servait dans un gambit qui allait peut-être aider à gagner le procès contre Jessup et du même coup favoriser l'ascension politique de Williams.

— Et vous serez informé de ses faits et gestes ? lui demanda McPherson.

— Tous les matins, j'aurai droit au rapport de surveillance. Et on m'appellera s'il se passe quoi que ce soit d'intéressant.

— Parfait. Autre chose ? Je suis un peu à la bourre. Je travaille sur une autre affaire et j'ai une audience qui va démarrer.

— Oui, j'ai retrouvé notre témoin.

— Vous êtes génial ! Où est-elle ?

— Dans le nord de l'État de Washington, tout en haut de l'Olympic Peninsula. Dans un endroit qui s'appelle Port Townsend. Elle se sert de son nom de jeune fille, Sarah Ann Gleason, et on dirait bien qu'elle est clean depuis environ six ans, depuis qu'elle est là-bas.

— Voilà qui est bon pour nous.

— Pas forcément.

— Comment ça ?

— J'ai l'impression qu'elle a passé l'essentiel de son existence à essayer de fuir ce qui s'est produit ce dimanche-là à Hancock Park. Qu'elle ait enfin réussi à dépasser ça et qu'elle soit clean depuis qu'elle est là-haut à Port Townsend, et il se pourrait bien qu'elle n'ait aucune envie de gratter de vieilles plaies, si vous voyez ce que je veux dire.

— Même pas pour sa sœur ?

— Peut-être pas. Ça remonte quand même à vingt-quatre ans.

McPherson resta longtemps silencieuse avant de répondre.

— C'est une bien cynique vision de la vie que vous avez là, Harry. Quand prévoyez-vous d'y monter ?

— Dès que possible. Mais avant, il faut que je m'organise pour ma fille. Elle est restée chez une copine quand je suis allé chercher Jessup à San Quentin. Ça ne s'est pas passé aussi bien que prévu et maintenant, voilà que je me retrouve obligé de reprendre la route.

— Désolée de l'apprendre. Je veux vous accompagner.

— Je pense pouvoir me débrouiller seul.

— Je sais. Mais il serait peut-être bon d'avoir une femme à vos côtés, et qui plus est, avocate de l'accusation. Je crois de plus en plus que ce sera elle la clé de tout ce truc et je veux qu'elle soit mon témoin. La façon que nous aurons de l'approcher est capitale.

— Cela fait trente ans que j'approche des témoins. Je crois…

— Laissez-moi demander au service des voyages de faire le nécessaire. Comme ça, nous pourrons y aller ensemble. Et parler stratégies à suivre.

Il marqua une pause. Il n'allait pas réussir à la faire changer d'avis et il le savait.

— Comme vous voudrez, dit-il.

— Bien. J'avertis Mickey et je contacte le service des voyages. On se prend un avion du matin. Je suis libre demain. Est-ce que c'est trop tôt pour vous ? Je n'aimerais vraiment pas repousser à la semaine prochaine.

— Je vais me débrouiller pour que ça marche.

Il avait une autre raison de l'appeler, mais il décida d'attendre. La façon qu'elle avait eue de s'emparer de ce voyage dans l'État de Washington le faisait hésiter à discuter de ses pratiques d'enquêteur.

Ils raccrochèrent et il se retrouva à tambouriner sur le bord de son bureau en se demandant ce qu'il allait dire à Rachel Walling.

Quelques instants plus tard, il sortit son portable et passa l'appel. Il avait le numéro de Walling profondément inscrit dans sa mémoire. À sa surprise, elle répondit aussitôt. Il se l'était imaginée en train de découvrir son nom à l'écran et d'attendre qu'il laisse un message sur sa boîte vocale. Leur relation avait pris fin depuis longtemps, mais il leur en était resté des sentiments très intenses.

— Bonjour, Harry.

— Bonjour, Rachel. Comment vas-tu ?

— Bien. Et toi ?

— Pas mal. Je t'appelle pour une affaire.

— Évidemment. Harry Bosch ne passe jamais par les canaux officiels. Il va droit au but.

— Il n'y a pas de canaux officiels pour ça. Et tu sais très bien que si je t'appelle, c'est parce que je te fais confiance et que je respecte ton opinion plus que tout. Passer par les canaux officiels ? Je serais sûr de tomber sur un profileur de Quantico qui ne serait rien de plus qu'une voix me parlant au téléphone. Et il n'y a pas que ça : il y a aussi qu'on ne me rappellera pas pour me dire quoi que ce soit avant deux mois. Et donc, qu'est-ce que tu ferais si tu étais à ma place, hein ?

— Ah… probablement la même chose.

— En plus de quoi, je ne veux pas que le Bureau se mêle de cette affaire. Je ne cherche que ton opinion et tes conseils, Rachel.

— Et c'est quoi, cette affaire ?

— Je crois que ça va te plaire. Il s'agit du meurtre d'une fillette de douze ans il y a vingt-quatre ans de ça. À l'époque, un type est tombé pour ce meurtre et maintenant, il faut le rejuger. Je me disais qu'un profil du crime pourrait peut-être aider le procureur.

— Ça ne serait pas l'histoire Jessup dont on entend parler aux nouvelles ?

— Si, exactement.

Il savait que ça l'intéresserait. Il l'avait entendu dans sa voix.

— Bon, d'accord, apporte-moi tout ce que tu as. Combien de temps me donnes-tu ? J'ai aussi mon boulot à côté, tu sais ?

— Cette fois-ci, il n'y a pas le feu. Ce n'est pas comme le truc d'Echo Park. Je serai peut-être parti toute la journée de demain. Voire plus longtemps. Tu devrais pouvoir garder le dossier quelques jours. Tu as toujours ton logement au-dessus du Million Dollar Theater ?

— Toujours, oui.

— Bon, je passe te déposer la boîte.

— J'y serai.

Chapitre 9

Mercredi 17 février – 15 h 18

La cellule voisine de la 124e chambre – au treizième étage du bâtiment du tribunal pénal – était vide, à l'exception de mon client, Cassius Clay Montgomery. Il s'était assis dans un coin, l'air morose, et ne se leva pas à mon retour.

— Désolé du retard, lui dis-je.

Il ne répondit pas. Il fit même comme si je n'étais pas là.

— Allez, quoi, Cash ! C'est pas comme si t'allais sortir ! Qu'est-ce que ça change que tu m'attendes ici ou à la prison du comté ?

— À la prison du comté, y a la télé, mec, me renvoya-t-il en levant la tête vers moi.

— Bon d'accord, t'as loupé *Oprah*. Ça t'embêterait de venir ici, que j'aie pas à gueuler à travers toute la salle ?

Il se leva et s'approcha des barreaux. Je me tins de l'autre côté, au-delà de la ligne rouge des un mètre.

— Qu'est-ce que ça peut faire que vous gueuliez ? Y reste plus personne pour vous entendre.

— Je t'ai dit que j'étais désolé. J'ai eu une journée assez chargée.

— Ouais, et faut croire que j'suis qu'un nègre qui vaut rien du tout quand il est question de passer à la télé et d'être un vrai mec.

— En clair, ça veut dire quoi ?

— Je t'ai vu aux nouvelles, mec. Parce que maintenant t'es procureur ? C'est quoi, ces merdes ?

Je hochai la tête. Il était clair que mon client était plus inquiet de me voir retourner ma veste que d'attendre la dernière audience de la journée.

— Écoute, tout ce que je peux te dire, c'est que j'ai pris ce boulot à contrecœur. Je ne suis pas procureur. Je suis défenseur. Ton défenseur à toi. Mais de temps à autre, on vient te chercher parce qu'on veut quelque chose. Et c'est pas facile de dire non.

— Bon, et moi là-dedans ?

— Rien ne va t'arriver. Je suis toujours ton avocat, Cash. Et on a une sacrée décision à prendre. Cette audience va être courte et bonne. C'est juste pour fixer la date du procès et rien d'autre. Mais maître Hellman, le procureur, dit que l'offre qu'il t'a faite n'est bonne que jusqu'à aujourd'hui. Si on dit au juge Champagne qu'on est prêts à aller au procès, le deal, c'est fini et on y va, à ce procès. Y as-tu encore réfléchi ?

Il appuya sa tête entre deux barreaux et ne répondit pas. Je compris qu'il n'arrivait pas à prendre sa décision. Il avait quarante-sept ans et en avait déjà passé neuf en prison. Accusé de vol à main armée et d'agression aggravée, il risquait de tomber pour longtemps.

D'après la police, il avait joué les acheteurs à un *drive-in* de la drogue dans la cité des Rodia Gardens. Mais au lieu de payer, il avait sorti un flingue et avait exigé la drogue du dealer et tout son fric. Le dealer s'était rué sur le flingue et le coup était parti. Depuis, le dealer, un membre de gang répondant au nom de Darnell Hicks, était condamné au fauteuil roulant et ce, pour le restant de ses jours.

Comme d'habitude dans les cités, personne n'avait coopéré à l'enquête. Jusqu'à la victime qui avait prétendu ne pas se rappeler ce qui s'était produit, choisissant ainsi, par son silence, de faire confiance à ses copains du gang des Crips pour rendre la justice dans cette affaire. Mais les enquêteurs avaient quand même réussi à monter un dossier. Ils avaient repéré la voiture de mon client sur une vidéo de surveillance à l'entrée de la cité, l'avaient retrouvée et identifié le sang sur la portière comme étant celui de la victime.

Le dossier n'était pas des plus solides, mais suffisamment malgré tout pour obtenir une offre de l'accusation. Si Montgomery acceptait le deal, il n'écoperait que de trois ans et n'en ferait probablement que deux et demi. Mais s'il prenait le risque d'aller au procès et se voyait condamné, il écoperait d'une peine obligatoire de quinze ans. Usage d'une arme à feu et agression aggravée lors de la commission d'un vol coûtaient le maximum. Et je savais de première main que le juge Judith Champagne n'était pas tendre dans les affaires de crime avec arme à feu.

J'avais donc recommandé à mon client d'accepter le deal. Pour moi, ça ne se discutait même pas, mais ce n'était pas moi qui aurais à faire de la taule. Montgomery, lui, n'arrivait pas à se décider. Et pas tant pour la durée de la peine. C'était bien plutôt que la victime, Hicks, était un Crips et que ce gang avait le bras long dans toutes les prisons de l'État. Accepter les trois ans pouvait équivaloir à la peine capitale. Montgomery n'était pas sûr d'en sortir vivant.

— Je ne sais pas que te dire, lui lançai-je. L'offre est bonne. Le district attorney n'est pas chaud pour aller au procès dans cette affaire. Il ne veut pas faire témoigner une victime qui n'a pas envie de se présenter à la barre et qui pourrait plus l'enfoncer que l'aider. Voilà pourquoi il est allé aussi loin. Mais c'est à toi de décider. T'as eu deux ou trois semaines pour y réfléchir, mais maintenant, ça y est. Il va falloir qu'on y aille dans quelques minutes.

Il essaya de hocher la tête, mais il avait le front pris entre les deux barreaux.

— Ça veut dire quoi, ça ? lui demandai-je.

— Que dalle. On peut pas le gagner, ce procès, mec ? Non, parce que t'es procureur maintenant. Tu pourrais pas glisser un ou deux mots bien choisis ?

— Ce sont deux affaires différentes, Cash. Je ne peux pas faire ce genre de trucs. Tu as le choix. Tu prends les trois ans ou tu vas au procès. Et comme je te l'ai déjà dit, on pourra certainement faire des trucs au procès. Ils n'ont pas l'arme et se retrouvent avec une victime qui ne veut rien dire. Cela étant, ils ont quand même son sang sur la portière de ta voiture et une vidéo où on te voit la prendre pour quitter les Rodia Gardens juste après la fusillade. On peut essayer de la jouer comme tu dis que ça s'est passé. En légitime défense. T'étais là pour acheter du caillou et lui, il voit ton pognon et il essaie de te dévaliser. Il n'est pas impossible que les jurés te croient, surtout s'il refuse de témoigner. Ils pourraient même te croire s'il témoigne parce que je l'obligerai à invoquer le cinquième amendement[1] à la

---

1. Texte qui permet à tout individu de refuser de s'incriminer devant un tribunal.

Constitution tellement souvent qu'ils le prendront pour Al Capone avant même qu'il quitte la barre.

— Al Capone ? Qui c'est ?

— Tu te fous de moi, dis ?

— Non, mec, qui c'est ?

— T'occupe, Cash. Bon, qu'est-ce que tu veux faire ?

— T'es cool si on va au procès ?

— Ouais, ça va. C'est juste qu'il y a ce fossé, tu vois ?

— Quel fossé ?

— L'énorme fossé entre ce qu'on t'offre maintenant et ce que tu pourrais écoper si on perd au procès. C'est quand même de douze ans minimum qu'on cause, Cash. C'est mettre beaucoup d'années au pot.

Il s'écarta des barreaux. Ils lui avaient laissé une marque sur les deux côtés du front. Il serra les barreaux dans ses mains.

— Le truc, c'est que, que ça soit trois ans ou quinze, j'en sortirai pas vivant de toute façon. Les Crips ont des tueurs dans toutes les prisons. Mais à celle du comté, ils ont compris le système et tout le monde est séparé et enfermé comme il faut. Là-bas, je suis tranquille.

J'acquiesçai d'un signe de tête. L'ennui, c'était que toute peine supérieure à un an devait être purgée dans une prison d'État. Les prisons du comté n'étaient que des lieux de rétention pour les accusés en attente de jugement ou les détenus condamnés à des peines légères.

— Bien, dis-je, alors il faut croire qu'on va au procès.

— Ouais, faut croire.

— Reste là. On va venir te chercher dans pas longtemps.

Je frappai doucement à la porte du prétoire et l'huissier vint m'ouvrir. Le tribunal siégeait, le juge Champagne décidant de la date d'un procès avec des avocats dans une autre affaire. Je vis mon procureur assis contre la barrière et allai conférer avec lui. C'était la première affaire que je traitais avec Philip Hellman et je l'avais trouvé extrêmement raisonnable. Je décidai de voir une dernière fois jusqu'où ce raisonnable pouvait aller.

— Alors Mickey, j'entends dire que nous sommes devenus collègues ? me lança-t-il avec un sourire.

— Temporairement, oui, répondis-je. Je n'ai pas l'intention de faire carrière.

— Parfait, je n'ai certainement pas besoin de votre concurrence. Bon alors, qu'est-ce qu'on fait dans notre affairc ?

— Je crois que nous allons repousser encore une fois.

— Oh, allons, Mickey, je me suis montré très généreux. Je ne peux pas continuer à…

— Non, c'est vrai. Vous avez été extrêmement généreux, Phil, et j'apprécie. Et mon client aussi. C'est juste qu'il nc peut pas accepter l'offre parce que toute peine qui l'expédiera dans une prison d'État équivaudra à la mort. Nous savons tous les deux que les Crips le tueront.

— Et d'un, je ne sais pas. Et de deux, si c'est ce qu'il pense, il n'aurait peut-être pas dû essayer de les dévaliser et d'en flinguer un.

J'acquiesçai d'un signe de tête.

— Voilà qui est bien vu, mais mon client maintient qu'il a agi en légitime défense. C'est votre victime qui a tiré le premier. Et donc, j'imagine qu'on va aller au procès et que vous allez devoir demander aux jurés de rendre justice à une victime qui n'en veut pas. Une victime qui ne témoignera que si vous l'y forcez et qui prétendra aussitôt ne se souvenir de rien.

— Ce qui est peut-être vrai. Il s'est quand même fait tirer dessus.

— Oui, et peut-être que les jurés marcheront, surtout quand je leur décrirai le bonhomme. Parce que je commencerai par lui demander comment il gagne sa vie. D'après ce que Cisco, mon enquêteur, a découvert, votre victime vend de la drogue depuis l'âge de douze ans, depuis le jour où sa mère l'a mis à la rue.

— Mickey, on a déjà vu tout ça. Qu'est-ce que vous voulez ? J'en viens à être prêt à dire : « Et merde, allons au procès. »

— Ce que je veux ? Je veux m'assurer que vous n'allez pas baiser votre brillante carrière dès le début.

— Quoi ?

— Écoutez, vous êtes un jeune procureur. Vous vous rappelez ce que vous avez dit sur votre désir de ne pas vous frotter à ma concurrence ? Eh bien, pour vous, il y a un autre risque : celui de devoir mettre un procès perdu dans votre CV. Et au tout début de la partie, en plus. Ce que vous voulez, c'est qu'on n'en parle plus. Et donc, voilà ce que je veux, moi. Un an dans une prison du comté et la restitution du fric. À vous de voir combien vous voulez de ce côté-là.

— Vous vous moquez de moi ?

Il avait dit ça trop fort et cela lui attira un regard du juge. Il baissa nettement le ton.

— Non mais, vous vous foutez de ma gueule ?

— Pas vraiment. Pensez-y et vous verrez que c'est une bonne solution. Ça convient à tout le monde.

— Ben voyons ! Et qu'est-ce que va dire le juge Champagne quand je vais lui présenter ça ? La victime est quand même condamnée au fauteuil roulant à vie. Le juge ne marchera jamais dans cette combine.

— On lui demande d'en discuter en son cabinet et on lui vend cette idée tous les deux. On lui dit que Montgomery veut aller au procès et jouer la légitime défense et que le ministère public a pas mal de réserves vu le manque de coopération de la victime et son haut rang dans une organisation criminelle. Elle a été procureur avant de devenir juge. Elle comprendra. Et elle aura probablement plus de sympathie pour Montgomery que pour votre dealer de victime.

Il réfléchit un bon moment. L'audience se terminant, le juge Champagne ordonna à l'huissier de faire entrer Montgomery. C'était la dernière affaire de la journée.

— C'est maintenant ou jamais, Phil !

— OK, on y va, dit-il enfin.

Il se leva et gagna la table de l'accusation.

— Madame le juge, lança-t-il, avant de faire entrer l'accusé, pourrions-nous discuter de cette affaire en votre cabinet ?

Champagne, qui avait tout vu au moins trois fois, plissa le front.

— On verse ça aux minutes, messieurs ?

— Ce n'est probablement pas la peine, répondit Hellman. Nous aimerions discuter les termes d'un arrangement dans cette affaire.

— Mais absolument ! Allons-y !

Elle descendit de son siège et retourna vers son cabinet. Hellman et moi commençâmes à la suivre. Nous arrivions au portail près du poste du greffier lorsque je me penchai à l'oreille du jeune procureur et lui soufflai :

— Et l'on confond les peines qu'il a purgées dans la demande, n'est-ce pas ?

— Vous plaisan…

— Je plaisantais, oui, lui dis-je très vite.

Et je levai les mains en signe de reddition. Hellman fronça les sourcils, fit demi-tour et repartit vers le cabinet du juge. Je m'étais juste dit que ça valait le coup d'essayer.

Chapitre 10

Jeudi 18 février – 7 h 18

Bien silencieux, ce déjeuner. Madeline Bosch picorait dans ses céréales avec sa petite cuillère et réussissait à s'en mettre fort peu dans le ventre. Bosch savait que ce n'était pas parce qu'il ne serait pas là ce soir-là qu'elle était contrariée. Ni non plus parce qu'elle n'allait pas l'accompagner. Pour lui, elle en était venue à beaucoup goûter ces pauses que lui procuraient les voyages qu'il faisait de temps à autre. Non, c'étaient les arrangements qu'il avait conclus pour prendre soin d'elle pendant son absence qui l'agaçaient. Âgée de quatorze ans, elle donnait l'impression d'aller sur ses vingt-quatre et aurait préféré, et de loin, rester toute seule. Deuxième choix, elle aurait sans doute aimé aller chez sa meilleure amie au bout de la rue, ce qu'elle souhaitait le moins étant de voir Mme Bambrough, l'adjointe du principal de son école, venir s'installer chez eux.

Bosch la savait parfaitement capable de se débrouiller toute seule, mais lui n'en était pas encore là. Cela ne faisait que quelques mois qu'ils vivaient ensemble et ces quelques mois étaient ceux qui la séparaient de la mort de sa mère. Il n'était pas prêt à lui lâcher entièrement la bride quelle que soit la ferveur avec laquelle elle lui disait être prête.

Il finit par poser sa cuillère et lui dit :

— Écoute, Maddie, demain il y a école et la dernière fois que tu es allée chez Rory, vous êtes restées debout toute la nuit et vous avez dormi pendant les trois quarts de vos cours du lendemain. Tous vos profs étaient furieux.

— Je t'ai dit qu'on ne recommencerait plus.

— Je pense juste qu'il va falloir attendre encore un peu pour ça. Je dirai à Mme Bambrough qu'il n'y a pas de problème à ce que Rory vienne ici, mais pas question qu'elle reste jusqu'à minuit. Vous pourrez faire vos devoirs ensemble.

— Tu parles qu'elle va vouloir venir si l'adjointe du principal est là pour me surveiller ! Alors là, merci, papa !

Bosch dut se concentrer pour ne pas éclater de rire. Le problème lui semblait bien simple comparé à tout ce à quoi elle avait dû faire face en octobre, lorsqu'elle était venue vivre avec lui. Elle suivait toujours et régulièrement sa thérapie, les séances donnant l'impression de beaucoup l'aider à affronter la mort de sa mère[1]. Bosch préférait, et de loin, régler ces disputes de garderie plutôt que de s'attaquer à ces autres problèmes, nettement plus sérieux.

Il consulta sa montre. C'était l'heure d'y aller.

— Sitôt t'auras fini de jouer avec tes céréales, tu poseras ton bol dans l'évier. Faut y aller.

— « Sitôt que tu auras », papa. Parle correctement.

— Je m'excuse. Tu as fini de jouer avec tes céréales ?

---

1. Cf. *Les Neuf Dragons*.

— Oui.

— Bon. Alors, allons-y.

Il se leva de table et regagna sa chambre pour y prendre son sac sur le lit. Il voyageait léger, son expédition ne devant pas durer plus d'une journée, grand maximum. Avec un peu de chance, ils pourraient peut-être même reprendre un vol pour rentrer dans la soirée.

Quand il ressortit, Maddie se tenait debout près de la porte, son sac à dos à l'épaule.

— Prête ?

— Non, non, je suis juste debout pour la qualité de l'exercice.

Il la rejoignit et lui embrassa le haut du crâne avant qu'elle puisse se dégager. Mais elle avait tout de même essayé.

— J't'ai eue ! dit-il.

— Papaaaa !

Il ferma à clé derrière eux et posa son sac sur la banquette arrière de la Mustang.

— T'as ta clé, hein ?

— Oui !

— Je voulais juste être sûr.

— Dis, on peut y aller ? Je n'ai pas envie d'être en retard.

Ils descendirent la colline en silence. Lorsqu'ils arrivèrent à l'école, il vit Sue Bambrough aider les bambins à sortir de voiture à l'arrêt-minute et à entrer dans le bâtiment sans que ça traîne.

— Tu connais la routine, Mads. Tu m'appelles, tu m'envoies des textos, des vidéos, tout ce que tu veux, mais tu me fais savoir que tout va bien.

— Je vais descendre ici.

Elle ouvrit la portière un peu trop tôt, avant même d'être arrivée à l'endroit où se tenait l'adjointe du principal. Elle descendit de la Mustang et tendit le bras en arrière pour attraper son sac. Bosch attendit – il guettait le signal que tout allait vraiment bien.

— Fais attention à toi, papa, dit-elle.

Ça y était.

— Toi aussi, ma chérie.

Elle referma la portière. Il abaissa sa vitre et rejoignit Sue Bambrough. Celle-ci se pencha à la fenêtre.

— Bonjour, Sue, dit-il. Elle est un peu contrariée, mais ça lui sera passé avant la fin de la journée. Je lui ai dit qu'Aurora Smith pouvait venir, mais pas question qu'elle reste jusqu'à pas d'heure. Et qui sait ? Peut-être qu'elles feront leurs devoirs !

— Tout ira bien, Harry.

— J'ai laissé un chèque sur le plan de travail de la cuisine et il y a du liquide si vous avez besoin de quoi que ce soit.

— Merci. J'aimerais juste savoir si ça risque de durer plus d'une nuit. Mais ça ne pose pas de problème de mon côté !

Il regarda dans son rétro. Il voulait lui poser une question, mais n'avait pas envie de bloquer les autres parents.

— Qu'est-ce qu'il y a, Harry ?

— Euh, dire « sitôt tu » au lieu de « sitôt que tu », c'est vraiment fautif? Enfin… incorrect, quoi.

Elle essaya de cacher son sourire.

— Rien de plus naturel à ce qu'elle vous reprenne. N'y voyez rien de personnel. On leur enfonce tout ça dans le crâne ici. Ils rentrent chez eux et il faut absolument qu'ils l'enfoncent dans le crâne de quelqu'un d'autre. Il vaut mieux dire « sitôt que tu », mais je comprends très bien ce que vous voulez dire.

Il hocha la tête. Quelqu'un dans la file donna un léger coup de klaxon – Bosch se dit que ce devait être un type qui se dépêchait de lâcher son enfant pour aller au boulot. Il remercia Sue d'un signe de la main et déboîta.

Maggie McFierce l'ayant appelé la veille au soir pour lui dire qu'il n'y avait aucun vol à partir de Burbank, ils avaient décidé d'en prendre un direct à LAX. Ce qui voulait dire un sale trajet en voiture dans les encombrements du matin. Bosch habitait en haut d'une colline juste au-dessus du Hollywood Freeway, sauf que cette autoroute-là ne l'aurait pas aidé à rejoindre l'aéroport. Il descendit donc Highland Avenue jusqu'à Hollywood et coupa droit sur La Cienega. La circulation se mettant à bouchonner dans les champs pétrolifères proches des Baldwin Hills, il perdit son avance. Il passa par La Tijera, mais une fois à l'aéroport, il fut obligé de se garer dans un des parkings tout proches, mais chers, parce qu'il n'avait plus le temps d'en trouver un bon marché et de prendre la navette.

Après avoir rempli les formulaires réservés aux membres des forces de l'ordre et franchi tous les contrôles avec l'aide d'un agent de la Transport Security Administration, il se retrouva enfin à la porte d'embarquement au moment où les derniers passagers montaient dans l'avion. Il chercha McPherson des yeux, ne la vit pas et se dit qu'elle devait déjà être à bord.

Il embarqua et, une fois arrivé dans le cockpit, se coltina les salutations d'usage, montra son badge et serra la main des membres de l'équipage.

Puis il gagna l'arrière de l'appareil. McPherson et lui avaient des sièges « issue de secours » de part et d'autre de l'allée centrale. Elle avait déjà pris place sur le sien, un grand gobelet Starbucks à la main. Il était clair qu'elle était arrivée en avance.

— Je me disais que vous alliez rater l'avion, lança-t-elle.

— Il s'en est fallu de peu. Comment avez-vous fait pour arriver ici aussi tôt ? Vous avez une fille, vous aussi !

— Je l'ai laissée chez Mickey hier soir.

Il acquiesça d'un signe de tête.

— Rangée « issue de secours », c'est chouette ça, dit-il. Qui est votre agent de voyages ?

— On en a un bon. C'est pour ça que je voulais m'en occuper. On enverra votre facture au LAPD.

— Ouais, ben, bonne chance !

Il avait posé son sac dans un coffre à bagages au-dessus de sa tête afin d'avoir de la place pour ses jambes. Après s'être assis et avoir bouclé sa ceinture, il s'aperçut que McPherson avait glissé deux gros dossiers dans la poche du siège devant elle. Lui n'avait rien sorti à préparer. Ses dossiers se trouvaient dans son sac, mais il n'avait pas envie de les sortir. Il prit son carnet dans sa poche revolver et s'apprêtait à se pencher en travers de l'allée pour poser une question à McPherson lorsqu'une hôtesse s'approcha et se pencha vers lui pour lui murmurer :

— C'est vous l'inspecteur de police, n'est-ce pas ?

— Euh, oui. Ça poserait un pro…

Avant qu'il ait fini sa citation de *Dirty Harry*, l'hôtesse l'informa qu'on le surclassait en première, où l'attendait un siège que personne n'avait réclamé.

— Oh, c'est très gentil à vous et au capitaine, mais je ne pense pas pouvoir…

— Vous n'avez rien à payer. C'est…

— Non, ce n'est pas ça. C'est que je suis avec cette dame, que c'est ma patronne et que je… enfin, que nous… nous avons besoin de travailler à notre enquête et… En fait, elle est procureur.

L'hôtesse mit un moment à comprendre son explication avant de hocher la tête et de l'informer qu'elle allait repartir à l'avant de l'appareil pour demander l'avis des autorités constituées.

— Et moi qui croyais que la chevalerie, c'était fini ! s'exclama McPherson. Renoncer à un siège en première pour rester avec moi !

— En fait, j'aurais dû lui dire de vous le donner. C'est ça qui aurait été vraiment chevaleresque.

— Oh, oh… la revoilà.

Bosch regarda dans l'allée. La même hôtesse tout sourire revenait effectivement vers eux.

— Nous sommes en train de déplacer certaines personnes et nous avons deux places pour vous.

Ils se levèrent et partirent à l'avant de l'avion, Bosch attrapant son sac dans le coffre à bagages pour suivre McPherson. Elle se retourna vers lui et lui fit un sourire en disant :

— Ah, mon chevalier à l'image ternie !

— Voilà, dit-il, c'est ça.

Les sièges de première classe étaient côte à côte et se trouvaient au premier rang. McPherson prit celui près du hublot. Peu de temps après qu'ils se furent réinstallés, l'avion décolla pour ses trois heures de vol jusqu'à Seattle.

— Alors comme ça, reprit McPherson, Mickey me dit que notre fille n'a jamais rencontré la vôtre ?

Il hocha la tête.

— Oui, faudrait peut-être voir à changer ça.

— Absolument. J'ai appris qu'elles ont le même âge, que vous aviez comparé les photos et qu'elles se ressemblent.

— C'est-à-dire que sa mère vous ressemblait un peu. Même couleur de cheveux.

Et feu intérieur, pensa-t-il. Il sortit son portable, l'alluma et lui montra une photo de Maddie.

— Mais c'est extraordinaire ! s'écria-t-elle. Elles pourraient être sœurs !

— Elle a eu une année difficile, dit-il en regardant la photo de sa fille. Elle a perdu sa mère et a déménagé outre-mer. En laissant tous ses copains et copines derrière elle. Je la laisse vivre un peu à son rythme.

— Raison de plus pour lui faire connaître sa famille de ce côté-ci.

Il se contenta de hocher la tête. L'année précédente l'avait vu écarter nombre d'appels de son demi-frère qui essayait de faire en sorte que leurs filles se rencontrent. Il ne savait trop si son hésitation avait à voir avec les relations qui risquaient de se nouer entre les deux cousines ou entre les deux demi-frères.

Sentant que cette conversation-là touchait à sa fin, McPherson ouvrit sa tablette et sortit ses dossiers. Bosch éteignit son portable et le rangea.

— On va travailler ? demanda-t-il.

— Un peu. Je tiens à être prête.

— Jusqu'où voulez-vous informer le témoin d'entrée de jeu ? Je pensais ne lui parler que de l'identification. Lui demander de la confirmer et voir si elle est d'accord pour témoigner à nouveau.

— Sans aborder la question de l'ADN ?

— Voilà. Ça pourrait transformer son acceptation en refus.

— Mais… ne devrait-elle pas tout savoir sur ce dans quoi elle va mettre les pieds ?

— Pour finir, si. Ça ne date pas d'hier. J'ai remonté sa piste. Elle s'est tapé de sales moments et pas mal d'obstacles, mais on dirait qu'elle s'en est sortie correctement. On devrait pouvoir vérifier ça en arrivant.

— OK, on joue ça au feeling. Mais si je sens que c'est bon, je pense qu'il faudra tout lui dire.

— C'est vous qui déciderez.

— Ce qu'il y a de bien, c'est qu'elle n'aura à le faire qu'une fois. Nous n'aurons pas à repasser par une audience préliminaire ou par un grand jury. Jessup a été contraint au procès en 86 et ce n'est pas cet arrêt-là que la Cour suprême a cassé. Nous, on va droit au procès. Nous n'aurons besoin d'elle qu'une fois et tout sera dit.

— C'est parfait. Et c'est vous qui la dirigerez.

— Oui.

Il acquiesça d'un signe de tête. L'hypothèse était donc qu'elle était meilleur procureur que Haller. Après tout, ce n'était quand même que la première affaire à laquelle ce dernier s'attaquait. Harry fut heureux d'entendre que ce serait elle qui cornaquerait le témoin le plus important lors du procès.

— Et moi ? Qui va me cornaquer ? demanda-t-il.

— Je ne crois pas que ç'ait été décidé. Mickey s'attend à ce que Jessup veuille témoigner. Je sais qu'il l'espère. Mais nous n'avons pas parlé de vous. À mon avis, vous allez relire aux jurés beaucoup de témoignages donnés sous serment au premier procès.

Elle referma le dossier, tout semblant indiquer qu'on en resterait là côté travail.

Ils passèrent le reste du vol à parler de leurs filles et à feuilleter les revues rangées dans les poches de leurs sièges. L'avion atterrissant tôt à SeaTac, ils prirent une voiture de location et entamèrent leur périple vers le nord. Ce fut Bosch qui s'installa au volant. Le véhicule était équipé d'un GPS, mais l'agent de voyages du district attorney avait aussi fourni à McPherson un itinéraire complet jusqu'à Port Townsend. Ils gagnèrent Seattle, puis ils prirent un ferry pour traverser le Puget Sound. Ils laissèrent la voiture, montèrent à l'entrepont des boutiques en franchise et trouvèrent une table près des hublots. Bosch regardait fixement dehors lorsque McPherson le surprit avec une observation.

— Vous n'êtes pas heureux, Harry, n'est-ce pas ?

Il se tourna vers elle et haussa les épaules.

— C'est une drôle d'affaire. Ça remonte à vingt-quatre ans et on commence avec le coupable déjà en taule et qu'il faut faire sortir. Ça n'est pas que ça me rende malheureux, c'est juste un peu étrange, vous ne trouvez pas ?

Elle avait un demi-sourire sur les lèvres.

— Ce n'était pas de l'affaire que je vous parlais, dit-elle. C'était de vous. Vous n'êtes pas un homme heureux.

Il regarda le gobelet de café qu'il tenait à deux mains sur la table. Pas à cause des mouvements du ferry, mais parce qu'il avait froid et que le café le réchauffait.

— Oh, dit-il.

Un long silence s'installa entre eux. Il ne savait pas trop quoi révéler à cette femme. Il ne la connaissait que depuis une semaine et elle se permettait déjà de lui faire part d'observations le concernant ?

— Je n'ai pas vraiment le temps de l'être en ce moment, finit-il par répondre.

— Mickey m'a fait part de ce qu'il pensait pouvoir me dire sur Hong Kong et ce qui s'est passé avec votre fille.

Il hocha la tête, mais il savait que Maggie ne connaissait pas toute l'histoire. En dehors de Madeline et de lui, personne ne la connaissait.

— Oui, dit-il. Elle a vécu de sales moments là-bas. Ça doit être ça. Je me dis que si j'arrivais à la rendre heureuse, moi aussi, je le serais. Mais je ne sais pas trop quand ça se produira.

Il porta les yeux sur elle et ne lut que de la sympathie dans son regard. Il sourit.

— Oui, on devrait faire en sorte que les deux cousines se rencontrent, conclut-il pour passer à autre chose.

— Absolument.

Chapitre 11

Jeudi 18 février – 13 h 30

Le *Los Angeles Times* avait publié un grand article sur le premier jour de liberté de Jason Jessup depuis vingt-quatre ans. Le journaliste et le photographe l'avaient retrouvé dès l'aube à Venice Beach, où l'homme de quarante-huit ans qu'il était maintenant avait tenté de se remettre au passe-temps favori de son enfance, le surf. Ses premiers essais l'avaient vu trembler sur une *longboard* d'emprunt, mais il avait vite réussi à se redresser et à prendre la vague. Une photo de lui tout droit sur sa planche et chevauchant un rouleau les bras en croix et le visage tourné vers le ciel constituait l'image centrale en première page du journal. On y voyait ce que pouvaient faire deux décennies passées à soulever de la fonte en prison. Son corps n'était qu'un seul et même bloc de muscles. Il avait l'air aussi svelte que méchant.

Après la plage, il s'était arrêté dans un In-N-Out de Westwood pour s'empiffrer de hamburgers et de frites avec autant de Ketchup qu'il voulait. Son déjeuner terminé, il s'était rendu au bureau de Clive Royce en centre-ville et avait pris part à une réunion de deux heures avec l'équipe d'avocats qui le représentaient au pénal et au civil. Le *Times* n'y avait pas eu accès.

Jessup avait terminé son après-midi en allant voir *Shutter Island* au Chinese Theater d'Hollywood. Il s'était payé un seau de pop-corn au beurre assez grand pour nourrir une famille de quatre et en avait dévoré jusqu'au moindre grain soufflé. Après quoi il était revenu à Venice, où il avait une chambre dans un appartement proche de la plage que lui prêtait un ancien copain d'école qui faisait du surf. La journée s'était achevée par un barbecue sur la plage avec quelques-unes des personnes qui l'avaient soutenu sans jamais douter de son innocence.

Je restai assis à mon bureau à examiner les photos en couleur de Jessup qui ornaient deux pages intérieures du premier cahier du *Times.* Le journal y allait à fond, comme depuis le tout début de l'histoire : on devait renifler l'honneur d'être le journal qui verrait avec Jessup lui-même la fin de son voyage jusqu'à la liberté complète. Faire sortir un homme de prison était ce que n'importe quel journal voulait le plus au monde et le *Times* faisait tout ce qu'il pouvait pour se voir crédité de la libération de Jessup.

Le cliché le plus grand montrait le ravissement sans bornes que celui-ci éprouvait à regarder le plateau de plastique rouge posé devant lui sur une table de l'In-N-Out. On y voyait une quadruple portion de hamburger-frites nageant dans le Ketchup et le fromage fondu, la légende demandant :

> *Pourquoi cet homme sourit-il ? 12 h 05 – Jessup en train de manger son premier « double double » en vingt-quatre ans. « J'en rêvais jour et nuit ! »*

Les autres clichés, tous agrémentés de légendes amusées, le montraient au cinéma avec son seau de pop-corn, au barbecue avec une bière qu'il brandissait bien haut et son ancien camarade de classe qu'il serrait fort dans ses bras, puis devant une porte en verre du cabinet d'avocats Royce et Associés qu'il s'apprêtait à franchir. Rien dans la tonalité de l'article et des photos n'indiquait que Jason Jessup aurait été un homme qui, tiens donc, était toujours accusé d'avoir assassiné une fillette de douze ans.

Tout portait sur un Jessup qui savourait sa liberté et ne pourrait planifier son avenir que lorsque ses « problèmes juridiques » seraient résolus. *Jolie façon de dire les choses*, songeai-je : *qualifier des accusations d'enlèvement et de meurtre avec passage obligatoire par la case tribunal de simples « problèmes juridiques » !*

J'avais étalé le journal en grand devant moi dans le nouveau bureau que Lorna m'avait loué dans Broadway. Situé au deuxième étage du Bradbury Building, il ne se trouvait qu'à trois rues du bâtiment du tribunal pénal.

— Je pense que vous devriez accrocher des trucs aux murs.

Je levai la tête. C'était Clive Royce. Il avait traversé la réception sans s'annoncer parce que j'avais envoyé Lorna chercher à manger chez Philippe. Royce continuait de faire de grands gestes en montrant les murs nus de ce bureau temporaire. Je refermai le journal et en levai bien haut la première page.

— Je viens de commander un tirage 50 × 50 de ce véritable Jésus sur sa planche de surf. Je vais l'accrocher au mur.

Royce s'approcha du bureau, s'empara du journal et examina la photo comme si c'était la première fois qu'il le faisait, ce qui, et nous le savions l'un comme l'autre, n'était pas le cas. Royce s'était beaucoup impliqué dans la genèse de l'article, la récompense suprême étant le cliché de la porte en verre avec son nom dessus.

— Ça, ils ont fait du bon boulot, n'est-ce pas ? dit-il en me rendant le journal.

— Faut croire… à condition d'être du genre à aimer ces assassins insouciants.

Comme il ne réagissait pas, j'enchaînai :

— Je sais bien ce que vous fabriquez, Clive, parce que c'est exactement ce que j'aurais fait, moi aussi. Cela dit, dès que nous aurons un juge, je vais lui demander de vous empêcher de continuer dans cette voie. Il n'est pas question que je vous laisse influencer le pool des jurés.

Il fronça les sourcils comme si je venais de suggérer quelque chose d'impropre.

— La presse est libre, Mick, me renvoya-t-il. On ne peut pas contrôler les médias. Ce type vient juste de sortir de prison… que ça vous plaise ou pas, ça vaut un article.

— Ben voyons ! Et vous, vous pouvez donner des interviews exclusives moyennant publicité gratuite. Publicité qui pourrait planter de mauvaises graines dans la tête d'un juré potentiel. Qu'avez-vous donc prévu pour aujourd'hui ? Jessup en coprésentateur de l'émission du matin sur la 5 ? Ou alors… en arbitre du concours de chili à la Foire de l'État ?

— De fait, la chaîne NPR[1] avait envie de passer la journée avec lui, mais j'ai fait preuve de retenue. J'ai dit non. N'oubliez pas d'en parler au juge.

1. National Public Radio.

— Houahou ! Vous avez vraiment dit non à NPR ? Est-ce parce que les trois quarts des gens qui écoutent cette chaîne sont du genre à pouvoir éviter d'être jurés ? Ou alors… vous auriez arrangé quelque chose de mieux ?

Il fronça de nouveau les sourcils et fit comme si je venais de l'empaler avec une lance d'intégrité. Il regarda autour de lui, s'empara du fauteuil de Maggie et le tira pour pouvoir s'asseoir en face de moi. Une fois installé, les jambes croisées et le costume parfaitement en place, il me demanda :

— Bien, dites-moi, Mick, votre patron pense-t-il vraiment que le simple fait que vous logiez dans un bâtiment séparé va faire croire aux gens que vous agissez de manière totalement indépendante de ses directives ? Vous vous moquez de nous, c'est bien ça ?

Je lui souris. Les efforts qu'il déployait pour me mettre en rogne n'allaient pas marcher.

— Laissez-moi vous répéter, et notez-le dans vos tablettes, que je n'ai pas de patron dans cette affaire, lui renvoyai-je. Je travaille en toute indépendance de Gabriel Williams.

Je lui montrai la pièce et ajoutai :

— C'est ici que je suis, pas au bâtiment du tribunal pénal, et toutes les décisions partiront d'ici. À ceci près que pour l'instant, mes décisions ne sont pas de la plus grande importance. La décision, c'est vous qui l'avez, Clive.

— Et elle serait… ? Un arrangement à l'amiable, Mick ?

— Exactement. Le plat du jour, mais l'offre n'est plus valable après 17 heures. Votre gamin plaide coupable, je ne demande plus la peine de mort et nous jouons tous les deux aux dés avec le juge pour la sentence. On ne sait jamais : Jessup pourrait sortir libre en n'étant condamné qu'à la peine qu'il a déjà effectuée.

Royce me sourit d'un air cordial et hocha la tête.

— Je suis sûr que ça rendrait fort heureuses les autorités constituées de cette ville, mais j'ai bien peur de devoir vous décevoir, Mick. Le plaider-coupable est toujours quelque chose qui n'intéresse absolument pas mon client. Et ça ne changera pas. J'espérais seulement qu'à l'heure qu'il est, vous ayez compris à quel point il est inutile d'aller au procès et que vous ayez donc décidé de laisser tomber les charges, tout simplement. Vous ne gagnerez jamais ce procès, Mick. Dans cette affaire, l'État est obligé de baisser le froc et c'est malheureusement vous l'andouille qui s'est porté volontaire pour l'avoir dans le cul.

— Bah, nous verrons bien, n'est-ce pas ?

— Effectivement.

J'ouvris le tiroir du milieu de mon bureau et en sortis un étui en plastique vert contenant un CD-Rom. Puis je le lui fis passer en travers du bureau.

— Je ne m'attendais pas à ce que ce soit vous qui veniez chercher ce truc en personne, Clive. Je me disais que vous m'enverriez un enquêteur ou un clerc. Parce que vous en avez plusieurs qui travaillent pour vous, n'est-ce pas ? En plus de votre attaché de presse à plein-temps, non ?

Il se leva lentement pour prendre le CD-Rom. Sur l'étui en plastique figurait l'inscription :

Défense – moyens de preuves 1

— Ah mais c'est qu'on est bien sarcastique aujourd'hui ! Il me semble qu'il y a à peine quinze jours de ça, vous étiez de notre côté, Mick. À savoir un pauvre membre de la défense.

Je hochai la tête en signe de contrition. Il m'avait eu.

— Désolé, Clive, lui renvoyai-je. Ça doit être la puissance de cette charge qui me monte à la tête.

— Excuses acceptées.

— Et désolé de vous avoir fait perdre votre temps à venir ici, ajoutai-je. Comme je vous l'ai dit au téléphone, il y a là-dedans tout ce que nous avons à ce jour. Essentiellement les vieux dossiers et les rapports d'enquête. Clive, je ne vais pas m'amuser à jouer au petit jeu des pièces qu'on n'échange pas. Je me suis trouvé bien trop souvent dans ce cas-là moi-même. Bref, dès que j'ai quelque chose, je vous le communique. Mais pour l'instant, c'est tout ce que j'ai.

Il tapotait le bord du bureau avec le CD-Rom.

— Pas de liste de témoins ?

— Il y en a bien une, mais pour l'instant, c'est en gros la même que pour le procès de 86. J'y ai ajouté mon enquêteur et ôté quelques noms… les parents et d'autres personnes aujourd'hui décédées.

— Il y a donc toutes les chances pour que Felix Turner en ait été expurgé.

Je lui servis le sourire du chat du Cheshire.

— Dieu merci, vous n'aurez pas la chance de le faire comparaître au procès.

— Oui, c'est dommage. J'aurais adoré avoir la possibilité d'enculer l'État avec ce mec.

Je remarquai qu'il avait laissé tomber les expressions familières britanniques pour me balancer son américain le plus corsé. Cela disait assez bien sa frustration dans l'affaire Turner, et l'avocat de la défense que j'avais été pendant si longtemps la partageait. Au cours de ce deuxième procès, il ne serait fait aucune mention de ce qui s'était passé au premier. Les nouveaux jurés ne sauraient donc rien de ce qui avait transpiré auparavant. Cela voulait dire que la façon dont le ministère public s'était servi du témoignage frauduleux de ce mouton, et peu importait la gravité de ce péché, ne ferait aucun mal à l'accusation d'aujourd'hui.

Je décidai de passer à autre chose.

— Je devrais avoir un autre CD-Rom pour vous à la fin de la semaine.

— Ça, je meurs d'envie de savoir ce que vous allez bien pouvoir nous trouver !

Sarcasme noté.

— N'oubliez surtout pas une chose, Clive. L'échange des moyens de preuves s'effectue dans les deux sens. Si vous ne nous donnez rien dans les trente jours, nous irons voir le juge.

Les règles du droit exigeaient que chacune des parties échange ses moyens de preuves avec l'autre au plus tard trente jours avant le début du procès. Rater cette date pouvait déclencher des sanctions et conduire à repousser l'audience, le juge accordant à la partie lésée plus de temps pour se préparer.

— Oui, bon, comme vous pouvez l'imaginer, nous ne nous attendions pas à ce changement de conjoncture, reprit-il. La conséquence en est que notre défense en est encore aux balbutiements. Mais moi non plus, je ne jouerai pas à ce petit jeu avec vous, Mick. Vous recevrez un CD-Rom sous peu… à condition, bien sûr, qu'on ait quelque chose à vous communiquer.

Je savais qu'en pratique, la défense n'a en général que peu de choses à communiquer à la partie adverse à moins qu'elle ne décide de sortir le grand jeu. Cela étant, j'avais lancé mon avertissement parce que je me méfiais de Royce. Dans une affaire aussi ancienne, il pouvait très bien essayer de retrouver un témoin alibi ou de déterrer quelque chose de tout à fait inattendu. Et j'entendais le savoir avant que ça n'éclate au procès.

— J'apprécie, lui dis-je.

Par-dessus son épaule, je vis Lorna entrer dans le bureau. Elle portait deux sacs en papier marron, l'un d'eux contenant mon sandwich au jus[1].

— Ah pardon, je ne m'étais pas rendu compte que…

Royce se retourna sur son siège.

— Mais c'est la charmante Lorna ! Comment allez-vous, ma chère ?

— Bonjour, Clive. Je vois que vous avez le CD-Rom.

— Mais oui. Merci, Lorna.

J'avais remarqué que l'accent anglais de Royce et son parlé châtié étaient plus prononcés à certains moments, surtout en présence de jolies femmes.

— J'ai deux sandwichs, Clive, dit-elle. Vous en voulez un ?

Ce n'était vraiment pas le moment de se montrer généreux.

— Je pense qu'il était sur le point de partir, dis-je vite.

---

1. *French dip,* en anglais. Sandwich chaud fait de fines tranches de bœuf au jus servies dans un petit pain ou un morceau de baguette.

— Oui, ma chérie, il faut que j'y aille. Mais merci pour cette offre plus que gracieuse.

— Je suis là si tu as besoin de moi, Mickey, dit-elle.

Sur quoi elle regagna la réception et referma la porte derrière elle. Royce se retourna vers moi et me parla à voix basse.

— Vous savez, vous n'auriez jamais dû la laisser partir, Mick. Pas celle-là. C'est une femme qu'on ne quitte pas. Et maintenant, joindre ses forces à celles de la première Mme Haller pour priver un innocent de la liberté qu'il mérite depuis si longtemps, ça a quelque chose d'incestueux, non ?

Je me contentai de le regarder longuement.

— Autre chose, Clive ? lui demandai-je.

Il tint son CD-Rom en l'air.

— Non, je pense que ça devrait suffire pour aujourd'hui.

— Bien. Parce qu'il faut que je me remette au travail.

Je le raccompagnai à la réception et refermai la porte derrière lui. Puis je regardai Lorna.

— Ça fait bizarre, non ? dit-elle. D'être de ce côté-ci de la barrière… de l'accusation, je veux dire.

— Oui.

Elle me montra un des sandwichs.

— Je peux te demander quelque chose ? dis-je. Quel sandwich allais-tu lui donner ? Le mien ou le tien ?

Elle me regarda sans broncher, un sourire coupable finissant par se dessiner sur son visage.

— J'essayais d'être polie, OK ? Je me disais que toi et moi, on aurait pu partager.

Je hochai la tête.

— Il est hors de question que tu donnes mon sandwich au jus à quiconque. Surtout à un avocat de la défense !

Et je lui arrachai le sac de la main.

— Merci, mââ chérie, ajoutai-je avec mon plus bel accent britannique.

Elle rit et je regagnai mon bureau pour manger.

Chapitre 12

Jeudi 18 février – 15 h 31

Après avoir quitté le ferry à Port Townsend, Bosch et McPherson suivirent l'itinéraire que leur indiquait le GPS de leur voiture de location jusqu'à l'adresse indiquée sur le permis de conduire de Sarah Ann Gleason. Cela leur fit traverser le petit port victorien avant de pénétrer dans une zone plus rurale pleine de propriétés isolées. Petite et construite en bardeaux, la maison de Gleason ne s'accordait nullement au thème victorien de la ville voisine. L'inspecteur et le procureur frappèrent à la porte de la véranda, mais n'obtinrent pas de réponse.

— Peut-être qu'elle est au travail, dit McPherson.

— Ce n'est pas impossible.

— On pourrait retourner en ville, prendre une chambre et revenir après 17 heures.

Bosch consulta sa montre. Il s'aperçut que l'école venait juste de finir et que Maddie était probablement en train de rentrer à la maison avec Sue Bambrough. Il pensa que sa fille tirait probablement la gueule à l'adjointe du principal.

Il descendit de la véranda et longea la maison.

— Où allez-vous ?

— Vérifier derrière. Attendez une minute.

Mais dès qu'il eut tourné à l'angle de la maison, il aperçut une autre structure à une centaine de mètres de là. Un garage ou une grange dépourvue de fenêtres. Ce qui frappait, c'était qu'elle était dotée d'un foyer. Il vit de la chaleur vibrer dans l'air, mais pas de fumée sortir des deux tuyaux noirs montés sur la toiture. Deux voitures et un van étaient garés devant les portes fermées du garage.

Il resta si longtemps planté là à regarder que McPherson finit par le rejoindre.

— Qu'est-ce qui vous prend tant de…

Il leva la main pour la faire taire, puis il lui montra la dépendance du doigt.

— Qu'est-ce que c'est ? murmura-t-elle.

Avant qu'il ait pu lui répondre, une des portes du garage s'ouvrit en coulissant sur quelques dizaines de centimètres et une silhouette en sortit. On aurait dit un homme jeune ou un adolescent. Il portait un grand tablier noir par-dessus ses vêtements. Il ôta de gros gants qui lui montaient jusqu'au coude pour s'allumer une cigarette.

— Merde ! marmonna McPherson en guise de réponse à la question qu'elle venait de poser.

Bosch recula jusqu'à l'angle de la maison pour se cacher. Et tira McPherson avec lui.

— Toutes ces arrestations… sa drogue de choix, c'était la méthamphétamine ! dit-il en chuchotant.

— Génial ! lui renvoya-t-elle tout aussi bas. Notre témoin clé est cuisinière[1] !

---

1. Personne qui transforme de la morphine-base en héroïne.

C'est alors que, quelqu'un l'ayant apparemment appelé de l'intérieur de la grange, le jeune fumeur se retourna. Puis il jeta sa cigarette par terre, l'écrasa sous sa chaussure et retourna dans le bâtiment. Il tira brutalement la porte derrière lui, mais celle-ci s'arrêta une dizaine de centimètres avant de se refermer complètement.

— On y va ! lança Bosch.

Il allait se mettre en route lorsque McPherson lui posa la main sur le bras.

— Attendez, dit-elle. Qu'avez-vous l'intention de faire ? Il faut appeler la police de Port Townsend pour avoir des renforts, non ?

Bosch la regarda un instant sans répondre.

— J'ai vu un commissariat quand nous avons traversé la ville, reprit-elle comme pour l'assurer que non seulement les renforts les attendaient déjà, mais qu'ils étaient aussi prêts à partir.

— Si nous leur demandons des renforts, ils risquent de ne pas se montrer très coopératifs vu qu'on ne s'est pas donné la peine d'aller les voir en arrivant, dit-il. Ils vont l'arrêter et on se retrouvera avec un témoin clé en attente de procès pour trafic de stupéfiants. Comment croyez-vous qu'ils vont prendre ça, les jurés, à votre avis ?

Elle garda le silence.

— Attendez, ajouta-t-il. Restez ici et moi, je vais voir un peu. Trois voitures, ça nous donne probablement trois cuisiniers. Si je n'arrive pas à gérer, on appellera les renforts.

— Harry, il y a des chances qu'ils soient armés. Vous…

— Non, ils ne le sont probablement pas. Je vais voir et si ça m'a l'air de poser problème, on appelle les flics de Port Townsend.

— Ça ne me plaît pas.

— Ça pourrait tourner à notre avantage.

— Quoi ? Comment ça ?

— Réfléchissez. Attendez mon signal. Si ça tourne mal, vous montez dans la voiture et vous dégagez.

Il lui montra les clés, elle les lui prit à contrecœur. Il vit bien qu'elle pensait à ce qu'il venait de lui dire. À l'avantage. Coincer leur témoin dans une situation compromettante pourrait leur donner la prise dont ils avaient besoin pour s'assurer de sa coopération et obtenir son témoignage.

Bosch laissa McPherson et descendit l'allée recouverte de fragments de coquillages écrasés pour gagner la grange. Il n'essaya pas de se cacher au cas où quelqu'un aurait fait le guet. Il mit ses mains dans ses poches pour bien faire sentir qu'il ne représentait aucune menace, qu'il n'était que perdu et cherchait son chemin.

Les coquillages écrasés l'empêchaient d'approcher sans faire de bruit. Mais en touchant au but, il entendit de la musique, et forte, qui montait de la grange. Du rock, mais qu'il fut incapable de reconnaître. Lourd côté guitare et le rythme tapait fort. Tout cela sonnait un peu rétro, comme quelque chose qu'il avait entendu bien des années auparavant, peut-être au Vietnam.

Il était à peine à cinq mètres de la porte entrebâillée lorsque, celle-ci s'ouvrant d'une cinquantaine de centimètres supplémentaires, l'homme jeune la franchit à nouveau. En le voyant de plus près, Bosch lui donna vingt et un, vingt-deux ans. Il comprit aussitôt qu'il aurait dû s'attendre à le voir ressortir pour finir sa cigarette. Maintenant, il était trop tard – le fumeur l'avait vu.

Mais le jeune homme n'hésita pas plus qu'il ne sonna l'alarme. Il regarda Bosch d'un air curieux en tapotant du doigt sur un paquet souple pour en faire sortir une cigarette. Il suait abondamment.

— Vous vous êtes garé à la maison ? demanda-t-il.

Bosch s'immobilisa à trois mètres de lui et sortit ses mains de ses poches. Il ne se retourna pas pour regarder la maison et préféra garder les yeux sur le gamin.

— Euh, oui… ça pose problème ?

— Non, mais la plupart des gens descendent jusqu'à la grange. D'habitude, c'est ce que Sarah leur dit de faire.

— Oh, je n'ai pas dû avoir le message. Elle est là ?

— Oui, elle est à l'intérieur. Entrez donc.

— Vous êtes sûr ?

— Oui, on a presque fini pour la journée.

Bosch commença à se dire qu'il avait mis les pieds dans quelque chose qui n'avait rien à voir avec ce qu'il pensait. Il regarda enfin derrière lui et vit McPherson risquer un œil. Ce n'était pas la meilleure façon de procéder, mais il se retourna et se dirigea vers la porte ouverte.

La chaleur le frappa de plein fouet dès qu'il entra. L'intérieur de la grange avait tout du four et ce, pour une bonne raison. La première chose qu'il vit fut effectivement la porte ouverte d'un énorme four aux flammes orangées.

Debout à deux mètres cinquante de cette source de chaleur se tenaient un autre jeune homme et une femme plus âgée. Eux aussi portaient des gros gants et de grands tabliers. L'homme se servait d'une paire de pinces en fer pour maintenir en place un gros morceau de verre en fusion au bout d'une canne. La femme le façonnait avec une mailloche en bois et une pincette.

C'étaient des souffleurs de verre, pas des cuisiniers. La femme portait un masque de soudeur pour se protéger le visage. Sans pouvoir l'identifier, Bosch fut à peu près sûr qu'il s'agissait de Sarah Ann Gleason.

Il repassa la porte à reculons et fit signe à McPherson que tout allait bien, mais sans être sûr qu'elle le comprenne de si loin. Puis il la convia à entrer d'un geste de la main.

— Qu'est-ce qu'il y a, mec ? lui demanda le fumeur.

— Vous avez bien dit que c'est Sarah Gleason qui se trouve à l'intérieur, n'est-ce pas ?

— Oui, c'est elle.

— J'ai besoin de lui parler.

— Vous allez devoir attendre qu'elle ait déposé la pièce. Elle ne peut pas le faire tant qu'elle reste malléable. Ça fait presque quatre heures qu'on travaille dessus.

— Combien de temps encore ?

— Une heure, peut-être. Mais vous devriez pouvoir lui parler pendant qu'elle travaille. Vous voulez qu'on vous façonne une pièce ?

— Non, ça ira. Je peux attendre.

McPherson s'approcha avec la voiture de location, Bosch lui ouvrit la portière et lui expliqua qu'ils avaient mal lu la scène : la grange était un atelier où l'on soufflait le verre. Puis il lui expliqua comment il voulait jouer le coup pour avoir Gleason à eux tout seuls. McPherson hocha la tête et sourit.

— Heureusement qu'on n'est pas entrés là-dedans avec des renforts, hein ?

— On aurait probablement cassé pas mal de verre, dit-elle.

— Avec pour résultat un témoin passablement furieux.

Elle descendit de la voiture, Bosch tendant la main pour prendre le dossier qu'il avait posé sur le tableau de bord. Il le mit dans sa veste, sous son bras, de façon à pouvoir le transporter sans qu'on le voie.

Ils entrèrent dans l'atelier. Gleason les y attendait. Elle avait ôté ses gants et relevé son masque pour découvrir son visage. Le fumeur l'avait manifestement informée qu'il s'agissait de clients potentiels et Bosch ne fit rien pour la dissuader de le croire. Il ne voulait pas lui révéler la vraie nature de ce qui les amenait avant d'être seuls avec elle.

— Je me présente, dit-il. Harry, et voici Maggie. Désolé de débarquer comme ça.

— Oh, pas de problème. Nous aimons bien que les gens puissent voir ce que nous faisons. D'ailleurs, nous sommes en plein milieu d'un projet et il faut que j'y retourne. Vous êtes les bienvenus si vous voulez rester regarder et comme ça, je pourrai vous parler un peu de ce que nous faisons.

— Ce serait parfait.

— Simplement, restez bien derrière. C'est du matériau brûlant que nous travaillons.

— Pas de problème.

— D'où êtes-vous ? De Seattle ? demanda-t-elle.

— Non, en fait, nous venons de Californie. Nous sommes relativement loin de chez nous.

Si entendre mentionner le nom de l'État où elle était née l'inquiéta le moins du monde, elle n'en montra rien. Elle rabattit son masque en souriant, repassa ses gants et se remit au travail. Les quarante minutes qui suivirent virent Bosch et McPherson regarder Gleason et ses deux assistants terminer leur pièce. Gleason leur parlait au fur et à mesure de ce qu'elle faisait et leur expliqua que les trois membres de son équipe avaient des tâches différentes. Un des jeunes était le carreur, l'autre le cueilleur. Chef de place, Gleason, elle, était responsable de l'ensemble de l'opération. Ils étaient en train d'ouvrer une feuille de vigne d'un mètre vingt de long qui devait faire partie d'une œuvre plus imposante qu'on leur avait commandée pour orner l'entrée de la Rainier Wine, une entreprise de Seattle.

Gleason leur parla aussi de fragments de son passé récent. Elle leur apprit qu'elle n'avait démarré son atelier que deux ans plus tôt, après en avoir passé trois en apprentissage avec un artiste de Seattle. Tous ces renseignements étaient utiles à Bosch. L'un et l'autre l'écoutaient parler d'elle-même en la regardant travailler la paraison. Lui « donner de la couleur », comme elle disait. Elle se servait d'outils lourds pour manipuler quelque chose de beau et de fragile et le souffler avec tous les dangers d'un matériau en fusion. La chaleur du fourneau était si étouffante qu'ils ôtèrent tous les deux leur veste. Gleason leur apprit qu'il tournait à mille deux cent soixante degrés, Bosch se demandant comment ces artistes pouvaient passer tant d'heures si près de lui. Le « glory hole[1] », ou petite ouverture du four dans laquelle ils passaient et repassaient sans arrêt

1. Ou « trou de la gloire », terme à forte connotation sexuelle.

la sculpture pour la réchauffer et y ajouter des couches, rougeoyait telle l'entrée de l'enfer.

Lorsque le travail de la journée eut pris fin, la pièce fut insérée dans le four à finitions et Gleason demanda à ses assistants de ranger l'atelier avant de rentrer chez eux. Puis elle invita Bosch et McPherson à l'attendre dans le bureau pendant qu'elle se nettoyait.

Le bureau servait aussi de salle de repos. Il était chichement meublé d'une table, de quatre chaises, d'un meuble classeur, d'éléments de rangement fermés à clé et d'une petite kitchenette. Sur la table était posé un classeur rempli de pochettes en plastique renfermant des photos d'objets de verre façonnés à l'atelier. McPherson les examina et parut séduite par plusieurs d'entre eux. Bosch, lui, sortit le dossier qu'il transportait dans sa veste et le posa sur la table – il était prêt à y aller.

— Ça doit être chouette de créer quelque chose à partir de rien, lança McPherson. J'aimerais bien en être capable.

Bosch essaya de trouver quelque chose à répondre, mais avant même qu'il lui vienne quoi que ce soit à l'esprit, la porte s'ouvrit et Sarah Gleason entra dans la pièce. Gants, masque et tablier encombrants ayant disparu, Bosch la trouva plus petite que ce à quoi il s'attendait. Elle faisait à peine un mètre cinquante et il douta beaucoup qu'elle ait plus de quarante kilos de chairs attachées à son squelette. Il savait que les traumatismes de l'enfance ont parfois pour effet de ralentir la croissance. Il n'y avait donc rien d'étonnant à ce que Sarah Gleason ait l'air d'une femme dans un corps d'enfant.

Ses cheveux auburn n'étaient plus noués derrière sa tête. Ils encadraient un visage las aux yeux bleu foncé. Elle portait un jean, des sabots et un tee-shirt noir barré de l'inscription *Death Cab*. Elle se dirigea droit vers le réfrigérateur.

— Je peux vous offrir à boire ? Je n'ai pas d'alcool ici, mais si vous voulez quelque chose de frais…

Bosch et McPherson déclinèrent. Bosch remarqua qu'elle avait laissé la porte du bureau ouverte. Il entendait quelqu'un balayer dans l'atelier. Il alla la fermer.

Sarah Gleason se retourna, une bouteille d'eau à la main. Elle vit Bosch fermer la porte, l'inquiétude marquant aussitôt son visage. Bosch leva la main en signe d'apaisement et sortit son badge de l'autre.

— Tout va bien, madame Gleason, dit-il. Nous sommes de Los Angeles et avons simplement besoin de vous parler en privé.

Il ouvrit son porte-écusson et le lui montra.

— Qu'est-ce que c'est ? demanda-t-elle.

— Je m'appelle Harry Bosch et je vous présente Maggie McPherson. Elle est procureur au bureau du district attorney du comté de Los Angeles.

— Pourquoi m'avez-vous menti ? s'écria-t-elle en colère. Vous m'avez dit que vous vouliez commander une pièce.

— Non, en vérité, nous n'avons rien dit de pareil. C'est votre assistant, le cueilleur, qui l'a cru. Nous n'avons jamais dit pourquoi nous étions ici.

Elle était manifestement sur ses gardes et Bosch se dit qu'ils avaient bousillé leur approche et donc, la possibilité de se l'attacher comme témoin. Mais c'est alors qu'elle fit un pas en avant et lui prit son porte-écusson des mains. Elle l'examina ainsi que la photo d'identité prise de face. Lui arracher son badge, le geste était inhabituel. Ce n'était que la cinquième fois que cela lui arrivait de toute sa carrière de flic. Il la vit fixer sa carte d'identité et comprit qu'elle avait remarqué la disparité entre ce qu'il lui avait dit et le nom qui y figurait.

— Vous avez bien dit Harry Bosch, non ?

— Harry en abrégé.

— Hieronymus Bosch. Comme le peintre ?

Il acquiesça d'un signe de tête.

— Ma mère aimait ses tableaux.

— Eh bien, moi aussi. Je pense qu'il savait deux ou trois trucs sur nos démons intérieurs. C'est pour ça que votre mère l'aimait ?

— Je pense, oui.

Elle lui rendit son porte-écusson, Bosch sentant le calme revenir en elle. Le moment d'appréhension et d'anxiété était passé grâce au peintre dont il portait le nom.

— Que me voulez-vous ? reprit-elle. Je ne suis pas retournée à Los Angeles depuis plus de dix ans.

Bosch se rendit compte que si elle disait la vérité, elle n'y était donc même pas revenue quand son beau-père était malade et mourant.

— Nous voulons simplement vous parler, dit-il. On peut s'asseoir ?

— Me parler de quoi ?

— De votre sœur.

— Ma sœur. Je ne… écoutez, il faut que vous me disiez de quoi il re…

— Vous ne savez donc pas, c'est ça ?

— Qu'est-ce que je ne sais pas ?

— Asseyez-vous et nous vous le dirons.

Elle finit par gagner la table réservée aux petits déjeuners et prit un siège. Puis elle sortit un paquet de cigarettes de sa poche et en alluma une.

— Désolée, dit-elle. C'est la seule addiction qui me reste. Et avec vous qui vous pointez comme ça… j'ai besoin d'une cigarette.

Pendant les dix minutes qui suivirent, Bosch et McPherson se relayèrent pour lui raconter l'histoire et lui firent découvrir la version courte du périple de Jason Jessup jusqu'à la liberté. Gleason ne montra pratiquement pas de réaction à cette nouvelle. Et ne posa pas non plus de questions sur le test ADN qui l'avait fait sortir de taule. Elle expliqua seulement qu'elle n'avait plus aucun contact avec quiconque en Californie, qu'elle n'avait pas la télévision et ne lisait jamais les journaux. Elle précisa encore que cela ne faisait que la distraire de son travail et de ce qu'elle devait faire pour ne pas retomber dans son addiction.

— Sarah, lui dit McPherson, nous allons le rejuger et nous sommes ici parce que nous allons avoir besoin de votre aide.

Bosch la vit comme rentrer en elle-même et commencer à mesurer l'impact de ce qu'ils étaient en train de lui dire.

— Ça remonte à si loin, finit-elle par répondre. Vous ne pourriez pas simplement vous servir de ce que j'ai dit lors du premier procès ?

McPherson hocha la tête.

— Nous ne pouvons pas, non, Sarah. Les nouveaux jurés ne doivent même pas savoir qu'il y a déjà eu un procès parce que cela pourrait influer sur leur manière d'évaluer les preuves. Cela les braquerait contre l'accusé et aucun verdict de culpabilité ne pourrait tenir. Lorsqu'on est dans une situation où les témoins du premier procès sont morts ou mentalement incompétents, on lit leurs déclarations antérieures et les porte aux minutes sans dire aux jurés d'où elles sortent. Mais lorsque ce n'est pas le cas, comme avec vous, on a besoin que la personne vienne témoigner devant la cour.

Il n'était pas évident qu'elle ait même seulement enregistré cette réponse. Elle s'était assise et regardait fixement au loin. Même lorsqu'elle parla, elle regardait toujours dans le vague.

— J'ai passé toute ma vie à tenter d'oublier ce jour-là, dit-elle. J'ai essayé divers trucs pour me forcer à oublier. J'ai pris de la drogue pour m'enfermer à l'intérieur d'une grosse bulle. J'ai fait… mais laissez tomber… le truc, c'est que je ne pense pas pouvoir vous être d'une grande aide.

Avant que McPherson ait pu répondre, Bosch s'interposa.

— Que je vous dise, lança-t-il. Commençons seulement par parler quelques minutes de ce dont vous vous souvenez, d'accord ? Et si nous voyons que ça ne marche pas, eh bien… c'est que ça ne marchera pas. Vous êtes une victime, Sarah, et nous n'avons aucune intention de vous refaire du mal.

Il attendit un instant qu'elle réagisse, mais elle continua de garder le silence et de fixer des yeux la bouteille d'eau posée devant elle.

— Reprenons à partir de ce jour-là, enchaîna-t-il. Pour l'instant, je n'ai pas besoin que vous reviviez les horribles moments qui ont vu votre sœur se faire enlever. Cela dit, vous rappelez-vous avoir identifié Jason Jessup pour la police ?

Elle fit lentement oui de la tête.

— Je me rappelle avoir regardé par la fenêtre. La fenêtre du premier. Les inspecteurs avaient écarté les lames de la jalousie pour que je puisse voir dehors. Eux n'étaient pas censés me voir. Eux… les types. C'était celui avec le couvre-chef. Ils l'ont obligé à l'enlever et c'est là que j'ai vu que c'était lui. Je m'en souviens.

Bosch trouva le détail du couvre-chef très encourageant. Il ne se rappelait pas l'avoir vu dans les dossiers ou avoir entendu McPherson le mentionner dans son résumé de l'affaire, mais que Sarah Gleason s'en souvienne était bon signe.

— Quel genre de couvre-chef portait-il ? demanda-t-il.

— Une casquette de base-ball. Bleue.

— Des Dodgers ?

— Je n'en suis pas certaine. Et je ne devais pas le savoir non plus à l'époque.

Bosch acquiesça d'un hochement de tête et passa à autre chose.

— Pensez-vous que si je vous montrais une photo de tapissage, vous pourriez nous identifier l'homme qui a enlevé votre sœur ?

— Vous voulez dire… avec l'air qu'il a aujourd'hui ? J'en doute.

— Non, pas celui de maintenant, dit McPherson. Ce dont nous aurions besoin au procès, c'est de confirmer l'identification que vous avez faite à l'époque. Nous vous montrerions des photos de cette période.

Elle hésita, puis acquiesça.

— Oui, bien sûr, dit-elle. Malgré tout ce que j'ai pu me faire au fil des ans, je n'ai jamais réussi à oublier le visage de cet homme.

— Bon alors, voyons, dit-il.

Pendant qu'il ouvrait le classeur sur la table, Gleason alluma une cigarette avec le bout incandescent de la précécente. Le dossier contenait les photos d'identité en noir et blanc de six hommes aux âges, corpulences et couleurs de cheveux comparables. Une photo de Jessup prise en 1986 en faisait partie. Bosch savait que c'était le moment où tout pouvait sombrer.

Les clichés avaient été disposés en deux rangées de trois. La photo de Jessup se trouvait au milieu de la rangée inférieure. Soit en cinquième position. Celle qui avait toujours porté bonheur à Bosch.

— Prenez votre temps, dit-il.

Elle but un peu d'eau, puis elle reposa la bouteille. Se pencha au-dessus de la table et baissa son visage à moins de quinze centimètres des clichés. Et montra la photo de Jessup sans la moindre hésitation.

— Ce que j'aimerais oublier ce type ! s'exclama-t-elle. Mais je n'y arrive pas. Je l'ai toujours dans la tête. Là, dans les ombres.

— Avez-vous le moindre doute sur la photo que vous avez choisie ? demanda Bosch.

Elle se pencha en avant, regarda encore et hocha la tête.

— Non, dit-elle. C'est lui.

Bosch jeta un coup d'œil à McPherson, qui lui renvoya un léger hochement de tête. C'était une bonne identification et ils l'avaient gérée comme il fallait. La seule chose qui leur manquait maintenant était que Sarah manifeste de l'émotion. Mais il n'était pas impossible que vingt-quatre années l'aient vidée de tout sentiment. Harry prit un stylo et le lui tendit.

— Voudriez-vous apposer vos initiales et la date d'aujourd'hui sous le cliché que vous avez retenu, s'il vous plaît ?

— Pourquoi ?

— Pour confirmer votre identification. Ça lui permettra d'être plus solide lorsqu'elle sera exigée au tribunal.

Il remarqua qu'elle ne lui avait pas demandé si elle avait choisi la bonne photo. Elle n'en avait pas éprouvé le besoin et cela confirmait une deuxième fois qu'elle se souvenait parfaitement de lui. Un bon signe de plus. Après qu'elle lui eut rendu son stylo, il referma le classeur et le fit glisser sur le côté. Et jeta un nouveau coup d'œil à McPherson. C'était maintenant que ça allait être difficile. Suite à l'accord qu'ils avaient passé, c'était Maggie qui allait décider s'il convenait de parler tout de suite de l'ADN ou s'il valait mieux attendre que Gleason soit plus fermement embarquée comme témoin.

McPherson décida de ne pas attendre.

— Sarah, dit-elle, il y a une deuxième question dont nous devons parler maintenant. Nous vous avons parlé du test ADN qui a permis à cet homme d'obtenir un deuxième procès et une liberté qui, nous l'espérons bien, ne sera que temporaire.

« Nous avons donc pris le profil ADN et avons cherché une correspondance dans la banque de données de Californie. Et nous en avons trouvé une. Le sperme retrouvé sur la robe que portait votre sœur était celui de votre beau-père.

Bosch la regarda attentivement. Sarah Gleason n'eut même pas un soupçon de surprise sur le visage ou dans le regard. Cela n'avait rien de nouveau pour elle.

— En 2004, le ministère de la Justice a commencé à effectuer des frottis ADN chez tous les suspects arrêtés pour crimes graves. L'année même où votre père a été arrêté pour délit de fuite après un accident avec blessures graves. Il avait grillé un stop et renversé…

— Mon beau-père, dit-elle.

— Pardon ?

— Vous avez dit : « mon père ». Ce n'était pas mon père. C'était mon beau-père.

— Je me suis trompée. Excusez-moi. Le fond du problème, c'est que l'ADN de Kensington Landy était bien dans la banque de données et qu'il y a correspondance avec l'échantillon de la robe. Mais on n'a pas pu déterminer depuis combien de temps cette tache se trouvait sur la robe au moment où elle a été découverte. Elle pourrait y être tombée le jour du meurtre, la semaine précédente, voire un mois avant.

Sarah commençait à marcher au radar. Elle était là sans l'être. Ses yeux fixaient quelque chose bien au-delà de la pièce dans laquelle ils se trouvaient.

— On a une hypothèse, Sarah. L'autopsie de votre sœur a déterminé qu'elle n'avait pas été agressée sexuellement par son assassin ou par quiconque avant ce jour-là. Nous savons aussi que la robe qu'elle portait était à vous et que Melissa vous l'avait empruntée ce matin-là parce qu'elle lui plaisait bien.

McPherson marqua une pause, mais Sarah resta muette.

Quand nous serons devant les jurés, nous devrons expliquer la présence de cette tache de sperme sur la robe. Si nous n'y arrivons pas, on pensera qu'il provenait du meurtrier et que celui-ci était votre beau-père. Nous perdrons le procès et Jessup, qui est le vrai assassin, sortira libre du prétoire. Et ça, je suis sûre que vous ne le voulez pas, n'est-ce pas, Sarah ? Il y a des gens qui trouvent que vingt-quatre ans de prison suffisent pour le meurtre d'une fillette de douze ans. Ils ne comprennent pas pourquoi nous faisons tout ça. Mais je veux que vous sachiez que moi, ce n'est pas ce que je pense. Loin de là.

Au début, Sarah Gleason ne répondit pas. Bosch s'attendait à des larmes, mais aucune ne venant, il commença à se demander si ses émotions n'avaient pas été cautérisées par les traumatismes qu'elle avait subis et la vie dépravée qu'elle avait menée par la suite. Ou alors, elle avait en elle une dureté que sa petite stature camouflait au mieux. Toujours est-il que lorsque enfin elle répondit, ce fut d'un ton plat et sans aucune émotion qui fit mentir les paroles qu'elle prononça du fond du cœur :

— Vous savez ce que je pense depuis toujours ? lança-t-elle.

McPherson se pencha vers elle.

— Non, Sarah, quoi ?

— Que ce jour-là, ce sont trois personnes que ce type a tuées. Ma sœur, ma mère… et moi. Aucune d'entre nous ne s'en est sortie.

Le silence qui suivit dura longtemps. McPherson tendit lentement le bras en avant et posa la main sur celui de Sarah en un geste de réconfort alors même qu'il ne pouvait y en avoir.

— Je suis désolée, Sarah, dit-elle.

— Bon, c'est OK. Oui, je dirai tout.

Chapitre 13

Jeudi 18 février – 20 h 15

Ma fille regrettait déjà la cuisine de sa mère… et cela ne faisait qu'un jour qu'elle était partie. J'étais en train de jeter à la poubelle le sandwich qu'elle n'avait mangé qu'à moitié en me demandant comment diable j'avais fait mon compte pour rater un sandwich au fromage grillé quand mon portable interrompit mes pensées. C'était Maggie qui appelait de sa voiture.

— Annonce-moi quelque chose de sympa, lui lançai-je en guise de salutation.

— Tu passes la soirée avec notre fille qui est si belle, me renvoya-t-elle.

— Oui, ça, c'est sympa. Sauf qu'elle n'aime pas ma cuisine. Bon, et maintenant, autre chose de sympa pour moi ?

— Notre témoin clé est prêt à y aller. Elle témoignera.

— Elle l'a identifié ?

— Oui.

— Elle vous a parlé de l'ADN et ça colle avec notre thèse ?

— Oui et oui.

— Et elle va descendre ici dire tout ça au procès ?

— Oui encore.

J'eus comme une décharge électrique dans tout le corps.

— Mais c'est beaucoup de nouvelles sympas, tout ça, Maggie ! Il y a un revers à la médaille ?

— Eh bien…

Je sentis tout le soufflé retomber. J'allais probablement apprendre que Sarah était toujours une droguée ou qu'il y avait un autre problème qui allait m'empêcher de l'appeler à la barre.

— Eh bien quoi ?

— Eh bien, son témoignage va être controversé, évidemment, mais elle est solide. C'est une rescapée et ça se voit. Il n'y a qu'une chose qui manque : l'émotion. Elle en a vu de toutes les couleurs dans sa vie et, en gros, elle donne l'impression d'être un rien atone… émotionnellement parlant. Pas de larmes, pas de rires, pile entre les deux.

— Ça se travaille, ça. On pourra la coacher.

— Oui, mais il va falloir faire très attention avec ça. Je ne dis pas que ça n'ira pas avec ce qu'elle est. Tout ce que je dis, c'est qu'elle est du genre « émotionogramme » plat. Tout le reste va bien. Je pense qu'elle te plaira et, d'après moi, elle devrait pas mal aider à remettre Jessup en prison.

— Mais c'est fantastique, Maggie ! Non, vraiment ! Et tu es toujours partante pour la cornaquer au procès, hein ?

— Je la tiens.

— Royce va l'attaquer sur le cristal… sur la perte des souvenirs, tout ça, quoi. Son style de vie… Il va falloir s'attendre à tout.

— Pas de problème. Ce qui toi, te laisse avec Bosch et Jessup. Tu penses toujours qu'il témoignera ?

— Jessup ? Oui, il faudra bien. Clive sait qu'il ne peut pas faire ce coup-là à un jury, pas après vingt-quatre ans de taule. Et donc oui, j'ai Bosch et Jessup à gérer.

— Avec Harry, tu n'as pas à t'inquiéter du passé.

— Clive en aurait entendu parler.

— Ce qui veut dire quoi ?

— Ce qui veut dire qu'il ne faut pas sous-estimer ce petit rusé de Clive Royce. Tu vois, c'est toujours ce que vous faites, vous autres, procureurs. Vous devenez trop confiants et ça vous rend vulnérables.

— Merci, F. Lee Bailey[1]. Je garderai ça à l'esprit.

— Comment a été Bosch aujourd'hui ?

— Comme il l'est toujours. Et toi, quoi de neuf de ton côté ?

Je passai un œil par la porte de la cuisine. Hayley s'était assise sur le canapé, ses devoirs du soir étalés sur la table basse devant elle.

— Eh bien, pour commencer, nous avons un juge. Breitman, de la 112e chambre.

Maggie évalua un instant la charge de travail de l'affaire avant de répondre.

— Je dirais que c'est du un partout. Elle est pile au milieu. Jamais procureur, jamais pour la défense. Juste une avocate compétente au civil. Je ne vois ni l'accusation ni la défense y gagner quelque avantage que ce soit.

— Houahou ! m'écriai-je. Un juge qui risque d'être juste et impartial ! Non mais, tu te rends compte ?

1. Célébrissime avocat de la défense américain qui fut rayé des barreaux de Floride et du Massachusetts en 2001 et 2003.

Maggie ne réagit pas.

— Elle a arrêté la date de la première conférence de mise en état en son cabinet. Mercredi matin à 8 heures, avant le début des audiences. T'en penses quoi ?

Cela signifiait qu'elle voulait faire la connaissance des avocats et discuter de l'affaire avec eux en son cabinet, bref, commencer de manière informelle et loin du regard des médias.

— Je trouve ça plutôt bon signe. Elle va probablement établir les règles à suivre tant du côté médias que du côté procédure. J'ai l'impression qu'elle va avoir le procès bien en main.

— C'est ce que je me disais, moi aussi. Tu es libre mercredi pour y aller ?

— Il va falloir que je consulte mon agenda, mais je crois que oui. J'essaie de faire le ménage pour n'avoir que ça.

— J'ai passé mes premiers dossiers à Royce tout à l'heure. Essentiellement des trucs du procès d'avant.

— Tu sais que tu aurais pu attendre jusqu'au trentième jour ?

— Oui, mais pour quoi faire ?

— Et la stratégie, hein ? Plus tôt on lui passe les dossiers, plus il a de temps pour se préparer. Il essaie de nous mettre la pression en ne refusant pas le droit à un procès rapide. Tu devrais lui renvoyer l'ascenseur en ne lui montrant ta main qu'au moment où tu ne peux plus faire autrement. Soit trente jours avant le procès.

— Je m'en souviendrai au deuxième round. Là, c'était plutôt du basique.

— Sarah Gleason figurait-elle sur la liste des témoins ?

— Oui, mais sous le nom de Sarah Landy… celui qu'elle avait en 86. Et pour l'adresse, j'ai donné celle du Bureau. Clive ne sait pas que nous l'avons retrouvée.

— Tâchons d'en rester là jusqu'au moment où nous serons tenus de le révéler. Je ne veux pas qu'on la harcèle ou qu'elle se sente menacée.

— Et pour qu'elle vienne au procès… qu'est-ce que tu lui as dit ?

— Qu'on allait sans doute avoir besoin d'elle pendant deux jours. Plus le voyage.

— Et ça ne va pas poser de problème ?

— Eh bien… C'est elle qui dirige son affaire et elle ne le fait que depuis deux ans. Elle s'est lancée dans un gros projet, mais elle m'a dit qu'en dehors de ça, c'était plutôt calme. Je pense qu'on devrait pouvoir la faire venir quand on aura besoin d'elle.

— Tu es toujours à Port Townsend ?

— Oui, ça fait à peu près une heure qu'on a terminé avec elle. On a mangé un morceau et pris une chambre. La journée a été longue.

— Et tu reviens demain ?

— C'est ce qu'on envisageait. Mais notre avion ne va pas décoller avant 14 heures. Il faut qu'on prenne le ferry et… c'est tout un périple rien que pour arriver à l'aéroport.

— Bon, d'accord. Appelle-moi demain matin, juste avant de partir. Au cas où il me viendrait une idée pour le témoin.

— Entendu.

— L'un ou l'autre d'entre vous a-t-il pris des notes ?

— Non. On s'est dit que ça risquait de la glacer.

— Vous l'avez enregistrée ?

— Non, pour la même raison.

— Parfait. Je veux que tout cela reste le plus longtemps possible hors du champ des échanges de pièces obligatoires. Dis à Bosch de ne rien écrire. On pourra envoyer à Royce le jeu de photos qui a permis à Sarah d'identifier Jessup, mais c'est tout.

— OK. Je le lui dirai.

— Quand ça ? Ce soir ou demain ?

— Pourquoi cette question ?

— Rien, laisse tomber. Autre chose ?

— Oui.

Je me raidis. Ma jalousie mesquine m'avait oublié un bref instant.

— J'aimerais souhaiter bonne nuit à ma fille.

— Oh, dis-je, le soulagement se répandant brutalement dans tout mon corps. Je te la passe. (Je tendis le téléphone à Hayley.) C'est ta mère.

DEUXIÈME PARTIE

Le labyrinthe

Chapitre 14

Mardi 23 février – 20 h 45

L'un comme l'autre, ils travaillaient en silence. Bosch à un bout de la table de la salle à manger, sa fille à l'autre. Lui sur les premiers rapports de surveillance du SRS, elle à ses devoirs du soir, avec son ordinateur portable et ses manuels étalés devant elle. Proches, ils l'étaient physiquement, mais guère autrement. L'affaire Jessup avait tout envahi, Bosch se consacrant à retrouver des témoins de l'époque et à essayer d'en dénicher de nouveaux. Ces derniers temps, il n'avait pas beaucoup vu sa fille. Comme ses parents, Maddie, elle, savait garder ses griefs bien au chaud et n'avait pas laissé tomber celui d'avoir été abandonnée une nuit entière aux mains de l'adjointe du principal de son école. Elle lui faisait donc la gueule, ses quatorze ans d'âge ne l'empêchant nullement d'être déjà experte en la matière.

Et les rapports de surveillance du SRS avaient eux aussi de quoi frustrer Bosch. Pas par leur contenu, mais par la lenteur avec laquelle ils lui arrivaient. On les lui faisait parvenir par des canaux bureaucratiques – partis du SRS, ils passaient par la brigade des Vols et Homicides du LAPD et atterrissaient sur le bureau de son superviseur, où ils séjournaient trois jours dans une bannette avant se retrouver enfin sur sa table. Résultat ? C'étaient les rapports de surveillance des trois premiers jours qu'il avait sous le nez et ces rapports, il les voyait entre trois et six jours après les faits. C'était dix fois trop lent et il allait devoir faire quelque chose pour accélérer le processus.

Classés par dates, heures et lieux, ils détaillaient sèchement les faits et gestes du suspect, leurs entrées se réduisant souvent à une ligne de commentaire. Ils comprenaient aussi des photos, mais prises de loin pour que les pisteurs ne se fassent pas repérer. Cela donnait des clichés pleins de grain où l'on voyait Jessup se promener en homme libre dans toute la ville.

Bosch les parcourut et parvint rapidement à la conclusion que Jessup menait déjà une vie publique nettement différente de sa vie privée. Le jour, il était en symbiose avec les médias et prenait soin de se réadapter de manière très publique à l'existence qu'on mène hors de la prison. On l'y voyait réapprendre à conduire, à choisir des plats dans un menu, à courir cinq kilomètres sans avoir à faire demi-tour. Mais la nuit, c'était un tout autre Jessup qui émergeait. Sans se douter qu'il était toujours suivi par des yeux et des caméras, il sortait seul et draguait au volant de sa voiture d'emprunt. Dans toute la ville. Bars, clubs de strip-tease et repaires de putes, il allait partout.

Parmi toutes ces activités, Bosch en trouva une des plus curieuses. Le quatrième soir de sa vie d'homme libre, il avait remonté Mulholland Drive, la route sinueuse qui, sur la ligne de crête des montagnes de Santa Monica, divise Los Angeles en deux. De jour comme de nuit, cette voie offre quelques-uns des plus beaux panoramas de la ville. Il n'y avait donc rien d'étonnant à ce qu'il s'y soit rendu. Il y a là des belvédères d'où, au nord comme au sud, on découvre les lumières scintillantes de la mégalopole. Revigorantes, elles ont quelque chose de majestueux et Bosch avait lui-même souvent fréquenté l'endroit par le passé.

À ceci près que ce n'était pas aux belvédères que Jessup s'était rendu. Il avait préféré se garer près de l'entrée du parc de Franklin Canyon. Puis il était descendu de voiture et s'était faufilé dans le parc fermé.

Ce qui avait posé un problème à l'équipe de surveillance : le parc étant vide, les pisteurs du SRS couraient le risque d'être découverts s'ils s'approchaient trop près. À cet endroit du rapport, le commentaire était encore plus bref que d'habitude :

> *20/02/2010 ; 01 h 12 Sujet pénètre parc Franklin Canyon. Vu à table pique-nique, nord-ouest parc, début piste Blind man.*

> *20/02/2010 ; 02 h 34 Sujet quitte parc, gagne Mulholland, ouest vers la 405, puis plein sud.*

Après ça, Jessup avait regagné l'appartement de Venice où il vivait et y avait passé le reste de la nuit.

Le tirage d'une photo infrarouge prise dans le parc accompagnait le rapport. On l'y voyait assis à une table de pique-nique dans le noir. Assis à ne rien faire.

Bosch posa la sortie papier sur la table et regarda sa fille. Gauchère, comme lui. Tout indiquait qu'elle cherchait la solution d'un problème de math sur une feuille de brouillon.

— Quoi ?

Elle avait hérité du radar de sa mère.

— Euh… tu es connectée ?

— Oui. T'as besoin de quoi ?

— Tu pourrais me trouver une carte du parc de Franklin Canyon ? Ça donne dans Mulholland Drive.

— Je finis ça d'abord.

Il attendit patiemment qu'elle termine les calculs d'un problème qui était à des années-lumière de ce qu'il était capable de comprendre en mathématiques. Depuis quatre mois, il vivait dans la crainte que sa fille lui demande de l'aider pour ses devoirs. Cela faisait belle lurette qu'en matière de connaissances et de compétences, elle l'avait dépassé. Ne lui étant d'aucune utilité dans ce domaine, il essayait de lui apprendre d'autres choses, l'art d'observer et de se protéger n'étant pas le moindre.

— Bien, dit-elle.

Elle reposa son crayon et tira son ordinateur devant elle. Bosch consulta sa montre. Il était presque 21 heures.

— Là.

Elle fit glisser le portable sur la table et tourna l'écran vers lui. Le parc était plus grand qu'il le pensait, qui s'étendait du sud de Mulholland à l'ouest de Coldwater Canyon Boulevard. Un cartouche dans le coin de la carte indiquait une superficie de quelque trois cents hectares. Bosch ne s'était pas rendu compte qu'il existait un tel espace public dans cette région de premier choix des collines d'Hollywood. Il remarqua que la carte indiquait plusieurs chemins de randonnée ainsi que des aires de pique-nique. Celle située au nord du parc se trouvait en retrait du chemin Blinderman. Il se dit que le « blind man » du rapport avait été mal orthographié.

— Qu'est-ce qu'il y a ? reprit Maddie.

Il la regarda. C'était la première fois en deux jours qu'elle faisait l'effort de lui parler. Il décida de ne pas laisser filer l'occasion.

— Bon, dit-il, ce type, là, on l'a à l'œil. Enfin… le service des Recherches spéciales. Ce sont les experts en surveillance du LAPD et ils le surveillent depuis sa sortie de prison. Il y a longtemps de ça, il a tué une fillette. Et Dieu sait pourquoi, il est allé dans ce parc et s'est assis à une table de pique-nique, pour ne rien y faire.

— Ben quoi ? C'est pas ce qu'on fait dans les parcs ?

— C'est-à-dire que là, ça s'est passé en pleine nuit. Le parc était fermé, il s'y est faufilé en douce et après… il s'est contenté de rester assis à cet endroit.

— Il a grandi dans le coin ? Il revoyait peut-être les lieux de son enfance !

— Je ne pense pas, non. D'après ce qu'on sait, il a grandi dans le comté de Riverside. Il venait bien à L. A. pour faire du surf, mais je ne lui ai trouvé aucun lien avec Mulholland.

Il examina encore une fois la carte et remarqua que le parc était doté de deux entrées : une au nord et une au sud. C'était celle du nord qu'il avait prise. Ce qui lui avait fait faire un détour, sauf si cette aire de pique-nique et le chemin Blinderman étaient les lieux visés dès le départ.

Il rendit l'ordinateur à sa fille. Et consulta de nouveau sa montre.

— Sitôt tu auras fini ton travail, on…

— Sitôt que tu auras fini, papa ! Tu pourrais aussi dire : « Dès que tu auras fini… »

— Désolé. Tu as bientôt fini ?

— J'ai un autre problème de maths.

— Bon. Il faut que je passe un coup de fil en vitesse.

Le numéro de portable du lieutenant Wright se trouvait dans le rapport de surveillance. Bosch craignait que l'inspecteur soit rentré chez lui et que son appel le dérange, mais il décida de passer outre. Il se leva et gagna la salle de séjour afin de ne pas troubler Maddie qui s'attaquait à son dernier problème. Et entra le numéro de Wright dans son portable.

— Wright, SRS.

— Lieutenant ? C'est moi, Harry Bosch.

— Qu'est-ce qu'il y a, Bosch ?

Il n'avait pas l'air agacé.

— Désolé de vous déranger chez vous comme ça, mais… Je voulais juste…

— Je ne suis pas chez moi. Je suis toujours avec votre gus.

Bosch en fut tout surpris.

— Quelque chose qui ne va pas ?

— Non. C'est juste que le quart de nuit est plus intéressant.

— Où est-il ?

— On est avec lui au Townhouse, un bar de Venice Beach. Vous connaissez ?

— J'y suis déjà allé, oui. Il est seul ?

— Oui et non. Il est arrivé seul, et on l'a reconnu. Il ne peut pas s'y payer un verre, mais il doit avoir le choix côté pouffiasses. C'est comme j'ai dit : c'est plus intéressant la nuit. Vous nous surveillez ?

— Pas vraiment, non ! C'est juste que j'aimerais savoir un ou deux trucs. Je regarde vos rapports et, première chose… comment pourrais-je faire pour les avoir plus tôt ? Ceux que j'ai sous les yeux remontent à trois jours, voire plus. L'autre truc, c'est le parc de Franklin Canyon. Que pouvez-vous me dire du petit arrêt qu'il y a fait ?

— Lequel ?

— Il y est allé deux fois ?

— Non, trois. Il y est retourné les deux nuits qui ont suivi son premier passage, il y a quatre jours de ça.

Bosch trouva le renseignement passablement intrigant, essentiellement parce qu'il n'avait aucune idée de ce que cela pouvait signifier.

— Qu'y a-t-il fait ces deux dernières fois ?

Maddie se leva de la table de la salle à manger et entra dans le living. Puis elle s'assit sur le canapé et écouta ce que disait son père.

— La même chose que la première nuit, répondit Wright. Il se faufile dans le parc et rejoint la même aire de pique-nique. Et il reste assis, comme s'il attendait quelque chose.

— Quoi ?

— C'est à vous de me le dire, Bosch.

— J'aimerais bien. S'y est-il rendu à la même heure chaque nuit ?

— À une demi-heure près, oui.

— Passe-t-il toujours par l'entrée de Mulholland ?

— Exact. Il se faufile à l'intérieur et emprunte le même chemin jusqu'à sa table.

— Je me demande pourquoi il ne passe pas par l'autre entrée. Ça serait plus facile pour lui !

— Peut-être qu'il aime bien rouler dans Mulholland Drive pour voir les lumières.

L'hypothèse était bonne et il fallait l'envisager.

— Lieutenant, pouvez-vous demander à vos hommes de m'appeler la prochaine fois qu'il le fera ? Peu importe l'heure, ça ne me dérangera pas.

— Entendu, mais vous ne pourrez pas entrer dans le parc ni vous approcher de lui. C'est trop risqué. On n'a aucune envie de bousiller notre surveillance.

— Je comprends, mais demandez-leur quand même de m'appeler. Je voudrais juste savoir. Bon et maintenant… c'est quoi, le problème avec ces rapports ? Y aurait pas moyen de les avoir plus tôt ?

— Vous pouvez passer les prendre au SRS tous les matins. Comme vous l'avez probablement remarqué, ils couvrent la tranche 18 heures – 18 heures J + 1. Et tous sont postés le lendemain matin suivant, à 7 heures au plus tard.

— D'accord, lieutenant. C'est ce que je vais faire. Merci du renseignement.

— Bonne soirée.

Bosch referma son portable en se posant des questions sur Jessup et ce qu'il pouvait bien fabriquer pendant ses visites au parc de Franklin Canyon.

— Qu'est-ce qu'il a dit ? lui demanda Maddie.

Bosch hésita et, pour la centième fois, se demanda s'il faisait bien de lui parler de ses affaires comme ça, aussi souvent.

— Il m'a dit que mon type est retourné dans ce parc ces deux dernières nuits. Et chaque fois, il s'assied à sa table et attend.

— Qu'est-ce qu'il attend ?

— Personne ne le sait.

— Et s'il voulait seulement être quelque part tout seul sans personne autour de lui.

— C'est possible.

Mais il en doutait. Pour lui, presque tout ce que faisait Jessup obéissait à un plan. Il ne lui restait plus qu'à en trouver la nature.

— J'ai fini mes devoirs, dit Maddie. Tu veux regarder *Les Disparus* ?

Ils avaient mis du temps à visionner les DVD de la série et n'en avaient vu que cinq saisons. Tournant autour d'un groupe de rescapés d'un crash aérien, le feuilleton se déroulait dans une île inconnue du Pacifique sud. Bosch avait du mal à ne pas perdre le fil des événements d'un épisode à l'autre, mais continuait de regarder parce que sa fille était complètement accro à l'histoire.

Mais là, il n'avait pas le temps de regarder la télé.

— D'accord, dit-il, mais seulement un épisode. Après, il faut que tu te couches et moi, que je me remette au boulot.

Elle sourit. Cela lui faisait plaisir et l'espace d'un instant, toutes les fautes de grammaire et autres transgressions paternelles parurent oubliées.

— Mets le DVD, dit-il. Et prépare-toi à me rappeler ce qui vient de se passer.

***

Cinq heures plus tard, Bosch se retrouvait à bord d'un jet pris dans de sévères turbulences. Sa fille s'était assise de l'autre côté de l'allée centrale plutôt que dans le siège libre à côté de lui. Ils tendaient les bras en travers de l'allée pour se tenir la main, mais les soubresauts de l'avion les séparaient sans arrêt. Il n'arrivait pas à lui attraper la main.

Juste au moment où il se tournait sur son siège pour voir la queue de l'appareil se détacher du fuselage et filer dans le vide, il fut réveillé par un bourdonnement. Il tendit le bras vers sa table de nuit et y attrapa son portable. Et eut du mal à retrouver sa voix pour répondre.

— Bosch à l'appareil, dit-il.

— Shipley, du SRS. On m'a dit de vous appeler.

— Il est dans le parc ?

— Il est dans un parc, mais ce soir, c'est pas le même.

— Où est-il ?

— À Fryman Canyon. En retrait de Mulholland.

Bosch connaissait. C'était à une dizaine de minutes de Franklin Canyon.

— Qu'est-ce qu'il fait ?

— Il emprunte un chemin. Comme dans l'autre parc. Il se balade et s'assied. Et après, il ne fait plus rien. Il reste assis un moment, puis il s'en va.

— OK.

Il regarda les chiffres luminescents de son réveil. Il était exactement 2 heures.

— Vous allez venir ? demanda Shipley.

Bosch pensa à sa fille qui dormait dans sa chambre. Il savait qu'il pouvait partir et revenir avant qu'elle se réveille.

— Euh… non, j'ai ma fille à la maison et je ne peux pas la laisser toute seule.

— Comme vous voudrez.

— Vous finissez à quelle heure ?

— Vers 7 heures.

— Vous pouvez m'appeler à ce moment-là ?

— Si vous voulez.

— J'aimerais que vous m'appeliez tous les matins, juste au moment où vous partez. Pour me dire où il est allé.

— Euh… oui, bon, d'accord. Je peux vous demander quelque chose ? Ce type a bien tué une fille, non ?

— Si, si.

— Vous en êtes sûr ? Non, je veux dire… pas de doute là-dessus, hein ?

Bosch repensa à son entretien avec Sarah Gleason.

— Non, aucun.

— OK, c'est que… c'est bon à savoir.

Bosch comprit. Il cherchait à se couvrir. Si les circonstances exigeaient qu'il fasse usage d'une arme à feu contre Jessup, il valait mieux qu'il sache sur qui et quoi il allait tirer. En dire plus était inutile.

— Merci, Shipley. On se reparle plus tard.

Il coupa la communication et reposa la tête sur l'oreiller. Et se rappela le rêve de l'avion. Comment il tendait le bras vers sa fille, sans jamais parvenir à lui prendre la main.

Chapitre 15

Mercredi 24 février – 8 h 15

Le juge Diane Breitman nous accueillit en son cabinet et, geste inhabituel chez un magistrat du pénal, nous offrit du café et une assiette de petits sablés. Étaient présents mon assistante Maggie McPherson, moi-même et un Clive Royce sans son assistante, mais certainement pas sans son audace. Il demanda au juge s'il pouvait avoir du thé plutôt que du café.

— Tout cela est bien agréable, lança Breitman dès que, tasses et soucoupes en main, nous fûmes assis devant son bureau. Je n'ai jamais eu l'occasion de vous voir officier dans ma salle d'audience. Je me suis donc dit qu'il serait peut-être bon de commencer tout ça de manière informelle en mon cabinet. Nous pourrons toujours passer au prétoire s'il s'avère nécessaire de consigner des choses aux minutes.

Elle sourit, aucun d'entre nous ne réagissant.

— Laissez-moi vous dire d'entrée de jeu que j'ai un profond respect pour le décorum dans la salle d'audience, reprit-elle. Et j'insiste beaucoup pour que les avocats qui officient devant moi ressentent la même chose. J'espère que ce procès donnera lieu à un vif débat sur les preuves et les faits du dossier. Mais je ne tolérerai ni qu'on fasse le pitre ni qu'on franchisse les lignes rouges de la courtoisie et de la jurisprudence. Est-ce bien clair ?

— Oui, madame le juge, répondit Maggie tandis que Royce et moi marquions notre accord d'un hochement de tête.

— Bien, et maintenant, parlons couverture médiatique. Les médias vont couvrir cette affaire comme les hélicos qui ont suivi O.J. Simpson dans sa course folle sur l'autoroute[1]. C'est couru d'avance. J'ai déjà les demandes de trois chaînes locales, d'un réalisateur de documentaires et de *Dateline*[2]. Ils veulent tous filmer le procès dans son intégralité. Si je ne vois rien de mal à ça, du moment que les jurés sont protégés comme il convient, je m'inquiète des conséquences possibles à l'extérieur du prétoire. L'un d'entre vous a-t-il des idées à me soumettre sur ce point ?

J'attendis un instant et, personne n'élevant la voix, je me lançai :

— Madame le juge, je pense que vu la nature de cette affaire… à savoir la révision d'un procès vieux de vingt-quatre ans… les médias s'y sont déjà beaucoup trop intéressés et nous allons avoir un mal fou à trouver douze jurés et deux remplaçants qui n'aient pas eu vent de l'histoire filtrée par les médias. Parce que quoi ? Nous avons droit à des photos de l'accusé en train de surfer en première page du *Times* et de regarder

1. O.J. Simpson fut effectivement poursuivi par la police avant de se rendre aux autorités qui l'accusaient de meurtre.

2. Magazine hebdomadaire d'informations télévisées de la chaîne NBC.

un match des Lakers au premier rang des spectateurs. Comment allons-nous donc réussir à trouver des jurés impartiaux avec tout ça ? Les médias, avec la complicité de maître Royce, nous présentent l'accusé sous les traits d'un pauvre innocent persécuté alors qu'ils n'ont pas la moindre idée des preuves qu'on a contre lui.

— Objection, madame le juge, dit Royce.

— Vous ne pouvez pas m'objecter quoi que ce soit, lui renvoyai-je. Nous ne sommes pas au prétoire.

— Mick, dit-il, vous étiez bien avocat de la défense, non ? Aurait-on oublié que l'accusé est innocent jusqu'à ce qu'il soit déclaré coupable ?

— Déclaré coupable, il l'a déjà été.

— Lors d'un procès que la plus haute cour de cet État a qualifié de parodie de justice. Serait-ce la base de votre plaidoirie ?

— Écoutez, Clive. Je suis avocat et la règle de l'accusé innocent jusqu'à ce qu'il soit reconnu coupable est quelque chose qu'on applique au prétoire, pas à l'émission *Larry King Live.*

— *Larry King Live*, nous n'y sommes pas passés, enfin… pas encore.

— Vous voyez ce que je veux dire, madame le juge. Il veut…

— Messieurs, je vous en prie ! s'écria Breitman.

Elle attendit d'être certaine que notre débat ait pris fin.

— Nous sommes dans la situation classique où il nous faut jongler entre le droit qu'ont les gens de savoir – avec des mesures qui nous garantissent un jury sans tache –, un procès sans entraves et un résultat juste.

— Mais, madame le juge, lança vite Royce, nous ne pouvons quand même pas empêcher les médias de s'intéresser à cette affaire ! La liberté de la presse est la pierre angulaire de la démocratie américaine. Qui plus est, j'attire votre attention sur le verdict qui nous vaut cette révision. La cour a trouvé de très sérieuses insuffisances dans les preuves et a fustigé le Bureau du district attorney pour la manière fort corrompue dont il a poursuivi mon client. Et voilà que vous vous apprêtez à interdire aux médias de voir ça de plus près ?

— Oh, je vous en prie ! lui renvoya Maggie d'un ton dédaigneux. Il n'est pas question d'interdire aux médias d'analyser quoi que ce soit et votre noble défense de la liberté de la presse mise à part, ce n'est pas de cela qu'il s'agit. Il est clair que vous tentez d'influencer la sélection des jurés par la façon dont vous manipulez les médias avant le procès.

— C'est totalement faux ! hurla Royce. Oui, j'ai répondu à des demandes des médias. Mais je n'essaie pas d'influencer qui que ce soit. Madame le juge, c'est pure...

Un claquement sec monta du bureau de Breitman. Elle s'était emparée d'un marteau faisant partie d'un porte-stylo décoratif et l'avait abattu très fort sur son bureau.

— On se calme, dit-elle. Et on laisse tomber les attaques personnelles. Comme je vous l'ai indiqué, il faut trouver un juste milieu. Je ne suis pas encline à museler les médias, mais j'interdirai aux avocats de parler s'il me semble qu'ils ne se conduisent pas de manière responsable dans l'affaire qui nous occupe. Je vais donc commencer par vous laisser déterminer ce qui constitue une interaction responsable et raisonnable avec les médias. Mais je vous avertis tout de suite que toute transgression dans ce domaine entraînera des conséquences rapides, voire préjudiciables à l'un comme à l'autre. Je vous ai avertis. Vous franchissez la ligne rouge, et c'est terminé.

Elle marqua une pause et attendit un retour. Personne ne disant quoi que ce soit, elle remit le marteau dans son logement, juste à côté du stylo. Et sa voix redevint amicale.

— Bien, enchaîna-t-elle. Je pense avoir été comprise.

Elle ajouta qu'elle entendait passer à d'autres sujets ayant trait au procès, le premier étant la date à laquelle il se tiendrait. Elle voulait savoir si les deux parties seraient prêtes pour la date fixée, soit moins de six semaines plus tard. Royce répéta que son client ne se priverait pas de son droit à un procès rapide.

— La défense sera prête le 5 avril, à condition que l'accusation cesse de jouer à ses petits jeux dans l'échange des preuves.

Je hochai vivement la tête. Il n'y avait vraiment pas moyen de gagner avec ce type. Je m'étais décarcassé pour ouvrir la communication côté échange des éléments de preuves, mais il avait décidé d'essayer de me faire passer pour un tricheur devant le juge.

— « Ses petits jeux » ? répétai-je. Madame le juge, j'ai déjà donné tout un dossier de preuves à maître Royce. Mais comme vous le savez, cet échange doit se faire dans les deux sens et l'accusation, elle, n'a rien reçu en retour.

— C'est le dossier du premier procès qu'il m'a envoyé, madame le juge. Complet et comprenant la liste des témoins de 1986. Voilà qui dénature totalement l'esprit et les règles qui gouvernent cet échange.

Breitman me regarda et je compris tout de suite que Royce venait de marquer un point.

— Est-ce vrai, maître Haller ? me demanda-t-elle.

— Pas vraiment, madame le juge. Des noms ont été ajoutés et d'autres retirés de cette liste. J'ai en outre…

— Un nom et un seul ! s'écria Royce. Il y a ajouté un nom et c'est celui de son enquêteur. Énorme, ça ! Comme si je ne savais pas que son enquêteur pouvait témoigner !

— Sauf que c'est le seul nouveau nom en ma possession pour l'instant.

Maggie se jeta dans la bagarre.

— Madame le juge, l'accusation est tenue de passer tous ces éléments de preuves à la défense trente jours avant l'ouverture du procès. D'après mes calculs, nous avions encore quarante jours pour le faire. Maître Royce se plaint donc de l'effort de bonne foi que nous avons déployé pour lui fournir des éléments de preuves avant même que nous y soyons obligés. Il semblerait que maître Royce ne laisse aucune gentillesse impunie.

Le juge leva la main pour interdire tout autre commentaire tandis qu'elle regardait le calendrier accroché au mur, à gauche de son bureau.

— Maître McPherson me paraît soulever un point intéressant, dit-elle. Vous vous plaignez de manière prématurée, maître Royce. Tous les dossiers devront être échangés au plus tard le vendredi 5 mars. Si cela vous pose un problème à ce moment-là, nous remettrons cette affaire sur le tapis.

— Oui, madame le juge, dit Royce, soudain docile.

J'eus envie de tendre le bras, de prendre la main de Maggie et de l'agiter en signe de victoire, mais me dis que ça n'aurait sans doute pas été très convenable. Il n'empêche : ça faisait du bien de marquer au moins un point contre Royce.

Après d'autres discussions sur quelques aspects de routine préprocès, la réunion se termina et nous sortîmes en passant par la salle d'audience du juge. Je m'y arrêtai pour tailler une bavette avec la greffière. Je ne la connaissais pas vraiment, mais je n'avais aucune envie de quitter le prétoire en même temps que Royce. J'avais peur de perdre mon sang-froid, ce qui était exactement ce qu'il cherchait.

Dès qu'il eut franchi les doubles portes du fond, je mis fin à la conversation et me dirigeai vers la sortie, Maggie à mes côtés.

— Tu lui as botté le cul, Maggie McFierce, lui lançai-je. Verbalement.

— Peu importe. Du moment qu'on le lui botte au procès…

— Ne t'inquiète pas pour ça. Ce sera fait. Et maintenant, je veux que tu t'occupes de toute la procédure d'échange. Vas-y et fais tout ce que vous autres, procureurs, faites d'habitude. Colle-lui-en jusqu'aux trous de nez. File-lui tellement de trucs qu'il soit incapable de voir qui et quoi a de l'importance.

Elle sourit, se tourna et poussa la porte avec son dos.

— Enfin tu comprends, dit-elle.

— J'espère.

— Et Sarah ? Il doit bien se douter qu'on l'a retrouvée, et s'il est un tant soit peu malin, il n'attendra pas l'échange des pièces. Son enquêteur est probablement en train de chercher. Et Sarah, on peut la retrouver. Harry nous l'a prouvé.

— On ne peut pas y faire grand-chose. À propos… où est Harry ce matin ?

— Il m'a appelée pour me dire qu'il avait quelques trucs à vérifier. Il viendra plus tard. Et tu n'as pas vraiment répondu à ma question sur Sarah. Qu'est-ce qu'on devrait…

— Dis-lui qu'il n'est pas impossible qu'elle ait un autre visiteur, un type de la défense, mais qu'elle n'est obligée de parler à personne, à moins qu'elle le veuille.

Nous passâmes dans le couloir, puis nous obliquâmes vers la gauche pour gagner les ascenseurs.

— Si elle ne leur parle pas, Royce ira se plaindre au juge. C'est le témoin clé, Mickey.

— Et alors ? Ce n'est pas le juge qui pourra la faire parler si elle n'en a pas envie. En attendant, Royce perdra du temps de préparation. Il veut jouer à ses petits jeux comme il vient de le faire dans le cabinet du juge ? Ben nous aussi, nous jouerons à des petits jeux avec lui. Même que, tiens… Qu'est-ce que tu dirais qu'on colle tous les condamnés avec lesquels Jessup a jamais partagé une cellule sur la liste des témoins ? Ça devrait nous ôter ses enquêteurs des pattes pour un bon moment !

Un grand sourire s'afficha sur le visage de Maggie.

— Tu commences vraiment à piger, dis donc !

Nous nous serrâmes dans l'ascenseur bondé. Nous étions suffisamment près l'un de l'autre pour nous embrasser. Je la regardai dans les yeux.

— Ça doit être parce que je n'ai pas envie de perdre, lui dis-je.

Chapitre 16

Mercredi 24 février – 8 h 45

Après avoir déposé sa fille à l'école, Bosch fit demi-tour, remonta Woodrow Wilson Drive et dépassa sa maison pour gagner ce que les gens du quartier appellent « le croisement du haut ». Woodrow Wilson et Mulholland Drive sont de longues routes de montagne en lacet. Elles se croisent en deux endroits, au pied et au sommet de la montagne, d'où les termes de « croisement du haut » et « croisement du bas ».

Arrivé au sommet, Bosch prit à droite dans Mulholland Drive et suivit cette voie jusqu'au croisement avec Laurel Canyon Boulevard. Puis il se gara sur le bas-côté pour passer un appel avec son portable. Il y entra le numéro du dispatcheur du SRS que Shipley lui avait donné. L'homme, un sergent, s'appelait Willman et devait connaître le dernier état de toutes les surveillances du service. C'était sur quatre ou cinq affaires sans lien entre elles que le SRS pouvait travailler à n'importe quel moment de la journée. Chacune avait droit à un nom de code de façon à ce que tout soit en ordre et qu'aucun nom de suspect ne puisse être prononcé dans les appels radio. Bosch savait que la surveillance de Jessup avait reçu celui d'opération Rétro, l'affaire étant ancienne et donnant lieu à révision de procès.

— Bosch à l'appareil, dit-il. Brigade des Vols et Homicides. Je suis en charge du dossier Rétro. J'aimerais savoir où se trouve le suspect parce que je suis sur le point de pénétrer dans un de ses lieux préférés. Je veux être sûr de ne pas tomber sur lui.

— Une seconde.

Bosch entendit le sergent de garde reposer l'appareil, puis il eut droit à une conversation radio au cours de laquelle Willman demanda où se trouvait Jessup. La réponse fut déformée par les parasites lorsqu'elle lui parvint enfin aux oreilles. Il attendit que le sergent la lui donne de manière officielle.

— Rétro est actuellement *in pocket*, lui rapporta-t-il promptement. On pense qu'il roupille.

« *In pocket* » signifiait qu'il était chez lui.

— Donc, je suis au clair, dit-il. Merci, sergent.

— À votre service.

Bosch raccrocha et reprit Mulholland Drive. Après quelques virages, il atteignit le parc de Fryman Canyon et y entra. Il s'était entretenu avec Shipley un peu plus tôt ce matin-là, au moment où celui-ci passait le relais à l'équipe de jour. Shipley l'avait informé que Jessup était encore une fois venu faire un tour dans les canyons de Franklin et de Fryman. Bosch mourait d'envie de savoir ce que Jessup y fabriquait, cette situation étant encore aggravée par le fait que celui-ci était aussi passé en voiture devant l'ancienne maison de Landy.

En pente et accidenté, le parc de Fryman est fait de chemins escarpés, avec, à son sommet, un parking plat et une aire d'observation juste en retrait de Mulholland.

Bosch s'y était déjà rendu pour des affaires et connaissait les lieux. Il s'arrêta et tourna la voiture vers le nord et la vue sur la vallée de San Fernando. Le temps étant assez clair, il la vit tout entière, jusqu'aux montagnes de San Gabriel. La semaine d'orages qui venait de s'achever avait nettoyé le ciel, le smog ne faisant maintenant plus que monter dans le bas du bassin.

Un instant plus tard, il descendit de voiture et marcha jusqu'au banc où Shipley lui avait dit que Jessup s'était assis une vingtaine de minutes pour contempler les lumières en bas dans la vallée. Il s'y assit à son tour et regarda sa montre. Il avait rendez-vous avec un témoin à 11 heures. Cela lui laissait plus d'une heure.

Rester assis là où s'était tenu Jessup ne lui donnant aucune intuition sur ce que le suspect pouvait bien faire lors de ses fréquentes visites dans ces parcs de montagne, il décida de redescendre Mulholland pour gagner le parc de Franklin Canyon.

Mais celui-ci ne lui offrit rien de plus qu'un grand lieu de calme naturel au milieu d'une ville en ébullition. Il trouva l'aire de pique-nique dont lui parlaient Shipley et les rapports de surveillance, mais rien à faire : une fois encore, il ne comprenait pas l'attirance que cet endroit exerçait sur Jessup. Il se rendit à l'entrée du chemin Blinderman et le prit jusqu'à ce que ses jambes lui fassent mal à cause de la pente. Il fit demi-tour et, toujours incapable de comprendre les faits et gestes de Jessup, regagna le parking et l'aire de pique-nique.

Chemin faisant, il dépassa un grand platane autour duquel le chemin faisait un crochet. Il remarqua un amas de matière gris-blanc au pied de l'arbre, entre deux racines à découvert. Il regarda de plus près et s'aperçut qu'il s'agissait de cire. Quelqu'un avait allumé une bougie.

L'incendie constituant sa plus grande menace, le parc était couvert de panneaux interdisant de fumer ou de craquer des allumettes. Cela n'avait pas empêché quelqu'un d'allumer une bougie au pied de l'arbre.

Bosch eut envie d'appeler Shipley pour lui demander si Jessup en avait allumé une la nuit précédente, mais il se rendit compte que ça n'était pas judicieux. Shipley sortait à peine d'une nuit entière de surveillance et devait être en train de dormir dans son lit. Il allait devoir attendre le soir pour lui téléphoner.

Il regarda tout autour de l'arbre, à la recherche d'un indice montrant que Jessup avait traîné dans le coin. Il lui sembla qu'un animal avait creusé ici et là sous l'arbre. Mais cela mis à part, il ne découvrit aucun signe d'activité.

Il était en train de quitter le chemin pour la clairière où se trouvait l'aire de pique-nique lorsqu'il vit un gardien regarder dans une poubelle dont il avait ôté le couvercle. Il s'approcha.

— Gardien ?

L'homme se retourna, le couvercle de la poubelle loin du corps.

— Oui, monsieur !

— Désolé, je ne voulais pas vous faire peur. Je… je me baladais sur ce chemin et là-bas, il y a un gros arbre… je crois que c'est un platane… et on dirait que quelqu'un a allumé une bougie devant. Je me demandais…

— Où ça ?

— Sur le chemin Blinderman.

— Vous me montrez ?

— Non, je crois que je ne vais pas remonter jusque-là. Je n'ai pas les chaussures qui conviennent. C'est le gros arbre au milieu. Je suis sûr que vous le trouverez.

— On n'a pas le droit de faire du feu dans le parc ! s'écria le gardien en rabattant bruyamment le couvercle sur la poubelle pour souligner son propos.

— Je sais. C'est pour ça que je vous le signale. Mais je voulais vous demander… cet arbre aurait-il quelque chose de particulier pour que des gens aient envie de faire ça ?

— Tous les arbres sont particuliers ici. De fait même, tout le parc l'est.

— Je comprends. Pourriez-vous juste me dire…

— Vos papiers d'identité, s'il vous plaît.

— Je vous demande pardon ?

— Vos papiers ! Je veux les voir. Un type en chemise et cravate qui emprunte les chemins sans « les chaussures qui conviennent », moi, ça me semble un peu suspect.

Bosch hocha fort la tête et sortit son porte-écusson.

— Tenez, les voilà.

Il le lui tendit et lui laissa le temps de l'examiner. Et vit sur sa plaque qu'il s'appelait Brorein.

— Ça vous va ? lança-t-il. Et si on répondait à mes questions maintenant, officier Brorein, hein ?

— Je ne suis pas officier. Je suis fonctionnaire de la ville. Cela a trait à une enquête ?

— Non, cela a trait à une situation où vous vous contentez de répondre à mes questions sur cet arbre, là-bas sur le chemin, lui renvoya Bosch en lui montrant la direction. Vous pigez ?

Brorein fit non de la tête.

— Je suis désolé, mais ici, vous êtes sur mes terres et je me vois dans l'obligation de…

— Non, non, mec, en fait, c'est vous qui êtes chez moi. Mais merci quand même pour votre aide. Je vais le signaler dans mon rapport.

Et Bosch s'éloigna vers l'aire de pique-nique. Brorein le rappela.

— Pour ce que j'en sais, cet arbre n'a rien de particulier. C'est juste un arbre, inspecteur Borsh.

Bosch lui fit un signe de la main sans se retourner. Et ajouta « faible en lecture » à la liste des choses qu'il n'aimait pas chez lui.

Chapitre 17

Mercredi 24 février – 14 h 15

Mes succès en tant qu'avocat de la défense se sont toujours produits quand je surprenais une accusation mal préparée. Tout ce qui est administratif se traîne dans la routine. Poursuivre des individus qui ont violé la loi ne déroge pas à la règle. Prenant cela très à cœur, le nouveau procureur que j'étais se jura de ne jamais succomber au confort et aux dangers de la routine. Je me jurai d'être plus que prêt pour toutes les manœuvres du très astucieux Clive Royce. J'allais les anticiper. J'allais les deviner avant même qu'elles ne lui viennent à l'esprit. Tel le tireur d'élite dans son arbre, j'allais attendre le temps qu'il faudrait pour les descendre de loin, les unes après les autres.

Cette promesse que je m'étais faite m'avait rapproché de Maggie McFierce à l'occasion de nombre de « séances de stratégie » que nous avions eues dans mon nouveau bureau. Cette après-midi-là, la discussion portait sur ce qui serait au cœur même du système de la défense avant le procès. Nous savions que Royce allait demander un non-lieu. C'était couru d'avance. Ce qui nous occupait, c'était de savoir sur quoi il fonderait sa requête. Je voulais être prêt à toute éventualité. On dit qu'à la guerre, le tireur d'élite prend la patrouille ennemie en embuscade en commençant par descendre le commandant, le radio et le toubib. Qu'il y parvienne et le reste de la patrouille se met à paniquer et se disperse. Voilà ce que j'espérais faire rapidement dès que Royce présenterait sa requête. Je voulais agir vite et fort avec des arguments démoralisants et des réponses qui feraient comprendre à l'accusé qu'il avait de sérieux ennuis. Si j'arrivais à faire paniquer Jessup, il n'était pas impossible que je n'aie même pas à aller jusqu'au procès. Voire que j'obtienne un arrangement à l'amiable. Un plaider-coupable. Et un plaider-coupable eût été l'équivalent d'une condamnation. Soit quelque chose d'aussi bon qu'une victoire de mon côté de l'allée.

— À mon avis, il va faire valoir que les charges retenues contre Jessup ne sont plus valides sans une audience préliminaire, me fit remarquer Maggie. Cela lui donnera deux angles d'attaque. Il demandera au juge de prononcer le non-lieu, et au minimum d'ordonner la tenue d'une audience préliminaire.

— Mais c'est le verdict qui a été cassé, lui renvoyai-je. Ça remonte au procès et un procès, on en a un nouveau. L'audience préliminaire n'est pas ce qui a été mis en cause.

— C'est ça que nous défendrons.

— Bien, tu t'en occupes. Quoi d'autre ?

— Je ne vais pas continuer à te donner des angles d'attaque si tu te contentes de me les renvoyer pour que je m'en occupe. C'est le troisième que tu me files et d'après mes calculs, tu n'en as pris qu'un à travailler.

— OK. Je prends le suivant, en aveugle. T'as quoi ?

Elle sourit et je compris que je venais de tomber dans ma propre embuscade. Mais avant qu'elle puisse presser la détente, la porte s'ouvrit et Bosch entra sans frapper.

— Sauvé par le gong, dis-je. Quoi de neuf, Harry ?

— J'ai un témoin qu'à mon avis, vous devriez entendre tous les deux. Je crois qu'il nous sera utile et personne ne l'a cité à comparaître au premier procès.

— Comment s'appelle-t-il ? demanda Maggie.

— Bill Clinton.

Je ne reconnus pas le nom de quelqu'un qui aurait eu à voir avec l'affaire. Mais avec sa connaissance détaillée du dossier, Maggie, elle, sut de qui il parlait.

— C'est un des conducteurs de dépanneuse qui travaillait avec Jessup, dit-elle.

— C'est juste, dit Bosch en la montrant du doigt. Il travaillait effectivement avec Jessup à l'Aardvark Towing. Aujourd'hui, il est propriétaire d'un atelier de mécanique automobile à La Brea, près d'Olympic. La Presidential Motors.

— « Presidential », évidemment, dis-je. Et qu'est-ce qu'il peut faire pour nous en tant que témoin ?

Bosch montra la porte.

— Il est là-bas, avec Lorna. Je le fais entrer et il vous le dit en personne ?

Je regardai Maggie, elle n'éleva aucune objection, je demandai à Bosch de le faire venir. Avant de partir, il baissa la voix et nous informa qu'il l'avait passé à l'ordinateur central et que le bonhomme était clean. Il n'avait pas de casier.

— Rien, précisa-t-il. Même pas une contredanse pas payée.

— Parfait, dit Maggie. Et maintenant, voyons un peu ce qu'il a à raconter.

Bosch gagna la réception et revint accompagné d'un type de petite taille. La cinquantaine bien sonnée, il portait une salopette bleue et une chemise ornée d'une pièce ovale avec « Bill » au-dessus de sa poche de poitrine. Il s'était peigné comme il faut et ne portait pas de lunettes. Je remarquai du cambouis sous ses ongles, mais songeai qu'on pourrait y remédier avant sa comparution devant des jurés.

Bosch tira une chaise rangée le long du mur et la plaça au milieu de la pièce, devant mon bureau.

— Si vous voulez bien vous asseoir, monsieur Clinton, nous allons vous poser quelques questions, dit-il.

Puis il m'adressa un signe de tête et me passa la main.

— Pour commencer, je vous remercie d'avoir accepté de venir nous parler aujourd'hui, déclarai-je.

— Pas de problème, dit-il en hochant la tête. C'est plutôt mou à l'atelier en ce moment.

— Quel genre de travail y faites-vous ? Une spécialité particulière ?

— Oui, la restauration de voitures. Surtout des anglaises. Triumph, MG, Jag, ce genre de véhicules de collection.

— Je vois. Ça va chercher dans les combien, une Triumph TR 250 à l'heure qu'il est ?

Il me regarda, surpris par ce que je semblais savoir sur un des véhicules de sa spécialité.

— Tout dépend de son état. L'année dernière, j'en ai vendu une de toute beauté pour vingt-cinq mille dollars. J'y avais dépensé presque douze mille en restauration. Et pas mal d'heures de boulot.

Je hochai la tête.

— J'en avais une au lycée. Ce que je regrette de l'avoir vendue !

— Ils n'en ont fabriqué qu'une année. En 68. Ce qui en fait un des plus beaux véhicules de collection.

J'acquiesçai. Nous venions de couvrir tout ce que je savais de cette voiture. Je l'aimais surtout à cause de son tableau de bord en bois et de sa capote. Le week-end, je la prenais pour aller draguer du côté de Malibu et traîner sur les plages à surf alors même que je ne savais absolument pas tenir debout sur une planche.

— Bon, et si on sautait de 68 à 86 ?

— Pas de problème, dit-il en haussant les épaules.

— Si ça ne vous gêne pas, maître McPherson va prendre des notes.

Il haussa de nouveau les épaules.

— Bon alors, allons-y. Jusqu'à quel point vous rappelez-vous le jour où Melissa Landy a été assassinée ?

— Eh bien mais... je m'en souviens très bien à cause de ce qui s'est passé, dit-il en écartant les bras. Avec cette petite fille qui se fait tuer et après, moi qui découvre que je travaille avec le type qu'a fait le coup...

— Ç'a dû être assez traumatisant.

— Oui, ça l'a été pendant un bon moment.

— Et après, vous vous êtes sorti tout ça de la tête ?

— Non, pas vraiment... mais j'ai arrêté d'y penser tout le temps. J'ai fondé mon affaire...

J'acquiesçai. Il me semblait plutôt sincère et honnête. C'était un bon début. Je jetai un coup d'œil à Bosch. Je savais qu'il avait réussi à lui soutirer un renseignement qui valait de l'or à ses yeux. J'avais envie qu'il prenne le commandement des opérations.

— Bill, lança-t-il alors, dites-leur donc un peu ce qui se passait à l'Aardvark à l'époque. À quel point les affaires étaient mauvaises…

Clinton hocha la tête.

— Oui, eh bien, à ce moment-là, ce n'était pas la joie. Ce qui était arrivé, c'était qu'il était passé un décret interdisant de se garer dans les rues en retrait de Wilshire sans un autocollant spécial, vous voyez ? Ceux qui l'avaient pas, on pouvait les conduire à la fourrière. Ce qui fait que tous les dimanches matin, on se pointait dans le coin et on prenait des voitures absolument partout à cause des services religieux. C'était au début… Le patron, M. Korish, et nous récupérions tellement de véhicules qu'il a embauché un autre chauffeur et qu'il a même commencé à nous payer des heures supplémentaires. On s'amusait bien parce qu'il y avait deux ou trois autres sociétés qu'avaient le même contrat que nous et on se tirait la bourre à qui mieux mieux. C'était comme de marquer des points dans un match, et on faisait équipe.

Il regarda Bosch pour voir s'il racontait la bonne histoire. Harry fit oui de la tête et lui dit de continuer.

— Jusqu'au jour où ça s'est mis à aller mal. Les gens ont commencé à piger et ont arrêté de se garer dans ces endroits. Quelqu'un nous a même dit que les gens étaient prévenus à l'église. Du genre : « Ne vous garez pas au nord de Wilshire. » On est donc passés de trop de boulot à pas assez. Et M. Korish nous a dit qu'il allait devoir réduire ses frais et que peut-être y aurait quelqu'un d'entre nous qui devrait partir, voire deux.

Et il a ajouté qu'il allait surveiller nos performances et que c'était là-dessus qu'il baserait sa décision.

— Quand vous en a-t-il prévenus par rapport au jour du meurtre ? demanda Bosch.

— Juste avant. Parce qu'on travaillait toujours pour lui tous les trois. Il avait encore viré personne, vous voyez ?

Je repris l'interrogatoire et lui demandai quelles conséquences avait eues le nouvel arrêt municipal sur la concurrence entre les chauffeurs.

— Eh bien, ça l'a rendue très dure, vous voyez ? On était tous copains et brusquement, on ne s'aimait plus parce qu'on ne voulait pas perdre notre boulot.

— Bon. Et comment c'était de travailler avec Jason Jessup ?

— C'est que… Jason, lui, il cherchait la jugulaire.

— La pression ?

— Oui, parce qu'il était le dernier. M. Korish avait installé un panneau pour compter les remorquages et Jessup était bon dernier.

— Et ça ne lui plaisait pas.

— Non, ça ne lui plaisait pas et travailler avec lui… c'était devenu un vrai con. Excusez mon langage.

— Vous rappelez-vous comment il se comportait le jour du meurtre ?

— Un peu, oui. Comme je l'ai dit à l'inspecteur Bosch, il a commencé à revendiquer des rues, genre : « Windsor, c'est à moi. » Même chose pour Las Palmas et Lucerne. Comme ça. Et Derek et moi – Derek, c'était l'autre conducteur –, on lui a dit qu'il y avait pas de règles comme ça. Et lui, il nous a répondu : « Parfait, eh ben essayez donc de prendre une voiture dans ces rues et vous verrez. »

— Il vous a menacés.

— Oui, on pourrait dire ça comme ça. Absolument.

— Vous rappelez-vous précisément si Windsor Street faisait partie des rues qu'il revendiquait ?

— Oui, je m'en souviens. Windsor, c'était pour lui.

Tous ces renseignements étaient fort bons. Ils serviraient à établir l'état d'esprit dans lequel se trouvait l'accusé au moment des faits. Ça ne serait pas facile à faire inscrire au procès-verbal si on n'avait pas d'autres témoignages pour le corroborer, comme celui de Wilbern ou celui de Korish, si tant est qu'ils soient toujours en vie.

— A-t-il jamais mis cette menace à exécution de quelque manière que ce soit ? lui demanda Maggie.

— Non. Mais ça s'est passé le même jour que pour la petite fille. Et donc, il s'est fait arrêter et on en est restés là. Je ne peux pas dire que le voir emmené m'ait beaucoup chagriné. Et après, M. Korish a viré Derek parce qu'il avait menti en disant qu'il n'avait pas de casier judiciaire. Il ne restait plus que moi. J'y ai encore travaillé quatre ans… jusqu'à avoir économisé assez d'argent pour fonder ma boîte.

Un vrai succès à l'américaine. J'attendis de voir si Maggie avait d'autres questions, mais elle n'en avait pas. Moi si.

— Monsieur Clinton, lui dis-je, avez-vous jamais parlé de ça avec la police ou avec des procureurs il y a vingt-quatre ans de ça ?

— Pas vraiment, répondit-il en hochant la tête. Enfin je veux dire… j'ai parlé avec l'inspecteur chargé de l'enquête à l'époque et il m'a posé des questions. Mais je n'ai jamais été cité à comparaître ou quoi que ce soit de ce genre.

Parce que personne n'avait besoin de toi à ce moment-là, pensai-je. *Mais là, moi, pour avoir besoin de toi, je vais avoir besoin de toi !*

— Qu'est-ce qui vous rend si sûr que cette menace de Jessup a bien été proférée le jour du meurtre ?

— Tout ce que je sais, c'est que c'est ce jour-là. Je m'en souviens parce que c'est pas tous les jours qu'un type avec qui on travaille se fait arrêter pour meurtre, répondit-il en hochant la tête comme s'il voulait souligner son propos.

Je regardai Bosch pour voir si nous avions oublié quelque chose. Il comprit le signal et reprit ses questions.

— Bill, dites-leur donc ce que vous m'avez raconté sur ce qui s'est passé quand vous étiez dans la voiture de police avec Jessup. Quand vous alliez à Windsor…

Il acquiesça. On pouvait le faire parler facilement et c'était bon signe.

— Eh bien, ce qui s'est passé, c'est qu'ils pensaient vraiment que c'était Derek qu'avait fait le coup. Les flics, je veux dire… Il avait un casier, il leur avait menti là-dessus et ils l'avaient découvert. Pour eux, ça en faisait le suspect *numero uno*. C'est pour ça qu'ils l'ont mis à l'arrière d'une voiture de patrouille et que Jason et moi, ils nous ont collés dans une autre.

— Vous ont-ils dit où ils vous emmenaient ?

— Comme ils nous avaient dit qu'ils avaient d'autres questions à nous poser, on croyait partir au commissariat. Y avait deux flics dans la voiture avec nous et je les ai entendus parler d'un tapissage où y aurait tout le monde. Jason les a interrogés là-dessus et ils lui ont dit que c'était pas grand-chose, qu'ils voulaient juste des types en salopette parce qu'ils voulaient voir s'il y aurait un témoin pour désigner Derek.

Il s'arrêta de parler et, l'œil interrogateur, regarda Bosch, puis moi, puis Maggie.

— Et alors ? Qu'est-ce qui s'est passé ?

— Eh ben, il a commencé par dire aux deux flics qu'ils pouvaient pas juste nous prendre comme ça pour nous coller dans un tapissage. Et eux, ils lui ont répondu qu'ils faisaient qu'obéir à des ordres. Bref, on va à Windsor et on s'arrête devant une maison. Les flics descendent de voiture et vont parler à l'inspecteur en charge qu'était là avec d'autres. Jason et moi, on regardait par les fenêtres, mais on ne voyait pas de témoins ni rien. Alors l'inspecteur en charge entre dans la maison et n'en ressort pas. On ne sait pas ce qui se passe et là, Jason me demande s'il peut m'emprunter mon couvre-chef.

— Votre « couvre-chef » ? répéta Maggie.

— Oui, ma casquette des Dodgers. Je la portais comme d'habitude et lui me dit qu'il a besoin de me l'emprunter parce qu'il a reconnu un des autres flics qu'était déjà devant la maison quand on s'y est arrêtés. Il me raconte qu'il s'est battu avec ce mec pour une histoire de remorquage et que s'il le voit, il va avoir des ennuis. Et il continue encore et encore et me dit : « Laisse-moi prendre ta casquette. »

— Qu'avez-vous fait ? lui demandai-je.

— Ben, je pensais pas que c'était important vu que je savais pas ce que j'ai su après, si vous voyez ce que je veux dire. Et donc, j'y ai donné ma casquette et il l'a mise. Et quand ils sont revenus pour nous faire sortir de la voiture, les flics ont pas eu l'air de remarquer qu'elle était plus sur la même tête. Ils nous ont fait descendre et il a fallu qu'on rejoigne Derek pour nous mettre à côté de lui. Alors, on était là et après, y a un flic qui reçoit un appel radio… ça, je m'en souviens… et lui, il se tourne et il dit à Jason d'enlever sa casquette. Il le fait et quelques minutes après, brusquement, tous les flics l'entourent, lui collent les menottes et c'était pas Derek, c'était lui.

Je regardai Clinton, puis je passai à Bosch et à Maggie. Et vis tout de suite dans les yeux de mon ex que le coup de la casquette était important.

— Et vous savez ce qu'il y a de rigolo ? reprit Clinton.

— Non, quoi ? lui demandai-je.

— Cette casquette, on me l'a jamais rendue !

Et de sourire, et moi de lui sourire en retour.

— Bon, faudra qu'on vous trouve une casquette neuve quand tout ça sera terminé. Et maintenant, permettez-moi de vous poser la question clé. Tout ce que vous venez de nous raconter, êtes-vous prêt à le répéter au tribunal en témoignant contre Jason ?

Il parut y réfléchir quelques secondes avant d'accepter.

— Oui, je pourrais, dit-il.

Je me levai et fis le tour du bureau pour lui tendre la main.

— On dirait bien que nous nous sommes donc trouvé un témoin, lui dis-je. Mille mercis, monsieur Clinton.

Nous nous serrâmes la main et je fis signe à Bosch.

— Harry, dis-je, j'aurais dû te demander si nous n'avons rien oublié.

Il se leva à son tour.

— Non, je ne crois pas. Pour l'instant en tout cas. Je m'occupe de ramener M. Clinton à son atelier.

— Parfait. Merci encore une fois, monsieur Clinton.

Il se leva.

— Je vous en prie, appelez-moi Bill.

— Nous le ferons, je vous le promets. Nous vous appellerons Bill et nous vous appellerons à la barre.

Tout le monde rigola d'un rire hypocrite et Bosch cornaqua Clinton jusqu'à la sortie. Je retournai à mon bureau et me rassis.

— Tu me racontes pour la casquette ? demandai-je à Maggie.

— Le lien est parfait. Quand nous l'avons interrogée, Sarah s'est rappelée que Kloster avait passé un appel radio de la chambre à coucher aux flics stationnés dans la rue pour leur dire de demander à Jessup de l'enlever. C'est à ce moment-là qu'elle l'a identifié. Harry a donc cherché dans le dossier et a trouvé une liste d'objets possédés par Jessup au moment de son arrestation. La casquette des Dodgers y figurait. Nous essayons toujours de la retrouver, mais vingt-quatre ans après, ce n'est pas facile. Cela dit, il n'est pas impossible qu'elle soit à San Quentin. Toujours est-il que même si on ne l'a pas, on a la liste.

J'acquiesçai. C'était une bonne nouvelle et à plusieurs niveaux. Cela nous donnait des témoins qui se corroboraient de manière indépendante, mettait à mal toute affirmation de la défense tendant à prouver qu'on ne peut pas faire confiance à ses souvenirs après tant d'années et, *last but not least*, montrait dans quel état d'esprit se trouvait l'accusé. Jessup savait qu'il courait le danger d'être identifié. Quelqu'un l'avait vu enlever la fillette.

— Super, dis-je. Que penses-tu des premiers éléments ? Comme quoi il y avait concurrence entre eux et que quelqu'un allait se faire virer ? Peut-être même deux personnes ?

— Ça aussi, c'est bon pour décrire l'état d'esprit du bonhomme. Jessup était sous pression et il est passé à l'acte. Peut-être même que toute cette affaire ne tourne qu'autour de ça.

— On ferait peut-être bien d'ajouter un psy à la liste des témoins, dis-je en hochant la tête.

— C'est toi qui as demandé à Bosch de retrouver Clinton pour lui poser des questions ?

Elle fit non de la tête.

— Non, il a fait ça tout seul. Il est bon dans ce genre de trucs.

— Je sais. Si seulement il me disait un peu plus de choses sur ce qu'il a dans le crâne.

Chapitre 18

Jeudi 25 février – 11 heures

Rachel Walling voulait le retrouver dans un bureau d'une des tours de verre du centre-ville. Bosch se rendit à l'adresse indiquée et prit l'ascenseur jusqu'au trente-quatrième. La porte du cabinet d'avocats Franco, Becerra et Itzuris étant fermée, il dut frapper. Rachel lui ouvrit vite et l'invita à entrer dans une suite de bureaux luxueux mais sans avocats, clercs ou autres. Elle le conduisit jusqu'à la salle du conseil, où il vit sur une grande table ovale la boîte et les dossiers qu'il lui avait confiés la semaine précédente. Ils entrèrent dans la pièce et il gagna les fenêtres qui, du plancher au plafond, donnaient sur le centre de Los Angeles.

Il ne se rappelait pas s'être jamais trouvé aussi haut en ville. La vue s'étendait jusqu'au Dodger Stadium et au-delà. Il jeta un coup d'œil au Civic Center et vit les parois de verre du Police Administration Building juste à côté du bâtiment du *Los Angeles Times*. Puis il glissa jusqu'à Echo Park et se rappela une journée qu'il y avait passée avec Rachel. À l'époque, ils faisaient équipe et de plus d'une façon. Mais cela lui parut bien lointain.

— C'est quoi, cet endroit ? demanda-t-il sans cesser de lui tourner le dos pour regarder dehors. Où sont passés les autres ?

— Il n'y a personne d'autre. Nous nous sommes juste servis de ce lieu pour coincer des gens qui blanchissaient de l'argent sale. Bref, c'est vide. Comme la moitié de l'immeuble. Vu l'état de l'économie… C'était un vrai cabinet d'avocats, mais il a fait faillite. Nous ne faisions que l'emprunter. La direction appréciait beaucoup cette subvention de l'État.

— L'argent blanchi venait de la drogue ? D'un trafic d'armes ?

— Tu sais bien que je ne peux pas te le dire, Harry. Je suis sûre que tu le liras dans les journaux dans quelques mois. Et que tu comprendras tout à ce moment-là.

Bosch acquiesça d'un signe de tête en se rappelant le nom du cabinet affiché sur la porte : *Franco*, *Beccera et Itzuris – FBI*. Astucieux.

— Je me demande si la direction dira aux nouveaux locataires que ce bureau a été utilisé par le FBI pour arrêter de grands vilains. Des amis desdits grands vilains pourraient avoir envie de venir y faire un tour.

Elle ne répondit pas et se contenta de l'inviter à s'asseoir à la table. Il s'exécuta et la regarda longuement tandis qu'elle prenait place en face de lui. Chose inhabituelle, elle avait dénoué ses cheveux. Il l'avait déjà vue ainsi, mais jamais au travail. Ses boucles noires lui encadraient le visage et attiraient l'attention sur ses yeux.

— Le réfrigérateur est vide, sinon je t'aurais offert quelque chose à boire, dit-elle.

— Ça ira.

Elle ouvrit la boîte et se mit à en sortir les dossiers qu'il lui avait donnés.

— Rachel, dit-il, j'apprécie vraiment beaucoup. J'espère que ça ne t'a pas trop dérangée.

— Côté travail, rien à dire. Ça m'a plu. Mais toi, Harry, qui reviens comme ça dans ma vie, ça m'a dérangée.

Il ne s'attendait pas à cette réaction.

— Que veux-tu dire ?

— Que je suis avec quelqu'un et que je t'en avais parlé. La théorie de la balle unique et tout. Il n'a pas été trop content de me voir passer mes soirées libres à faire ce boulot pour toi.

Il ne sut pas trop comment interpréter ce qu'elle lui disait. Il y avait toujours des sens cachés dans ses propos. Il se demanda s'il ne fallait pas y voir autre chose que ce qu'elle venait de lui dire à haute voix.

— Je suis désolé, finit-il par répondre. Tu ne lui as pas dit que ce n'était que du travail ? Que je ne voulais que ton opinion professionnelle ? Que je suis venu te voir parce que je peux te faire confiance et que tu es la meilleure dans ce genre de trucs ?

— Que je sois la meilleure dans ce genre de travail, il le sait, mais aucune importance. Contentons-nous d'y aller, dit-elle, et elle ouvrit un dossier.

— Mon ex est morte, lança-t-il. Elle s'est fait tuer l'année dernière à Hong Kong.

Il se demanda pourquoi il lui avait annoncé ça aussi brutalement. Elle le regarda vivement et il comprit qu'elle l'ignorait.

— Ah mon Dieu, je suis navrée ! s'écria-t-elle.

Il hocha la tête, rien de plus, et décida de ne pas rentrer dans les détails.

— Et ta fille ?

— Elle vit avec moi. Elle s'en tire bien, mais ç'a été assez dur pour elle. Ça ne remonte qu'à quatre mois.

Elle hocha la tête à son tour et donna l'impression de perdre pied en s'imprégnant de ce qui venait de se dire.

— Et toi ? Ça n'a pas dû être facile pour toi non plus !

Il lui fit signe que non, mais ne trouva pas les mots. Il avait certes sa fille toute à lui maintenant, mais à quel prix ! Il s'aperçut que s'il avait amené le sujet dans la conversation, il était incapable d'en parler.

— Écoute, dit-il, c'est bizarre. Je ne sais pas pourquoi je t'ai imposé ça. Tu as mentionné la balle unique et je me suis rappelé t'avoir parlé d'elle. On pourra en reparler une autre fois. Enfin… si tu veux. Allez, on s'occupe de notre affaire pour l'instant. Ça te va ?

— Oui, bien sûr. Je pensais seulement à ta fille. Perdre sa mère et devoir emménager aussi loin de l'endroit qu'elle connaissait ! Je sais que vivre avec toi sera bon pour elle, mais c'est… un sacré ajustement !

— C'est vrai. Mais si on dit que les enfants sont résilients, c'est parce que c'est vraiment le cas. Elle s'est déjà fait beaucoup d'amis et s'en sort plutôt bien à l'école. L'ajustement a été énorme pour elle comme pour moi, mais je crois qu'elle s'en tire comme il faut.

— Et toi ?

Il la regarda un instant dans les yeux avant de répondre.

— Je suis déjà gagnant. J'ai ma fille avec moi et elle est ce qu'il y a de plus précieux dans ma vie.

— C'est bien, Harry.

— Ça l'est, oui.

Elle arrêta de le regarder dans les yeux et acheva de sortir les dossiers et les photos de la boîte. Bosch vit tout de suite le changement. Elle était redevenue « business business », profileuse du FBI prête à lui faire part de ses découvertes. Il plongea la main dans sa poche et y prit son carnet de notes. Celui-ci se trouvait dans un étui en cuir orné de son badge d'inspecteur en relief. Il l'ouvrit et se prépara à écrire.

— Je vais commencer par les photos, dit-elle.

— Parfait.

Elle en étala quatre montrant le corps de Melissa Landy dans la benne à ordures et les tourna de façon à ce qu'il les ait devant lui. Puis elle y ajouta, juste au-dessus, deux clichés pris lors de l'autopsie. Bosch avait toujours du mal à examiner des photos d'enfants morts. Il regarda longtemps droit devant lui avant de se rendre enfin compte que s'il avait l'estomac serré, c'était à cause de l'agencement du cadavre dans la benne. Que l'assassin se soit débarrassé de la fillette de cette façon semblait tout dire de ce qu'il pensait d'elle et constituait une insulte supplémentaire pour tous ceux qui l'avaient aimée.

— La benne à ordures, lança-t-il. Tu penses qu'il l'a choisie pour dire quelque chose ?

Walling marqua une pause comme si elle réfléchissait à la question pour la première fois.

— De fait, je prends ça sous un autre angle. Pour moi, il s'agit d'un choix presque spontané. Cela ne faisait pas partie d'un plan. Il avait besoin d'un endroit où jeter le corps pour que personne ne le voie, lui, et que le cadavre ne soit pas découvert tout de suite. Il connaissait l'existence de cette benne à ordures derrière le théâtre et s'en est servi. C'était plus par commodité que par désir de déclarer quoi que ce soit.

Il hocha la tête, se pencha en avant et coucha quelques mots dans son carnet afin de ne pas oublier d'aller revoir Clinton pour lui parler de la benne. L'El Rey Theater se trouvait dans le corridor de Wilshire où travaillaient les chauffeurs de l'Aardvark. Il se pouvait qu'il ne leur ait pas été inconnu.

— Désolé, dit-il en écrivant, je n'avais pas l'intention de partir dans la mauvaise direction.

— Pas de problème. Si je veux commencer avec les photos de la fillette, c'est parce qu'à mes yeux, il n'est pas impossible que ce crime ait été compris de travers dès le début.

— Comment ça : « compris de travers » ?

— Il semblerait que les premiers enquêteurs aient jugé ce crime sur les apparences et y aient vu le résultat d'un désir de tuer du suspect. En d'autres termes, Jessup se serait emparé de la fille avec l'idée de l'étrangler et de la jeter dans la benne à ordures. C'est ce qui ressort du profil de crime qui a été soumis au FBI et au ministère de la Justice de Californie aux fins de comparaison avec d'autres crimes répertoriés.

Elle ouvrit un dossier et en sortit l'énorme profil et les innombrables formulaires de demande préparés par l'inspecteur Kloster vingt-quatre ans plus tôt.

— Kloster cherchait des crimes du même genre afin de pouvoir les relier à celui de Jessup. Il n'a obtenu aucune concordance et on en est restés là.

Bosch avait passé plusieurs jours à étudier le premier dossier de l'affaire et savait déjà tout ce que Walling était en train de lui raconter. Mais il la laissa continuer sans l'interrompre parce qu'il avait l'impression qu'elle allait le conduire à quelque chose de nouveau. C'était toute la beauté de son art. Peu importait que le FBI ne le lui reconnaisse pas et ne se serve pas d'elle au mieux de ses compétences. Lui le ferait toujours.

— Pour moi, ce qui s'est passé, c'est que cette affaire a été mal comprise dès le début. Et bien sûr, à cette époque-là, les banques de données n'étaient pas aussi sophistiquées ou riches qu'aujourd'hui. Cette façon de voir les choses était fausse et il n'y a rien d'étonnant à ce que la police soit allée droit dans le mur.

Il acquiesça encore une fois et ajouta quelques mots dans son carnet.

— Tu as donc essayé de reprendre le profil ? demanda-t-il.

— Autant que faire se peut. Et le point de départ se trouve ici même. Dans les photos. Regarde bien ses blessures.

Bosch se pencha en travers de la table, juste au-dessus de la première rangée de photos. Et ne vit aucune blessure. C'était au hasard qu'on avait jeté la fillette dans la benne presque pleine. On devait bâtir des décors ou procéder à des travaux de rénovation du théâtre car sciure, pots de peinture et petits morceaux de bois coupés et cassés, la benne contenait essentiellement des débris de chantier de construction. On y voyait aussi des chutes de panneaux et des feuilles de plastique déchirées. Melissa Landy reposait, visage tourné vers le ciel, près d'un des coins de la benne. Bosch ne remarqua pas la moindre tache de sang sur elle ou sur sa robe.

— De quelles blessures parlons-nous ? demanda-t-il.

Walling se leva pour pouvoir se pencher à son tour. Elle se servit de la pointe d'un stylo-bille pour lui montrer les endroits des photos qu'elle voulait qu'il regarde. Puis elle entoura des décolorations sur le cou de la victime.

— De ses blessures au cou, répondit-elle. Regarde-les bien et tu verras la contusion ovale qu'elle a sur le côté droit et la contusion correspondante, mais plus large, qu'elle a sur le côté gauche. C'est la preuve même qu'il l'a étranglée d'une main.

Et d'illustrer ce qu'elle venait de dire avec son stylo.

— La trace du pouce ici, sur le côté droit, et les traces des quatre doigts à gauche… Donc, d'une seule main, toute la question étant de savoir pourquoi.

Elle se rassit, Bosch s'éloignant des photos à son tour. L'idée que Melissa ait été étranglée d'une main ne lui était pas étrangère. Elle se trouvait déjà dans le premier profil de Kostler.

— Il y a vingt-quatre ans, il a été suggéré que Jessup l'avait étranglée de la main droite tandis qu'il se masturbait de la gauche. Cette théorie reposait sur un élément… le sperme retrouvé sur la robe de la victime. Comme ce sperme avait été déposé par quelqu'un ayant le même groupe sanguin que lui, il a été estimé qu'il provenait de Jessup. Tu me suis ?

— Sans problème.

— D'accord. La question est donc la suivante : comme nous savons aujourd'hui que ce sperme ne venait pas de lui, le profil de base du crime ou sa théorisation à l'époque est fausse. Il a en plus été démontré que tout cela était erroné parce que Jessup est droitier – cela a été prouvé par un échantillon de son écriture versé au dossier ; sans compter que nombre d'études ont montré que chez les droitiers, la masturbation se pratique presque toujours avec la main dominante.

— Il y a des études là-dessus ?

— C'est vrai que ça surprend. J'ai été surprise moi aussi quand je suis passée sur le Net pour me renseigner là-dessus.

— J'ai toujours su que le Net n'était pas catholique.

Elle sourit, mais ne fut pas pour autant le moins du monde embarrassée par le sujet de la discussion. Tout cela faisait partie du boulot.

— Il y a des études sur tout, jusques et y compris sur la main dont on se sert pour se torcher. Le fait est que j'ai trouvé ça plutôt fascinant. Mais le point essentiel, c'est que les enquêteurs ont tout faux depuis le début. Cet assassinat ne s'est pas produit pendant un acte sexuel. Laisse-moi te montrer autre chose.

Elle tendit le bras en travers de la table, rassembla tous les clichés et en fit un petit tas qu'elle mit de côté. Puis elle étala des photos de l'intérieur de la dépanneuse que conduisait Jessup le jour du meurtre. Elle avait un nom et ce nom était écrit au pochoir sur le tableau de bord.

— Donc, ce jour-là, Jessup conduisait *Matilda*, dit-elle.

Bosch examina les trois clichés qu'elle avait disposés devant lui. La cabine du camion était bien rangée. Des guides Thomas de Los Angeles – il n'y avait pas de GPS en ce temps-là – étaient soigneusement entassés sur le tableau de bord, une petite peluche (sans doute d'un oryctérope, se dit-il) pendant au rétroviseur. Un porte-gobelet placé au milieu de la console contenait un gobelet Big Gulp acheté dans un 7-Eleven, un autocollant apposé sur le couvercle de la boîte à gants proclamant : *Cul ou herbe, ici, personne ne monte sans payer.*

Toujours avec son stylo, Walling entoura alors un point de la photo. Un scanner radio monté sur la boîte à gants.

— A-t-on jamais cherché à savoir ce que ça voulait dire ?

Bosch haussa les épaules.

— À l'époque, je ne sais pas, répondit-il. Qu'est-ce que ça signifie aujourd'hui ?

— Bon alors… Jessup travaillait pour l'Aardvark, à savoir une société de dépannage sous contrat avec la mairie. Sauf que ce n'était pas la seule. Il y avait concurrence entre plusieurs sociétés. Les conducteurs écoutaient les scanners radio et entendaient les appels de la police pour les accidents et les infractions aux interdictions de stationnement. Ça leur donnait l'avantage sur la concurrence, OK ? À ceci près que toutes les dépanneuses avaient des scanners radio et que tout le monde écoutait et essayait d'aller plus vite que le voisin.

— D'accord. Et donc, ça veut dire quoi ?

— Commençons par l'enlèvement. Il est assez clair d'après le témoignage et tout le reste qu'il ne s'agit pas là d'un crime où patience et planning ont joué un grand rôle. On a affaire à un meurtre d'impulsion. Ça, les flics l'ont vu dès le début. Nous pourrons parler du mobile tout à l'heure, mais contentons-nous d'affirmer que quelque chose a poussé Jessup à passer à l'acte d'une manière pratiquement incontrôlable.

— Je pense avoir les mobiles, dit-il.

— Parfait. J'ai très envie de t'entendre en parler. Mais pour l'instant, nous supposerons que Jessup s'est emparé de la fillette suite à une sorte de pression qui l'a conduit à obéir à une impulsion indéniable. Il l'a emmenée au camion et a filé. Il ne savait évidemment pas qu'il y avait une sœur cachée dans les buissons et qu'elle allait donner l'alarme. Il mène donc à bien l'enlèvement et s'éloigne, mais à peine quelques minutes plus tard, grâce à son scanner radio, il entend l'appel que la police vient de lancer sur l'enlèvement. Ça le ramène à la réalité de ce qu'il vient de faire et de la situation dans laquelle il se trouve. Il n'aurait jamais imaginé que les choses puissent aller aussi vite et retrouve plus ou moins toute sa tête. Il se rend compte qu'il doit tout de suite renoncer à son plan et passer en mode conservatoire. Il lui faut non seulement tuer la fillette pour ne plus l'avoir comme témoin à charge, mais aussi dissimuler son corps pour ne pas se faire arrêter.

Bosch acquiesça en comprenant sa théorie.

— Ce qui fait qu'à ton avis, ce crime n'est pas ce qu'il voulait.

— C'est ça. Son vrai plan, il a été obligé d'y renoncer.

— Et donc, en allant voir le FBI pour trouver des crimes de même nature, Kloster cherchait du mauvais côté.

— En effet.

— Se pouvait-il même qu'il ait eu un plan ? Tu viens de dire qu'il s'agissait d'un crime d'impulsion. Il voit l'occasion et en profite dans les secondes qui suivent. Je ne vois pas quel plan il pourrait y avoir là-dedans.

— En fait, il est plus que probable qu'il en ait eu un très complexe et complet en même temps. Les tueurs de ce genre ont une paraphilie particulière, c'est-à-dire un présupposé mental de l'expérience psychosexuelle optimale. Et ils peuvent fantasmer là-dessus jusque dans les moindres détails. Comme on peut s'y attendre, cela implique souvent la torture et le meurtre. La paraphilie fait partie de leur univers fantasmatique quotidien et se développe tellement que le désir devient besoin, besoin qui finit par devenir compulsion et passage à l'acte. Quand ils franchissent la ligne rouge et passent effectivement à l'acte, l'enlèvement de la victime peut être parfaitement imprévu et improvisé, la séquence du meurtre, elle, ne l'étant nullement. La victime se retrouve alors projetée dans une construction mentale que le tueur a jouée et rejouée de multiples fois dans sa tête.

Bosch regarda son carnet et s'aperçut qu'il avait cessé de prendre des notes.

— Bon d'accord, mais ce que tu me dis, c'est que ça n'est pas le cas dans notre affaire.

— Il a renoncé à son plan. Il a entendu les flics signaler l'enlèvement à la radio et cela a suffi à le ramener de ses fantasmes à la réalité. Il s'est rendu compte qu'ils pouvaient très bien être en train de l'encercler. Il a donc tué la fillette et l'a bazardée dans l'espoir de ne pas être repéré.

— Voilà. Ce qui fait que comme tu viens de le faire remarquer, quand ils ont essayé de comparer des éléments de ce meurtre avec d'autres, les enquêteurs comparaient des serviettes et des torchons. Ils n'ont pas trouvé de concordances et ont cru qu'il ne s'agissait que d'un crime isolé dû à la conjonction des facteurs occasion et compulsion. Ce à quoi moi, je ne crois pas.

Il leva le nez de dessus les photos et la regarda dans les yeux.

— Il aurait tué avant ?

— L'idée qu'il soit déjà passé à l'acte de cette façon avant est une quasi-certitude. Je ne serais pas surprise que tu découvres d'autres enlèvements dans son passé.

— Ce passé remontant quand même à plus de vingt-quatre ans.

— Je sais, oui. Et vu qu'à ce moment-là, il n'y a pas eu moyen de le relier à des crimes non résolus mais répertoriés, c'est vraisemblablement d'enlèvements d'enfants disparus ou de fugueuses que nous parlons. D'affaires où aucune scène de crime n'a jamais pu être établie. Où des filles n'ont jamais été retrouvées.

Bosch songea aux visites que Jessup rendait aux parcs de Mulholland Drive en pleine nuit. Et se dit soudain qu'il savait peut-être pourquoi le bonhomme avait envie d'allumer une bougie au pied d'un arbre.

Jusqu'au moment où une idée encore plus étonnante et effrayante lui traversa l'esprit.

— Un type de ce genre pourrait-il se servir de ces crimes très anciens pour alimenter ses fantasmes d'aujourd'hui ? demanda-t-il.

— Bien sûr que oui. Il était en prison, quel autre choix avait-il ?

Bosch sentit l'urgence s'emparer de lui. Elle venait de la certitude grandissante qu'il éprouvait soudain que ce n'était pas d'un meurtre isolé qu'il s'agissait. Si la théorie de Walling était juste – et il n'avait aucune raison de la mettre en doute –, Jessup était un récidiviste. Et certes, il était resté vingt-quatre ans au placard, mais maintenant, il arpentait librement la ville. Il ne s'écoulerait que peu de temps avant qu'à nouveau il soit vulnérable aux contraintes et aux besoins qui l'avaient conduit à passer à l'acte.

Il prit vite sa résolution. Dès qu'en proie aux pressions de sa vie, Jessup serait dépassé par la pulsion de tuer, il serait là pour le détruire.

Son regard se réajustant, il s'aperçut que Rachel l'observait d'un drôle d'œil.

— Merci pour tout, Rachel, dit-il. Il va falloir que j'y aille.

Chapitre 19

Jeudi 4 mars – 9 heures

Il ne s'agissait encore que de requêtes posées avant le procès, mais le prétoire était noir de monde. Bon nombre de représentants des médias et autres mouches du coche des tribunaux – sans parler d'une belle collection d'avocats plaidants – s'étaient déjà installés dans la salle. Je m'étais assis à la table de l'accusation avec Maggie et encore une fois, nous révisions nos arguments. Toutes les questions posées au juge Breitman avaient déjà été discutées et soumises par écrit. C'était le moment où elle pouvait poser d'autres questions et annoncer ses décisions. Mon anxiété ne faisait que croître. Les requêtes de Clive Royce n'avaient rien que de très routinier et Maggie et moi y avions apporté de solides réponses. Nous étions prêts à les étayer oralement avec d'autres arguments, mais ce genre d'audience réservait souvent des surprises. J'avais moi-même, et à plus d'une reprise, réussi à coincer l'accusation au cours d'une de ces séances. Il arrive même que l'affaire soit gagnée ou perdue avant que le procès ne s'engage suitc à un arrêt pris par le juge à ce moment-là.

Je jetai un coup d'œil rapide à la salle derrière nous. J'adressai un sourire et un hochement de tête bien hypocrites à un avocat que j'avais vu dans le public, puis je me retournai vers Maggie.

— Où est Bosch ? lui demandai-je.

— Je ne pense pas qu'il vienne.

— Pourquoi ? Il a complètement disparu la semaine dernière !

— Il travaille à quelque chose. Il a appelé hier pour demander s'il devait passer et je lui ai répondu que ce n'était pas nécessaire.

— Vaudrait mieux qu'il travaille à quelque chose qui ait trait à l'affaire !

— Il m'a dit que c'était le cas et qu'il allait nous apporter le résultat dans pas longtemps.

— Comme c'est gentil à lui ! Le procès ne démarre que dans quatre semaines !

Je me demandai pourquoi il avait décidé d'en parler à elle plutôt qu'à moi, le procureur en chef. Je compris que cela me mettait tout aussi en colère contre lui que contre Maggie.

— Écoute, je ne sais pas ce qui s'est passé entre vous pendant ce petit voyage à Port Townsend, mais c'est moi qu'il devrait appeler.

Elle hocha la tête comme si elle avait affaire à un gamin irascible.

— Inutile de t'inquiéter, me dit-elle. Il sait très bien que c'est toi le patron. Il doit se dire que tu es trop occupé pour écouter ses comptes rendus quotidiens sur ce qu'il fait. Et je vais oublier tout de suite ce que tu viens de me dire sur Port Townsend. Tout de suite et cette fois seulement. Fais encore une insinuation de ce genre et toi et moi allons avoir un sérieux problème.

— D'accord, d'accord, je m'excuse. C'est juste que…

C'est alors que mon attention fut attirée par Jessup qui avait pris place à côté de Royce à la table de la défense, de l'autre côté de l'allée centrale. Il me dévisageait avec un petit sourire méprisant et je me rendis soudain compte que c'était bien Maggie et moi qu'il regardait ainsi, que peut-être même, il nous écoutait.

— Excuse-moi une seconde, dis-je à Maggie.

Je me levai, gagnai la table de la défense et me penchai vers lui.

— En quoi puis-je vous être utile, Jessup ? lui demandai-je.

Avant même qu'il ait pu en placer une, son avocat s'interposait.

— Mick, dit-il, ne parlez pas à mon client. Adressez-vous à moi si vous voulez lui demander quelque chose.

Enhardi par le soutien de son défenseur, Jessup sourit à nouveau.

— Allez donc vous rasseoir ! me lança-t-il. Je n'ai rien à vous dire.

Royce leva la main pour le faire taire.

— Laissez-moi m'occuper de ça. Et tenez-vous tranquille, dit-il.

— Il m'a menacé ! Vous devriez vous plaindre au juge.

— Je vous ai dit de vous tenir tranquille et que je m'en occupais.

Jessup croisa les bras et se cala dans son siège.

— Mick, me dit Royce, il y a un problème ?

— Non, non, aucun. C'est juste que je n'aime pas qu'il me dévisage.

Et je regagnai la table de l'accusation, très agacé d'avoir perdu mon calme. Je me rassis et regardai la caméra installée dans le box des jurés. Le juge Breitman avait accepté que le procès et les audiences préliminaires soient filmés, mais par une seule et unique caméra alimentant en images tous les réseaux et chaînes de télévision agréés par elle.

Quelques instants plus tard, elle s'installa dans son fauteuil et ouvrit la séance. Une par une, les requêtes de la défense furent présentées, les décisions du juge nous donnant raison pour l'essentiel, et sans qu'il y ait besoin de beaucoup argumenter. La plus importante était celle, de pure routine, par laquelle la défense demandait le non-lieu pour manque de preuves, mais Breitman la rejeta sans plus de commentaires. Lorsque Royce demanda à être entendu, elle lui répliqua qu'il n'était pas nécessaire d'en débattre plus longtemps. Le refus était solide et j'adorai, même si, en surface, je me conduisis comme si tout cela était d'un routinier plus qu'assommant.

La seule requête dont Breitman voulut discuter en détail fut celle, fort étrange, que Royce lui présenta pour autoriser son client à avoir recours à du maquillage pour masquer pendant toute la durée du procès les tatouages qu'il avait aux doigts et au cou. Royce avait déjà argué qu'il s'agissait de tatouages qui lui avaient été appliqués pendant les vingt-quatre années qu'il avait passées à tort en prison. À l'entendre, ces tatouages pouvaient être préjudiciables à son client si les jurés les remarquaient. Jessup avait donc l'intention de les couvrir de fond de teint et voulait interdire à l'accusation d'y faire allusion devant les jurés.

— Je dois reconnaître que jamais encore aucune requête de ce genre ne m'a été adressée, déclara Breitman. Je suis encline à l'accepter et à interdire à l'accusation d'attirer l'attention sur ces tatouages, mais je vois que l'accusation nous objecte que cette requête ne donne pas assez de renseignements sur lesdits tatouages et leur histoire. Pourriez-vous faire la lumière sur ce point, maître Royce ?

Royce se leva et s'adressa à la cour de sa place à la table de la défense. Je tournai la tête dans sa direction, mon regard étant aussitôt attiré par les mains de Jessup. Je savais que les tatouages qu'il avait en travers des phalanges étaient ce qui inquiétait le plus son défenseur. L'essentiel de ceux qu'il avait autour du cou pouvait disparaître sous le col de la chemise qu'il porterait au procès. Mais ceux qu'il avait aux mains seraient difficiles à cacher. En travers de quatre doigts de ses deux mains, il s'était en effet fait graver les deux mots FUCK THIS[1] et Royce savait bien que je ferais tout pour m'assurer que les jurés n'en ratent rien. C'était probablement le plus grand obstacle qu'il voyait à ce que Jessup vienne se défendre à la barre car il savait que, comme si de rien n'était ou de manière appuyée, je trouverais le moyen de faire comprendre aux jurés la teneur de son message.

— Madame le juge, lança-t-il, il est de l'opinion de la défense que ces tatouages ont été administrés au corps de M. Jessup alors qu'il était emprisonné à tort et qu'ils sont le résultat de cette expérience des plus pénibles. La prison est un endroit dangereux, madame le juge, et les détenus y prennent des mesures pour se protéger. Parfois, cela passe par des tatouages destinés à intimider ou à témoigner d'une appartenance à un groupe auquel le prisonnier ne croit ou n'appartient

1. « Au cul ce truc ! »

pas. C'est parce qu'il serait certainement préjudiciable à mon client que le jury le découvre que nous vous demandons votre aide. Je me permets d'ailleurs d'ajouter qu'il s'agit là d'une tactique de l'accusation ayant pour but de repousser le procès, et la défense s'en tient fermement à la décision qu'elle a prise de ne différer en rien le recours à la justice en cette affaire.

Maggie ne tarda pas à se lever. C'était elle qui s'était occupée de cette requête écrite, c'était donc à elle de la traiter en audience.

— Madame le juge, puis-je être entendue sur cette accusation de la défense ? demanda-t-elle.

— Un instant, maître McPherson, j'aimerais être entendue moi aussi. Maître Royce, pourriez-vous m'expliquer votre dernière déclaration ?

Royce s'inclina poliment.

— Bien sûr, madame le juge. L'accusé s'est lancé dans un processus de suppression de ses tatouages. Mais cela prend du temps et ne sera pas terminé à l'ouverture du procès. En s'opposant à la simple requête de pouvoir utiliser du maquillage, l'accusation essaie de repousser le procès jusqu'à l'achèvement de ce processus. Il s'agit donc d'une tentative destinée à subvertir la loi qui donne à l'accusé le droit d'être jugé rapidement, droit auquel, à la consternation de l'accusation, la défense se refuse de renoncer depuis le premier jour.

Breitman se tourna vers Maggie McFierce. C'était à son tour d'argumenter.

— Madame le juge, il s'agit là d'un pur mensonge de la défense. Le ministère public n'a pas une seule fois demandé à repousser le procès et ne s'est en aucune façon opposé à la requête d'une défense qui veut aller rapidement au procès. De fait, l'accusation est prête. La véritable objection que nous élevons contre cette demande porte sur l'idée que l'accusé puisse être autorisé à se déguiser. Tout procès est recherche de vérité et permettre à l'accusé de masquer ce qu'il est vraiment serait un affront à cette quête de vérité. Merci, madame le juge.

— Puis-je répondre, madame le juge ? s'écria aussitôt Royce qui ne s'était pas rassis.

Breitman marqua une pause pour recopier quelques passages du mémo de Maggie.

— Cela ne sera pas nécessaire, maître Royce, dit-elle enfin. Je vais vous donner mon arrêt et ce sera que j'autorise M. Jessup à couvrir ses tatouages. S'il choisit de témoigner pour sa défense, l'accusation ne pourra pas soulever cette question avec lui devant les jurés.

— Je vous remercie, madame le juge, dit Maggie.

Et elle se rassit sans montrer le moindre signe de déception. Ce n'était qu'un arrêt parmi beaucoup d'autres et la plupart nous étaient favorables. Au pire, il ne s'agissait que d'une défaite mineure.

— Bien, dit Breitman. Je pense que nous avons tout vu. Autre point qu'on voudrait soulever ?

— Oui, madame le juge, lança Royce en se relevant. La défense a une autre requête à vous soumettre.

Il s'écarta de la table de la défense et apporta des exemplaires de sa nouvelle requête d'abord au juge, puis à nous, la pièce qu'il nous confia à Maggie et à moi tenant sur une page. Talent qu'elle avait transmis à notre fille qui pouvait dévorer jusqu'à deux livres par semaine en plus de faire ses devoirs du soir, Maggie lisait vite.

— Des conneries, tout ça ! murmura-t-elle avant même que j'aie fini l'intitulé du document.

Mais j'eus vite fait de la rattraper. Royce entendait grossir les rangs de la défense et voulait disqualifier

Maggie en arguant d'un conflit d'intérêts. Le nouvel avocat avait pour nom David Bell.

Maggie se tourna aussitôt pour regarder le public. Je suivis son regard et aperçus David Bell, assis au bout de la deuxième rangée de spectateurs. Je le reconnus dans l'instant pour l'avoir vu avec elle quelques mois après notre rupture. Un jour, j'étais passé chez elle pour prendre ma fille et c'était Bell qui m'avait ouvert.

Maggie se retourna et commençait à se lever pour s'adresser à la cour lorsque je posai ma main sur son épaule et la forçai à se rasseoir.

— Je prends, lui dis-je.

— Non, attends, murmura-t-elle d'un ton pressant. Demande une suspension de dix minutes. Il faut qu'on en parle.

— C'est exactement ce que je voulais faire.

Je me levai et m'adressai au juge.

— Madame le juge, comme vous, nous venons de recevoir cette requête. Nous pouvons la prendre et vous soumettre nos réflexions par écrit, mais nous préférerions en débattre tout de suite. Si la cour pouvait être assez aimable pour nous accorder une brève suspension de séance, je crois que nous pourrions être prêts à vous donner notre réponse immédiatement.

— Un quart d'heure, maître Haller ? J'ai un autre problème à régler en attendant et je reviendrai vers vous ensuite.

— Merci, madame le juge.

Cela voulait dire que nous allions devoir quitter la table pendant qu'un autre procureur lui présentait son affaire. Nous poussâmes nos dossiers et l'ordinateur portable de Maggie au bout de la table pour faire de la place, puis nous nous levâmes et gagnâmes la porte du fond. Alors que nous passions devant lui, Bell leva la main pour attirer l'attention de Maggie, mais elle l'ignora et poursuivit sa route.

— Tu veux monter à l'étage ? me demanda-t-elle alors que nous franchissions la double porte.

Elle me suggérait de gagner le Bureau du district attorney.

— Nous n'avons pas le temps d'attendre l'ascenseur.

— On pourrait prendre l'escalier. Il n'y a que trois étages.

Nous passâmes dans la cage d'escalier, mais je l'attrapai aussitôt par le bras.

— Ça ira très bien ici, lui lançai-je. Dis-moi juste ce qu'on fait avec Bell.

— Quel fumier ! Il n'a jamais défendu au pénal de sa vie ! Alors une affaire de meurtre…

— Bien sûr. Tu ne ferais quand même pas deux fois la même erreur.

Elle me lança un regard qui en disait long.

— Qu'est-ce que tu sous-entends par là ?

— Rien. La blague n'était pas bonne. Restons concentrés.

Elle serrait fort ses bras contre sa poitrine.

— C'est le coup le plus sournois que j'aie jamais vu. Comme il ne veut pas de moi au procès, Royce s'adresse à Bell. Et Bell… je n'arrive pas à croire qu'il puisse me faire un truc pareil !

— Ouais bon, il s'imagine probablement pouvoir décrocher le gros lot, au bout du compte. On aurait dû voir venir le coup.

Il s'agissait d'une tactique de la défense à laquelle j'avais eu moi-même recours, mais pas de manière aussi flagrante. Quand on ne veut pas du juge ou du procureur, une des façons de les écarter de l'affaire est de prendre dans son équipe quelqu'un qui a un conflit d'intérêts avec eux. L'accusé ayant le droit garanti par la Constitution de choisir son défenseur, c'est alors le juge ou le procureur qui doit être disqualifié. La manœuvre était astucieuse.

— Tu vois bien ce qu'il est en train de fabriquer, non ? reprit-elle. Il essaie de t'isoler. Il sait que je suis la seule personne en qui tu as confiance pour te seconder et il essaie de te l'enlever. Il sait que sans moi, tu perdras.

— Merci pour le vote de confiance !

— Tu sais très bien ce que je veux dire. Tu n'as jamais poursuivi au pénal. Et je suis ici pour t'aider. S'il arrive à m'éjecter, qui auras-tu ? À qui feras-tu confiance ?

J'acquiesçai d'un signe de tête. Elle avait raison.

— Bien, donne-moi les faits. Combien de temps es-tu restée avec Bell ?

— Avec lui ? Jamais. Nous sommes sortis brièvement ensemble il y a sept ans. Ça n'a pas duré plus de deux mois et il ment s'il dit le contraire.

— Le confit d'intérêts porte-t-il sur cette relation ou y a-t-il autre chose ? Quelque chose que tu aurais fait ou dit ? Quelque chose qu'il sait et qui serait source de conflit ?

— Non, il n'y a rien. Nous sommes sortis ensemble et ça n'a rien donné.

— Qui a largué qui ?

Elle marqua une pause et regarda par terre.

— Lui, répondit-elle.

Je hochai la tête.

— Le voilà, le conflit d'intérêts. Il peut prétendre que tu lui en veux.

— L'amante éconduite, c'est ça ? Tu parles ! Vous autres, les hommes…

— Du calme, Maggie. Du calme. Tout ce que je dis, c'est que c'est leur argument à eux. Je ne dis pas que je suis d'accord. En fait, je veux…

La porte de la cage d'escalier s'ouvrit sur le procureur qui nous avait remplacés à la table lorsque nous nous étions levés pour la suspension de séance. Il commença à monter les marches. Je consultai ma montre. Huit minutes s'étaient déjà écoulées.

— Elle est repartie dans son cabinet, nous dit-il. Vous avez encore le temps.

— Merci.

J'attendis de l'entendre marcher sur le palier du dessus avant de reprendre tout doucement la conversation avec Maggie.

— Bon d'accord. Alors comment je fous ça en l'air ? lui demandai-je.

— Tu dis au juge que c'est une tentative manifeste de sabotage de l'accusation. La défense a engagé cet avocat pour la seule et unique raison qu'il a eu une relation avec moi, et pas du tout pour ses compétences.

— Parfait, dis-je en hochant la tête. Quoi d'autre ?

— Je ne sais pas. Je n'arrive pas à réfléchir… ça remonte à loin, il n'y a pas eu d'attachement fort, aucun effet sur ma conduite ou ma capacité de discernement professionnel…

— Ouais, ouais, ouais… mais et Bell ? A-t-il ou sait-il quelque chose à quoi il faudrait que je fasse attention ?

Elle me regarda comme si j'étais une espèce de traître.

— Maggie, lui dis-je, je dois savoir de façon à ce qu'il n'y ait pas de deuxième surprise, tu comprends ?

— D'accord. Non, il n'y a rien d'autre. Il doit être vraiment mal pour accepter de se faire payer dans le seul but de me virer de l'affaire.

— Ne t'inquiète pas. Ce jeu-là, on peut y jouer à deux. Allons-y.

Nous regagnâmes le prétoire et là, au moment où je franchissais la grille, je fis signe à la greffière de rappeler le juge. Puis, au lieu de me rendre à la table de l'accusation, je me dirigeai du côté de la défense, où Royce se tenait assis à côté de son client. David Bell s'était installé en face de Jessup. Je me penchai pardessus l'épaule de Royce et lui murmurai juste assez fort pour que son client entende :

— Clive, dès que le juge sort, je vous laisse une chance de retirer votre requête. Si vous ne le faites pas, et d'un, je vous fous la honte devant la caméra et ça y restera numériquement pour l'éternité. Et de deux, l'offre de libération-rémunération que j'ai faite à votre client la semaine dernière est retirée. Pour toujours.

Je regardai Jessup hausser les sourcils de quelques centimètres. Il n'avait jamais entendu parler d'une offre où il aurait été question d'argent et de liberté. Pour la simple et bonne raison que cette offre n'avait jamais été faite. Sauf que maintenant, ça allait être à Royce de le convaincre qu'il ne lui avait rien caché. Et là, bonne chance !

Royce sourit comme s'il était content de ma contre-attaque. Il se pencha en arrière l'air relax et jeta son stylo sur son bloc-notes. Un Montblanc avec un liseré blanc, bref, le genre de stylo qu'on ne traite pas de cette manière.

— Ça va être super bon tout ça, pas vrai, Mick ? me lança-t-il. Eh bien, je vais vous dire… Je ne retire pas ma requête et je pense que si vous m'aviez réellement fait une offre de libération avec rémunération à la clé, je m'en souviendrais.

Il venait de me prendre au mot. Il ne lui en restait pas moins à convaincre son client. Je vis le juge sortir de son cabinet et gravir les trois marches conduisant à son siège. J'y allai d'une autre pique à l'endroit de Royce.

— Vous avez vraiment gâché votre argent en payant Bell, ajoutai-je.

Sur quoi je gagnai la table de l'accusation et y restai debout. Le juge rouvrit la séance.

— Bien. À verser aux minutes de l'affaire « État de Californie contre Jessup ». Maître Haller, voulez-vous réagir à la dernière requête de la défense ou le faire par écrit ?

— Madame le juge, l'accusation souhaite répondre tout de suite à cette… requête.

— Alors allez-y.

J'essayai de mettre du bel outrage dans ma voix.

— Madame le juge, je suis tout aussi cynique qu'un autre, mais je dois dire que je suis surpris par la tactique qu'adopte la défense en présentant cette requête. Car, de fait, il ne s'agit même pas d'une requête. Il s'agit d'une tentative pure et simple de subvertir le procès en niant au peuple de Californie le…

— Madame le juge ! s'écria Royce en bondissant sur ses pieds. J'élève la plus forte objection contre ce véritable assassinat auquel se livre maître Haller par-devant les médias. Nous sommes ici ni plus ni moins en présence d'une…

— Maître Royce, vous pourrez répondre après que maître Haller aura fini. Je vous en prie, asseyez-vous.

— Oui, madame le juge.

Il s'assit, j'essayai de me rappeler où j'en étais.

— Reprenez, maître Haller.

— Merci, madame le juge. Comme vous le savez, l'accusation a donné tous ses éléments de preuves à la défense mardi dernier. Ce que vous avez maintenant devant vous n'est rien d'autre qu'une requête bien fourbe venant d'un avocat qui vient de comprendre ce qu'il va devoir affronter dans ce procès. Il pensait en effet que le ministère public allait laisser tomber. Et il sait maintenant qu'il n'en sera rien.

— Qu'est-ce que cela a à voir avec la présente requête, maître Haller ? me demanda Breitman d'un ton impatient.

— Tout, lui renvoyai-je. Vous savez ce que l'on entend par « aller au marché des juges », n'est-ce pas ? Eh bien, sachez que maître Royce, lui, fait son marché de procureurs. Pour avoir examiné les pièces que nous lui avons envoyées, il sait que Margaret McPherson est sans doute le membre le plus important de notre équipe. Et plutôt que de devoir réfuter les preuves qu'elle avancera au cours du procès, il essaie d'affaiblir l'accusation en cassant l'équipe qui les a rassemblées. Nous sommes à quoi… quatre semaines à peine du procès et voilà qu'il s'attaque à mon second ? Et que pour ce faire, il engage un avocat qui n'a que peu d'expérience – voire aucune – de défense au pénal, et je ne parle même pas de défendre dans une affaire de meurtre ! Et pourquoi donc ferait-il tout cela sinon pour nous concocter son prétendu conflit d'intérêts ?

— Madame le juge ?

— Maître Royce, lui renvoya Breitman, je vous l'ai déjà dit, vous aurez votre chance.

— Mais madame le juge, je ne peux pas…

— As-sey-ez-vous !

Royce s'assit, le juge reportant son attention sur moi.

— Madame le juge, il s'agit là de la manœuvre cynique d'une défense aux abois. J'espère que vous ne permettrez pas qu'on subvertisse ainsi les intentions de la Constitution.

Comme deux hommes sur une balançoire, je m'assis, Royce se mettant aussitôt debout.

— Un instant, maître Royce ! lança Breitman en levant la main et lui faisant signe de se rasseoir. Je veux m'entretenir avec maître Bell.

C'était maintenant à Bell de se lever. Bien habillé, il avait les cheveux d'un beau blond-roux et le teint rose, mais je vis de l'appréhension dans ses yeux. Qu'il ait sollicité Royce ou que ce soit Royce qui l'ait démarché, il était clair qu'il ne s'attendait pas à devoir s'expliquer devant un juge.

— Maître Bell, je n'ai pas eu le plaisir de vous voir officier dans mon prétoire. Défendez-vous au pénal ?

— Euh, non, madame le juge, pas d'ordinaire. Je suis avocat plaidant et j'ai été avocat principal dans plus de trente procès. Je ne suis pas perdu dans un prétoire, madame le juge.

— Un bon point pour vous, maître ! Combien de ces procès au pénal ?

Voir ce que j'avais déclenché se mettre ainsi en marche me plongea dans l'euphorie. Royce, lui, avait l'air de plus en plus mortifié au fur et à mesure que son plan se brisait comme un vase de prix.

— Aucun d'entre eux n'avait vraiment à voir avec des meurtres. Mais je me suis occupé d'affaires de mort par négligence ou sans intention de la donner.

— Ce n'est pas la même chose. Combien de procès au criminel avez-vous à votre actif, maître Bell ?

— Encore une fois, aucun, madame le juge.

— Qu'apportez-vous à la défense de M. Jessup ?

— Madame le juge, j'ai une bonne expérience des procès, et je ne comprends pas que ce soit mon CV qui pèse dans la balance maintenant. M. Jessup a le droit d'avoir l'avocat de son choix et…

— Quelle est exactement la nature de ce conflit d'intérêts que vous avez avec maître McPherson ?

Bell eut l'air perplexe.

— Avez-vous compris ma question, maître Bell ?

— Oui, madame le juge, le conflit est que nous avons eu une relation intime et que si nous nous retrouvions l'un en face de l'autre dans un procès…

— Avez-vous été mariés ?

— Non, madame le juge.

— À quand remonte cette relation intime et combien de temps a-t-elle duré ?

— Elle remonte à sept ans et a duré environ trois mois.

— Avez-vous eu d'autres contacts avec maître McPherson depuis lors ?

Il leva les yeux au plafond comme s'il y cherchait une réponse. Maggie se pencha vers moi et me chuchota quelque chose à l'oreille.

— Non, madame le juge, répondit Bell.

Je me levai.

— Madame le juge, afin que toute la lumière soit faite sur cette affaire, maître Bell envoie chaque année depuis sept ans une carte de vœux à maître McPherson. Et maître McPherson n'y répond jamais.

Des petits rires parcoururent la salle. Le juge les ignora et baissa les yeux sur quelque chose devant elle. Elle avait l'air d'en avoir entendu assez.

— Où est donc le conflit d'intérêts qui vous inquiète, maître Bell ? demanda-t-elle.

— Euh... madame le juge, il n'est pas facile de parler de ça en audience, mais c'est moi qui ai mis fin à cette relation avec maître McPherson et mon souci est qu'il pourrait y avoir de l'animosité... C'est ça le conflit.

Mme le juge ne marchait pas et tout le monde le savait dans la salle. C'en devenait même désagréable à regarder.

Maggie repoussa sa chaise et se leva.

— Avez-vous encore quelque animosité envers maître Bell ? lui demanda Breitman.

— Non, madame le juge, en tout cas je n'en avais pas jusqu'à aujourd'hui. Je suis passée à autre chose et de nettement meilleur.

J'entendis un deuxième grognement dans mon dos lorsque la flèche de Maggie atteignit sa cible.

— Merci, maître McPherson, dit le juge. Vous pouvez vous rasseoir. Et vous aussi, maître Bell.

Soulagé, Bell se laissa tomber dans son fauteuil. Le juge se pencha en avant et parla d'un ton neutre dans le microphone.

— La requête est refusée, dit-elle.

Royce se dressa aussitôt.

— Madame le juge, je n'ai pas été entendu avant votre arrêt !

— C'était votre requête, maître Royce.

— Mais j'aimerais répondre à certaines choses que maître Haller a...

— Maître Royce, j'ai rendu mon arrêt. Je ne vois pas la nécessité d'en disputer plus avant. Et vous ?

Royce sentit que sa défaite risquait d'être encore pire s'il insistait. Il décida de sauver les meubles.

— Merci, madame le juge, dit-il.

Et il se rassit. Breitman ayant alors mis fin à l'audience, nous rangeâmes nos affaires et nous dirigeâmes vers les portes du fond. Mais pas aussi vite que Royce. Son client, son prétendu codéfenseur et lui dégagèrent du prétoire comme s'ils devaient attraper le dernier train du vendredi soir. Et cette fois, Royce ne se donna pas la peine de s'arrêter devant la salle d'audience pour bavarder avec les médias.

— Merci de t'être battu pour moi, me dit Maggie lorsque nous arrivâmes aux ascenseurs.

Je haussai les épaules.

— C'est toi qui as tout fait. C'est vraiment ce que tu voulais dire quand tu as déclaré être « passée à autre chose et de nettement meilleur » ?

— En le quittant, ça oui. Absolument.

Je la regardai, mais ne devinai rien de plus que ce qu'elle venait de dire. Les portes de l'ascenseur s'ouvrirent et nous tombâmes sur Bosch, qui s'apprêtait à en sortir.

Chapitre 20

Jeudi 4 mars – 10 h 40

Bosch sortit de l'ascenseur et faillit rentrer droit dans Haller et McPherson.

— C'est fini ? demanda-t-il.

— T'as tout raté, répondit Haller.

Bosch se tourna vite et tapa sur un des caoutchoucs des portes avant qu'elles puissent se refermer.

— Vous descendez ?

— C'était l'idée, lui renvoya Haller d'un ton qui ne cachait rien de son agacement. Je pensais que tu ne viendrais pas à l'audience.

— Je n'en avais pas l'intention. Je venais vous chercher.

Ils descendirent au rez-de-chaussée, Bosch les convainquant alors de rejoindre le Police Administration Building, une rue plus loin. Il les y enregistra comme visiteurs et les fit monter au cinquième, où se trouvait la brigade des Vols et Homicides.

— C'est la première fois que je viens ici, dit McPherson. C'est aussi calme qu'une agence d'assurances.

— Oui, nous avons perdu beaucoup de notre charme dans le déménagement.

Le PAB ne fonctionnait que depuis six mois. Le bâtiment avait quelque chose de stérile et de muet. La plupart des habitants du lieu, Bosch y compris, regrettaient l'ancien quartier général de Parker Center, même s'il était plus que décrépit.

— J'ai un bureau pour moi tout seul, reprit Bosch en montrant une porte à l'autre bout de la salle des inspecteurs.

Ils ouvrirent et entrèrent dans une grande pièce avec au milieu une table de style « salle du conseil ». Un des murs était en verre et donnait sur la salle des inspecteurs, mais Bosch avait baissé les jalousies afin d'être tranquille. Sur le mur d'en face se trouvait un grand tableau blanc avec une rangée de clichés alignés en haut et fortement légendés. Et tous de jeunes filles.

— Ça fait une semaine que je travaille sur ce truc-là non-stop, enchaîna-t-il. Comme vous vous êtes sans doute demandé où j'étais passé, j'ai fini par me dire qu'il était temps de vous montrer ce que j'ai.

McPherson fit quelques pas dans la pièce et regarda fixement devant elle en clignant fort des yeux, révélant ainsi à Bosch toute sa vanité. Elle avait besoin de lunettes, mais il ne l'avait jamais vue en porter.

Haller gagna la table, sur laquelle étaient rassemblés quelques cartons d'archives. Il tira lentement une chaise pour s'asseoir.

— Maggie, lança Bosch, asseyez-vous donc.

Elle cessa de regarder dans le vide et prit une chaise au bout de la table.

— Ce serait donc ce que je crois ? demanda-t-elle. Elles ressemblent toutes à Melissa Landy.

— Bon, je vous dis et vous en tirez vos conclusions.

Il resta debout, fit le tour de la table et s'approcha du tableau blanc. Puis, le dos au tableau, il commença à raconter son histoire.

— Bien, dit-il, j'ai une amie, une ancienne profileuse et je n'ai jamais…

— Profileuse pour qui ? demanda Haller.

— Le FBI, mais peu importe. Ce que je vous dis, c'est que je n'ai jamais rencontré quelqu'un d'aussi fort qu'elle. Bref, peu après m'être embringué dans cette affaire, je lui ai demandé, mais pas officiellement, de jeter un coup d'œil au dossier, ce qu'elle a fait. Et ses conclusions sont les suivantes : en 1986, tout le monde s'est trompé. Là où les premiers enquêteurs ont vu un crime d'occasion et d'impulsion, elle a vu, elle, quelque chose de totalement différent. Pour faire court, elle a découvert des signes indiquant que l'individu qui a tué Melissa Landy avait peut-être déjà tué avant.

— Et c'est parti ! lança Haller.

— Écoute, mec, je ne vois pas pourquoi tu fais la gueule. C'est toi qui m'as engagé comme enquêteur dans cette histoire, alors j'enquête. Et si tu me laissais plutôt te raconter ce que je sais, hein ? Après, tu en feras tout ce que tu voudras. Tu crois que c'est bon, tu fonces. Tu penses le contraire, tu laisses tomber. Moi, j'aurai fait mon job.

— Je fais pas la gueule, Harry. Je réfléchis à voix haute. À tout ce qui peut compliquer les choses dans un procès. En particulier dans l'échange des éléments de preuves. Tu te rends bien compte que tout ce que tu vas nous dire devra être communiqué à Royce ?

— Seulement si vous avez l'intention de vous en servir.

— Tu plaisantes ?

— Et moi qui pensais que tu connaissais mieux que moi les règles de la communication des pièces !

— Je les connais. Pourquoi nous amènes-tu ici pour ton petit cinéma si tu penses que nous n'allons pas nous en servir ?

— Et si tu le laissais faire, hein ? lança McPherson à Haller. On comprendrait peut-être mieux après, non ?

— Bon allez, vas-y, marmonna Haller. De toute façon, j'ai juste dit : « Et c'est parti ! », ce qui, me semble-t-il, est une expression assez commune pour dire que je suis surpris et qu'on va changer de direction. C'est tout. Et donc, continue, Harry. Je t'en prie.

Bosch regarda le tableau blanc un instant, puis il se retourna vers son public de deux personnes et poursuivit en ces termes :

— Et donc, mon amie la profileuse pense que Jason Jessup avait déjà tué avant d'assassiner Melissa Landy, et très probablement réussi à cacher sa participation à ces crimes antérieurs.

— Et vous avez cherché, dit McPherson.

— Voilà. Maintenant n'oubliez pas que notre premier enquêteur, Kloster, n'était pas un fainéant. Lui aussi avait cherché. Le seul problème est qu'il se fondait sur un mauvais profil. Il avait du sperme sur la robe, un étranglement et un corps jeté dans un endroit accessible. C'était ça le profil et c'est donc par là qu'il a cherché. Sauf qu'il n'a rien trouvé de similaire, aucune affaire ne correspondait. Fin de l'histoire, fin des recherches. On a cru que Jessup était passé à l'acte cette seule et unique fois et qu'étant extrêmement brouillon et sale, il s'était fait prendre.

Il se retourna et montra la rangée de clichés sur le tableau blanc derrière lui.

— J'ai donc pris un chemin différent. J'ai commencé à chercher des filles portées disparues et qui n'ont jamais refait surface. Des filles classées fugueuses, mais aussi victimes possibles d'enlèvement. Jessup étant originaire de Riverside, j'ai étendu mes recherches à ce comté et à celui de Los Angeles. Et comme il avait vingt-quatre ans au moment de son arrestation, j'ai remonté la piste jusqu'à l'époque où il n'en avait que dix-huit, mon travail se limitant donc à la période 1980-1986. Pour ce qui est du profil des victimes, j'ai opté pour des caucasiennes de douze à dix-huit ans.

— Pourquoi êtes-vous allé jusqu'à dix-huit ans ? lui demanda McPherson. Notre victime n'en avait que douze.

— Rachel m'a dit… excusez-moi, la profileuse m'a dit que parfois, lorsqu'ils commencent, ces individus choisissent dans leur groupe d'âge. Ils apprennent à tuer et après seulement, ils commencent à définir leurs cibles selon leur paraphilie. Une paraphilie est…

— Je sais ce que c'est, dit McPherson. Et vous avez fait tout ce travail tout seul ? Ou cette Rachel vous a-t-elle donné un coup de main ?

— Non, elle n'a travaillé que sur le profil. Mon coéquipier m'a aidé un peu à rassembler tout ça. Mais ça n'a pas été facile parce que les archives ne sont pas toutes complètes, en particulier pour les simples affaires de fugue, nombre d'entre elles étant même évacuées. Pour ces affaires, la plupart des dossiers remontant à cette époque ont disparu.

— Ils n'ont pas été numérisés ?

— Pas dans le comté de Los Angeles, répondit-il en hochant la tête. Il a été décidé d'établir des priorités lorsqu'il a fallu se mettre au numérique et reprendre les archives des crimes graves pour les mettre à cette nouvelle norme. Aucune affaire de fugue n'a été numérisée, à moins qu'il y ait eu une possibilité d'enlèvement. La situation est différente pour le comté de Riverside. Les affaires y étant moins nombreuses, toutes les archives ont été numérisées. Toujours est-il que dans ces deux comtés, nous avons relevé vingt-neuf affaires pour les six années de la période qui nous intéresse. Et je le répète, aucune d'entre elles n'a été résolue. Et dans chacune d'elles, la fille a disparu et n'est jamais revenue chez elle. Nous avons sorti tous les dossiers que nous pouvions, mais la plupart ne collaient pas à cause de certaines déclarations des témoins, entre autres. Mais ces huit-là, je n'ai pas pu les écarter.

Il se tourna vers le tableau et regarda les photos de huit filles qui souriaient. Toutes depuis longtemps disparues.

— Je ne dis pas que Jessup ait eu à voir avec la disparition de l'une de ces filles, seulement que c'est possible. Comme Maggie l'a déjà remarqué, toutes se ressemblent et ressemblent à Melissa Landy. À ce propos… cette ressemblance s'étend aussi à leurs corps. Elles ont toutes entre cinq centimètres et cinq kilos de différence entre elles et avec notre victime.

Il se retourna vers son public et s'aperçut que McPherson et Haller étaient comme cloués sur place par ces clichés.

— J'ai inscrit les détails sous chaque photo, reprit-il. Les caractéristiques physiques, les dates et lieux des disparitions, les trucs de base.

— Jessup connaissait-il l'une de ces filles ? demanda Haller. Est-il lié à l'une d'elles de quelque manière que ce soit ?

C'était bien là le fond du problème, et Bosch le savait.

— Rien de vraiment solide, enfin, je veux dire... je n'ai rien trouvé pour l'instant. Le meilleur lien que nous ayons est cette fille-ci.

Il se tourna de nouveau et montra la première photo à gauche.

— Elle, reprit-il. Valerie Schlicter. Elle a disparu en 1981 dans le quartier même de Riverside où Jessup a grandi. Ils ont tous les deux fréquenté le lycée de Riverside High, mais comme il a vite laissé tomber ses études, il ne semble pas qu'ils s'y soient trouvés au même moment. Toujours est-il qu'elle a été considérée comme fugueuse parce que ça n'allait pas chez elle. Famille monoparentale. Elle vivait avec sa mère et son frère et un jour, à peu près un mois après avoir obtenu son diplôme de fin d'études secondaires, elle a filé. L'enquête n'a pas été plus loin qu'une recherche de personne disparue, essentiellement à cause de son âge. Elle a eu dix-huit ans un mois après sa disparition. En fait, je ne parlerais même pas d'enquête. On s'est plus ou moins contenté de voir si elle allait revenir chez elle ou pas. Elle ne l'a pas fait.

— Rien d'autre ?

— Pour l'instant, non, dit-il en se tournant vers Haller.

— Dans ce cas, l'échange des pièces ne pose aucun problème. On n'a rien. Il n'y a aucun lien entre Jessup et l'une de ces filles. La plus proche est celle de Riverside et elle avait cinq ans de plus que Melissa Landy. Tout ce truc me semble tiré par les cheveux.

Bosch crut entendre une note de soulagement dans sa voix.

— Oui mais bon, ce n'est pas tout, dit-il.

Il se dirigea vers les boîtes posées au bout de la table et en sortit un dossier. Le rapporta et le posa devant McPherson.

— Comme vous le savez, nous avons mis Jessup sous surveillance depuis sa libération.

McPherson ouvrit le dossier et découvrit la pile de photos de surveillance 20 × 25 de Jessup.

— Avec lui, l'équipe a compris qu'il n'y avait pas de routine et a donc décidé de le suivre vingt-quatre heures sur vingt-quatre, sept jours sur sept. Elle a alors découvert, preuves à l'appui, qu'il mène deux existences remarquablement distinctes. Sa vie publique, ce qui, dans les médias, devient son prétendu « périple vers la liberté ». Tout y est, depuis les sourires qu'il fait aux caméras jusqu'aux hamburgers qu'il avale, en passant par ses séances de surf à Venice Beach et ses apparitions dans le circuit des talk-shows.

— Oui, ça, nous en sommes plus que conscients, dit Haller. Et tout ça ou presque est orchestré par son avocat.

— Mais il y a aussi sa vie privée, enchaîna Bosch. Les bars où il traîne, sa drague dans les boîtes de nuit et ses visites en pleine nuit.

— Ses visites où ça ? demanda McPherson.

Bosch alla chercher son dernier support visuel, une carte des montagnes de Santa Monica, et la déplia sur la table devant eux.

Cela fait neuf fois que, depuis sa libération, il quitte son appartement de Venice en pleine nuit pour gagner Mulholland, tout en haut des montagnes. Et que, de cet endroit, il se rend chaque nuit dans un ou deux des parcs dans les canyons. Celui de Franklin est son préféré. Il y est déjà passé six fois. Mais il s'est aussi rendu plusieurs fois au belvédère de Fryman Canyon et aux parcs de Stone et de Runyon.

— Et qu'est-ce qu'il y fabrique? demanda McPherson.

— Pour commencer, ce sont des parcs publics qui ferment à la tombée de la nuit. Ce qui fait qu'il s'y introduit en douce. Et sur le coup de 2 ou 3 heures. Il entre et… comment dire? Il s'assoit. Et communie. Il a allumé deux ou trois fois des bougies. Et toujours aux mêmes endroits dans chacun de ces parcs. Habituellement sur un chemin ou au pied d'un arbre. Nous n'avons pas de photos parce qu'il fait trop noir et que nous ne pouvons pas courir le risque de trop nous approcher. J'y suis allé deux ou trois fois cette semaine avec l'équipe du SRS et j'ai regardé. Tout donne l'impression qu'il se contente de… méditer.

Il entoura d'un rond les quatre parcs sur la carte. Tous étaient proches et donnaient dans Mulholland.

— Tu en as parlé à ta profileuse? demanda Haller.

— Oui, je lui en ai parlé et elle pense la même chose que moi. À savoir que ce sont des tombes qu'il visite. Qu'il communie avec les morts… ses victimes.

— Oh, putain! s'écria Haller.

— Ouais.

La pause fut longue tandis que Haller et McPherson envisageaient tout ce qu'impliquait l'enquête de Bosch.

— Harry, quelqu'un a-t-il creusé à l'un de ces endroits? demanda McPherson.

— Non, pas encore. Nous ne voulions pas nous exciter avec des pelles parce qu'il n'arrête pas d'y revenir. Il se serait douté de quelque chose et nous ne voulons pas de ça pour le moment.

— C'est juste. Et côté…

— Chiens déterreurs de cadavres ? Oui, nous les y avons amenés hier en plongée. Nous…

— Comment fait-on pour mettre un chien en plongée ? demanda Haller.

Bosch se mit à rire et cela détendit un peu l'atmosphère dans la salle.

— Non, ce que je veux dire, c'est qu'on avait deux chiens, mais qu'on ne les a pas amenés dans des véhicules officiels et que ce n'était pas des flics en uniforme qui les tenaient en laisse. On a fait tout ce qu'on pouvait pour qu'ils aient l'air de types qui baladent leurs clebs, mais même ça, ça a posé des problèmes parce que les chiens sont interdits sur ces chemins. Bref, nous avons fait de notre mieux et nous sommes contentés d'entrer et de sortir. J'avais vérifié avec le SRS que Jessup n'était pas dans le coin de Mulholland quand nous sommes entrés, il faisait du surf.

— Et… ? demanda McPherson d'un ton impatient.

— Ces chiens-là sont du genre à s'allonger par terre lorsqu'ils sentent l'odeur de la chair humaine en décomposition. On dit qu'ils sont capables de la remarquer dans le sol jusqu'à plusieurs centaines d'années après la mort de l'individu. Et donc, sur trois des quatre endroits où Jessup s'est rendu, ils n'ont pas réagi. Mais à un autre, l'un des deux l'a fait.

Bosch regarda McPherson pivoter sur sa chaise et se tourner vers Haller. Puis il revint sur McPherson et il y eut de la communication dans leurs regards.

— Il convient aussi de dire que ce chien a un lourd passé d'erreurs… à savoir qu'il se trompe… environ une fois sur trois, précisa-t-il. L'autre chien n'a pas réagi à cet endroit.

— Génial ! dit Haller. Ce qui nous donne quoi ?

— Eh bien, c'est pour ça que je vous ai invités ici, répondit Bosch. Nous sommes arrivés au stade où il conviendrait peut-être de se mettre à creuser. Au moins à cet endroit précis. Cela dit, si nous y allons, nous risquons d'être découverts et alors, il comprendra que nous l'avons suivi. Et si nous creusons et tombons sur des restes humains, cela sera-t-il suffisant pour l'inculper ?

McPherson se pencha en avant tandis que Haller se penchait en arrière, laissant ainsi clairement la main à son assistante.

— Bon, moi, je ne vois aucun obstacle juridique à ce qu'on creuse, dit-elle enfin. L'endroit est public et légalement, rien ne devrait vous interdire de creuser. Pas besoin non plus d'un mandat pour ça. Mais... voulez-vous creuser tout de suite sur la foi du résultat d'un chien qui a un fort pourcentage d'erreurs à son actif, ou préférez-vous attendre jusqu'à après le procès ?

— Voire pendant ? dit Haller.

— La deuxième question est la plus difficile, répondit McPherson. Imaginons un instant : disons qu'il y a bien des restes humains dans un de ces endroits, et même dans tous. Oui, les activités de Jessup semblent indiquer qu'il sait ce qui se trouve sous terre aux endroits qu'il visite en pleine nuit. Mais cela prouve-t-il sa responsabilité ? Pas vraiment. On pourrait l'inculper, évidemment, mais il pourrait monter plusieurs systèmes de défense fondés sur ce que nous savons maintenant. Tu es d'accord, Michael ?

Haller se pencha en avant et acquiesça d'un signe de tête.

— Imaginons que vous creusiez et que vous tombiez sur les restes d'une de ces filles, dit-il. Même si vous arriviez à confirmer son identité – et ça risque d'être un sacré « si » –, vous n'auriez toujours aucun élément de preuve reliant Jessup à sa mort. Tout ce que vous auriez, c'est sa connaissance de l'endroit où elle est enterrée. Ce qui est certes très significatif, mais cela suffit-il pour que nous allions au procès avec ça ? Je ne sais pas. Moi, je préférerais être du côté de la défense que de l'accusation sur ce coup-là. Je crois que Maggie a raison : il y a des tas de défenses possibles pour expliquer sa connaissance des lieux. Il pourrait inventer un homme de paille… quelqu'un qui aurait tué ces filles et lui en aurait parlé, voire l'aurait forcé à prendre part à ces enterrements. N'oublions pas que Jessup a passé vingt-quatre ans en prison. Combien de détenus y a-t-il côtoyés ? Des milliers ? Des dizaines de milliers ? Combien d'entre eux étaient des assassins ? Il pourrait très bien faire porter le chapeau de tout ce truc à l'un d'entre eux, dire qu'ayant entendu parler de ces sites en prison, il avait décidé d'aller prier pour le salut des victimes. Il pourrait inventer tout ce qu'il veut.

Il hocha encore une fois la tête et ajouta :

— Le fond du problème est qu'il y a des tas de façons de procéder dans ce type de défense. Sans avoir la moindre pièce à conviction ou un témoin à lui opposer, à mon avis, nous aurions de sacrées difficultés.

— Et s'il y avait un élément matériel qui le relie à une de ces filles dans ces tombes ? lui renvoya Bosch.

Bien sûr, mais s'il n'y en a pas ? lui retourna aussitôt Haller. On ne sait jamais. On pourrait aussi lui arracher des aveux. Mais ça aussi, j'en doute.

McPherson prit la relève.

— Michael mentionne le gros « si », à savoir les restes. Peut-on les identifier ? Arriverons-nous à établir combien de temps ils ont séjourné dans la terre ? Ne pas oublier que Jessup a un alibi en acier depuis vingt-quatre ans. Imaginons que nous sortions des ossements et que nous ne puissions pas affirmer avec certitude qu'ils sont sous terre depuis au moins 1986. Jessup sortira libre du tribunal.

Haller se leva, gagna le tableau blanc et prit un marqueur dans la rainure. Et dans un endroit libre, il dessina deux ronds côte à côte.

— Voilà ce que nous avons pour l'instant, dit-il. Le rond n° 1 est notre dossier et le rond n° 2 tous ces trucs nouveaux que tu viens de trouver. Ces ronds sont bien séparés. Nous avons d'un côté notre affaire avec le procès qui va démarrer et de l'autre ta nouvelle enquête. Tant que ces trucs-là sont distincts, tout va bien. Ton enquête n'a aucune conséquence sur notre procès et nous pouvons garder nos deux ronds séparés. D'accord ?

— Évidemment, dit Bosch.

Haller s'empara du tampon dans la rainure et effaça les deux ronds sur le tableau. Et en dessina deux autres, mais qui cette fois s'entrecoupaient.

— Bon et maintenant, tu retournes là-bas, tu commences à creuser et tu trouves des ossements. Voici ce qui se produit : nos deux ronds se touchent. Et à ce moment-là, ton truc devient notre truc à nous et nous sommes obligés de le révéler à la défense et au monde entier.

McPherson acquiesça d'un hochement de tête.

— Bon alors, qu'est-ce qu'on fait ? demanda Bosch. On laisse tomber ?

— Non, on ne laisse pas tomber. On fait juste très attention à garder ces deux trucs bien distincts. Tu sais ce qui est universellement reconnu comme la meilleure stratégie au prétoire ? « On fait simple, ducon. » Et donc, ne compliquons pas les choses. Gardons nos ronds séparés, allons au procès et coinçons ce type pour le meurtre de Melissa Landy. Et sitôt ce sera fait, nous monterons à Mulholland avec des pelles.

— Sitôt ?

— Quoi ?

— Sitôt *que* ce sera fait.

— Comme vous voudrez, professeur.

Bosch passa des ronds qui s'entrecoupaient à la rangée de visages en haut du tableau. Tous ses instincts lui disaient que certaines de ces filles n'avaient jamais été plus vieilles que sur ces photos. Elles étaient maintenant dans la terre et c'était Jason Jessup qui les y avait mises. Il supportait mal l'idée qu'elles y restent une journée de plus, mais il savait qu'il faudrait attendre encore un peu.

— Bon, lança-t-il, je continue de travailler ça en plus. Pour l'instant. Mais la profileuse m'a aussi dit autre chose que vous devez savoir.

— Et voilà la deuxième catastrophe, dit McPherson. De quoi s'agit-il ?

Haller regagna son siège, Bosch tira une chaise et s'assit, lui aussi.

— Elle affirme qu'un tueur comme Jessup ne s'amende pas en prison. Ce qu'il a de sombre en lui ne s'en va pas. Ça reste. Ça attend. C'est comme un cancer. Et ça réagit aux pressions extérieures.

— Il va encore tuer, dit McPherson.

Bosch acquiesça en hochant lentement la tête.

— Il visitera les tombes de ses victimes tant qu'il n'éprouvera pas le besoin… qu'il n'aura pas besoin d'une autre inspiration. Et s'il se sent sous pression, il y a toutes les chances qu'il recommence même encore plus tôt.

— Vaudrait donc mieux être prêts, dit Haller. C'est moi qui l'ai laissé partir. Si jamais tu as le moindre doute sur sa filature, je veux être au courant.

— Il n'y a aucun doute à avoir. Qu'il fasse le moindre geste et on lui tombe dessus.

— Quand avez-vous l'intention de repartir avec le SRS ? demanda McPherson.

— Dès que possible, lui répondit Bosch. Mais j'ai ma fille et ça ne pourra se faire que lorsqu'elle ira dormir chez une copine ou que je trouverai quelqu'un pour venir la garder chez moi.

— Je veux y aller une fois.

— Pourquoi ?

— Je veux voir le vrai Jessup. Pas celui auquel on a droit dans les journaux et à la télé.

— C'est que…

— Quoi ?

— Il n'y a pas de femmes dans l'équipe et avec ce type, on n'arrête pas de bouger. Il n'y aura pas d'arrêts pipi. Les mecs pissent dans des bouteilles.

— Ne vous inquiétez pas, Harry. Je pense pouvoir m'en débrouiller.

— Bon d'accord. J'arrange l'affaire.

Chapitre 21

Vendredi 19 mars – 10 h 50

Je jetai un coup d'œil à ma montre dès que j'entendis Maggie dire bonjour à Lorna à la réception. Elle entra et laissa tomber sa mallette sur le bureau. C'était une de ces fines et très élégantes valises italiennes en cuir pour ordinateur portable qu'elle ne se serait jamais achetée. Trop chère et trop rouge. J'aurais bien aimé savoir qui la lui avait offerte, comme j'ai toujours envie de savoir des tas de choses qu'elle ne me dira jamais.

Cela dit, l'origine de sa mallette rouge était le cadet de mes soucis. Dans treize jours, nous allions commencer la sélection des jurés et Clive Royce avait enfin balancé son meilleur coup de poing avant procès. L'affaire faisait près de trois centimètres d'épaisseur et trônait juste devant moi sur mon bureau.

— Où étais-tu passée ? lançai-je à Maggie, une note d'agacement clairement perceptible dans la voix. Je t'ai appelée sur ton portable et je suis resté sans réponse.

Elle s'approcha de mon bureau en traînant la chaise supplémentaire derrière elle.

— Ça ne serait pas plutôt : Et où étais-tu, toi ?

Je regardai mon agenda et ne vis rien dans le carré du jour.

— Qu'est-ce que tu racontes ?

— Mon téléphone était éteint parce que j'étais aux félicitations de Hayley. Ils n'aiment pas beaucoup les portables qui se mettent à sonner quand on appelle les enfants pour leur donner leurs médailles.

— Ah, merde !

Elle me l'avait dit et m'avait adressé une copie de l'e-mail. Que j'avais imprimé et collé sur la porte du frigo. Mais inscrit ni dans mon calendrier de bureau ni dans mon téléphone portable. Et j'avais oublié.

— Tu aurais dû y être, Haller. Tu aurais été fier.

— Je sais, je sais. J'ai merdé.

— Ce n'est pas grave. Tu auras d'autres occasions. De merder ou de faire ce qu'il faut.

Ça tapa fort. Ç'aurait été mieux si elle m'avait fait chier comme elle en avait l'habitude. Cette approche passive agressive allait toujours plus bas sous la peau. Et il y avait toutes les chances qu'elle le sache.

— Je serai à la prochaine ! m'écriai-je. C'est promis.

Elle n'y alla pas de son « Ben voyons, Haller ! » ou de son « J'ai déjà entendu ça quelque part » des plus sarcastiques et, Dieu sait comment, ce fut encore pire. Non, au lieu de ça, elle se mit tout simplement au travail.

— Qu'est-ce que c'est que ça ? me demanda-t-elle en me montrant d'un signe de tête le document posé devant moi.

— C'est le dernier et meilleur combat d'arrière-garde de Clive Royce. Il demande que le témoignage de Sarah Ann Gleason soit exclu des débats.

— Et bien sûr, il lâche ça un vendredi après-midi, trois semaines avant le procès.

— Disons plutôt dix-sept jours.

— Excuse-moi. Et qu'est-ce qu'il dit ?

Je tournai la pièce et la lui glissai en travers du bureau. Elle était maintenue en place par une grosse agrafe noire.

— Il y travaille depuis le début parce qu'il sait que tout repose sur elle. C'est notre témoin n° 1 et sans elle, aucun autre élément de preuve n'a d'importance. Jusqu'aux cheveux retrouvés dans le camion qui ne constituent que des preuves indirectes. S'il arrive à nous enlever Sarah, il nous détruit le dossier.

— Ça, je l'ai bien compris. Sauf que… comment compte-t-il se débarrasser d'elle ? demanda-t-elle en se mettant à feuilleter le document.

— Ça nous a été livré à 9 heures, et vu que ça fait quatre-vingt-six pages, je n'ai pas encore eu le temps de tout digérer. Mais c'est une attaque en tenaille. Il s'en prend à l'identification qu'elle a faite lorsqu'elle était enfant. Pour lui, la mise en scène était préjudiciable à son client. Et il…

— Ç'a été déjà débattu, accepté par la cour et maintenu au procès en appel. Il fait perdre son temps au tribunal.

— Oui, mais cette fois, il a un autre angle d'attaque. N'oublie pas que Kloster est atteint de la maladie d'Alzheimer et qu'il est inutilisable en tant que témoin. Il est incapable de nous parler de l'enquête et de se défendre. Bref, ce coup-ci, Royce prétend que Kloster aurait donné à Sarah le type à identifier. Et qu'il lui aurait montré Jessup.

— Et il s'appuie sur quoi ? Sur le fait que seuls Sarah et Kloster se trouvaient dans la chambre ?

— Je ne sais pas. Il ne s'appuie sur rien, mais je dirais qu'il surfe sur l'appel radio qu'a passé Kloster pour dire aux flics d'obliger Jessup à enlever sa casquette.

— Ça n'a pas d'importance. Le tapissage a été préparé pour voir si Sarah pouvait identifier l'autre chauffeur, Derek Wilbern. Tout autre argument tendant à faire croire qu'il lui aurait dit de désigner Jessup est ridicule. L'identification est arrivée de façon très inattendue mais parfaitement naturelle et convaincante. Inutile de s'inquiéter pour ça. Même sans Kloster, on lui bousillera son truc.

Je savais qu'elle avait raison, mais ce n'était pas cette première attaque qui m'inquiétait le plus.

— Ce n'est que sa première salve, dis-je à Maggie. Et ce n'est rien comparé à la deuxième. Il cherche aussi à exclure tout son témoignage des débats en arguant du peu de fiabilité de sa mémoire. Il a inclus tout son passé de droguée dans sa demande, apparemment jusqu'au dernier gramme de cristal qu'elle ait jamais fumé. Il a ses procès-verbaux d'arrestations, ses dossiers d'incarcération, des témoins pour détailler sa consommation de drogue, ses partouzes et ce qu'ils appellent sa croyance dans les expériences extracorporelles… elle a dû oublier de nous parler de ça à Port Townsend. Et pour couronner le tout, il a des experts en perte de mémoire et autres fausses recréations du passé dues à la dépendance à la méthamphétamine. Bref, tu sais ce qu'il a en gros ? De quoi nous baiser à l'aller et au retour.

Maggie ne réagit pas. Elle était en train d'étudier les pages de conclusions auxquelles arrivait Royce à la fin de sa requête.

— Il a des enquêteurs ici et à San Francisco, ajoutai-je. C'est complet et exhaustif, Mags. Et tu sais quoi ? On ne dirait même pas qu'il est encore monté à Port Townsend pour l'interroger. Il dit ne pas avoir à le faire parce que tout ce qu'elle dira n'a aucune importance. Ce n'est tout simplement pas crédible.

— Il aura ses experts et nous aurons les nôtres en contre, dit-elle calmement. Nous nous y attendions et j'ai déjà préparé mon topo. Au pire, nous pourrons réduire tout son truc à du baratin. Et tu le sais.

— Les experts ne sont qu'une partie de son édifice.

— Tout ira bien, insista-t-elle. Et regarde-moi ces témoins. Ses ex-maris et petits copains ! Je vois que Royce ne s'est pas donné la peine, et c'est bien commode, de parler de leurs propres procès-verbaux d'arrestations. Ce sont tous des camés. On les fera passer pour des macs et des pédophiles qui lui en veulent de les avoir laissés tomber quand elle est revenue dans le droit chemin. Elle a épousé son premier mari à dix-huit ans et il en avait vingt-neuf. Elle nous l'a dit. Ce que j'aimerais l'avoir à la barre devant le juge, celui-là ! Je crois vraiment que tu prends ça trop au sérieux, Haller. On pourra argumenter. On pourra l'obliger à présenter certains de ces prétendus témoins devant le juge et on les lui démolira tous, les uns après les autres. Cela dit, tu as raison sur un point : c'est bien le meilleur combat d'arrière garde de Royce. Mais ça ne suffira pas, tout simplement.

Je hochai la tête. Elle ne voyait que ce qu'il y avait sur le papier et ce qui pouvait être bloqué ou paré avec nos armes. Pas ce qui n'était pas couché par écrit.

— Écoute, lui dis-je, tout ceci concerne Sarah. Il sait que le juge ne va pas vouloir réduire en bouillie notre témoin principal. Il sait que nous nous en sortirons. Ce qu'il fait, c'est dire au juge que c'est ça qu'il va faire subir à Sarah si elle vient témoigner. Toute sa vie dans tous ses détails les plus sordides, tout ce qu'elle a fumé et baisé, elle va devoir le supporter. Après quoi, il nous sortira quelque agrégé de médecine qui nous fera voir des photos de cerveau complètement cramé en nous disant que c'est ça, l'effet de la méthamphétamine. Avons-nous envie de lui faire subir ça ? Est-elle assez forte pour le supporter ? Et si nous allions voir Royce pour lui offrir un arrangement avec confusion des peines et une espèce de remboursement payé par la ville ? Quelque chose qui pourrait satisfaire tout le monde ?

Elle jeta la requête sur le bureau.

— Tu plaisantes ? Tu as la trouille à cause de ça ?

— Je n'ai pas la trouille. Je suis réaliste. Je ne suis pas allé dans l'État de Washington, moi. Je ne la sens pas, cette femme. Je ne suis pas sûr qu'elle soit capable de tenir. Sans compter qu'on peut toujours aller voir du côté des affaires sur lesquelles travaille Bosch.

Elle se cala contre le dossier de sa chaise.

— Rien ne garantit qu'il puisse en sortir quoi que ce soit, me renvoya-t-elle. Il faut que nous mettions tout ce qu'on a dans ce procès, Haller. Je peux retourner là-haut et tenir un peu la main à Sarah. Lui dire plus précisément ce qui l'attend. La préparer. Elle a déjà compris que ça n'allait pas être beau.

— C'est peu dire.

— Pour moi, elle est suffisamment forte. Et je pense que d'une certaine façon, elle pourrait bien avoir besoin de tout ça. Tu vois… pour tout sortir, pour expier ses péchés. Pour elle, il s'agit de rédemption, Michael. Et tu sais ce que c'est.

Nous nous regardâmes longuement.

— En tout cas, je pense qu'elle sera plus que solide et ça, le jury le verra, reprit-elle. C'est une rescapée, et les rescapés, tout le monde aime ça.

J'acquiesçai d'un signe de tête.

— Tu as une de ces façons de convaincre les gens ! C'est vraiment un don. Nous savons tous les deux que c'est toi qui devrais mener l'accusation.

— Je te remercie de le dire.

— Bon, tu remontes la voir et tu nous la prépares. La semaine prochaine ? À ce moment-là, nous devrions avoir les dates de comparution des témoins et tu pourras lui dire à quel moment nous la ferons venir.

— D'accord.

— En attendant, comment s'annonce ton week-end ? Il faut qu'on élabore une réponse à ce truc, dis-je en lui montrant la requête de la défense sur mon bureau.

— Eh bien, Harry m'a enfin trouvé une place pour accompagner le SRS demain soir. Et il va venir, lui aussi… je crois que sa fille doit aller dormir chez des copines. En dehors de ça, je ne bouge pas.

— Pourquoi veux-tu donc passer tout ce temps à observer Jessup ? Les flics s'en occupent.

— Comme je te l'ai déjà dit, je veux le voir là-bas à un moment où il ne se sait pas surveillé. J'aimerais que tu viennes, toi aussi, mais tu as Hayley.

— Pas question de perdre mon temps. Peux-tu donner une copie de la requête de Royce à Bosch quand tu le verras ? On va avoir besoin de lui pour retrouver certains de ces témoins et leurs dépositions. Ils ne sont pas tous référencés dans le dossier d'échange des pièces que nous a passé Royce.

— Il a bien joué le coup. Il ne les porte pas sur sa liste tant qu'ils ne se pointent pas. Si le juge Champagne lui flingue sa requête en disant que la crédibilité de Gleason est à débattre par les jurés, il reviendra à la charge avec une liste amendée et nous sortira : « D'accord, j'ai donc besoin de leur présenter ces messieurs et dames pour établir sa crédibilité. »

— Et Champagne ne pourra pas faire autrement que de l'y autoriser, fis-je remarquer. Sinon elle sera en contradiction avec les règles qu'elle a énoncées. Astucieux, le Clive. Il sait ce qu'il fait.

— Oui, bon, je vais en faire passer une copie à Harry, mais je crois qu'il travaille toujours sur ces vieux dossiers.

— Aucune importance. La priorité, c'est le procès. Il nous faut le passé complet de ces individus. Tu t'en occupes avec lui ou tu veux que je m'en charge ?

Lorsque nous nous étions réparti les tâches de l'avant-procès, je lui avais confié la responsabilité de préparer les témoins de la défense. Tous sauf Jessup. Qu'il témoigne et il serait toujours à moi.

— Je lui en parlerai, dit-elle.

Habitude que je lui connaissais, elle fronça les sourcils.

— Quoi ? lui demandai-je.

— Rien. Je réfléchissais juste à la manière de m'y prendre. Je pense déposer une requête *in limine* de façon à limiter Royce dans ses accusations. Nous argumenterons que tout ce qui s'est passé dans la vie de Sarah entre l'enlèvement et maintenant n'a rien à voir avec sa crédibilité si l'identification qu'elle fait de Jessup aujourd'hui correspond à celle qu'elle a fait autrefois.

Je fis non de la tête.

— Je te renverrais que tu violes le droit de mon client à reprendre l'accusation en contre, et c'est un droit garanti par le sixième amendement à la Constitution. Il se peut que Champagne mette des limites à tout ça s'il y a trop de répétitions, mais ne compte pas sur elle pour interdire cette manœuvre.

Elle fit la moue en reconnaissant que j'avais raison.

— Mais ça vaut quand même le coup d'essayer, repris-je. Tout vaut le coup. En fait, ce que je veux, c'est noyer Royce sous la paperasse. Collons-lui un bel annuaire dans les pattes.

Elle me regarda et sourit.

— Quoi ?

— J'aime bien quand tu es tout vertueux et en colère.

— Tu n'as encore rien vu.

Elle se détourna avant que ça n'aille plus loin.

— Où veux-tu qu'on s'installe ce week-end ? demanda-t-elle. N'oublie pas que tu as Hayley. Elle ne va pas aimer si nous travaillons tout le temps.

Je fus bien obligé de réfléchir un instant à la question. Hayley adorait les musées. À tel point que je commençais à en avoir assez de toujours visiter les mêmes. J'allais devoir chercher s'il n'y avait pas un nouveau film à voir.

— Amène-la le matin et prépare-toi à travailler ta réponse. On pourrait peut-être faire un échange. Je l'emmène au cinéma l'après-midi et toi, tu vas faire ton truc avec le SRS plus tard. On trouvera un moyen.

— OK, marché conclu.

— Ou alors…
— Ou alors quoi ?
— Tu pourrais me l'amener ce soir et on pourrait se faire un petit dîner pour fêter ses encouragements. On pourrait même peut-être travailler un peu sur ce truc.
— Et je passe la nuit chez toi, c'est ça ?
— Bien sûr. Si tu veux…
— Tu peux toujours rêver, Haller.
— Mais c'est ce que je fais.
— À propos… c'étaient les félicitations, Haller. Tu ferais bien de ne pas te tromper quand tu la verras ce soir.
Je souris.
— Ce soir ? C'est vrai ?
— Je crois, oui.
— Alors ne t'inquiète pas. Ce sera un sans-faute.

Chapitre 22

Samedi 20 mars – 20 heures

Bosch ayant mentionné qu'un procureur voulait accompagner l'équipe de surveillance du SRS, le lieutenant Wright s'était arrangé pour être de service le samedi soir et conduire la voiture assignée aux visiteurs. Il avait été convenu de les prendre sur un parking public de Venice, à six rues de la plage. Bosch y retrouva McPherson et passa un appel radio à Wright pour lui dire qu'ils étaient prêts et l'attendaient. Un quart d'heure plus tard, un SUV blanc les rejoignait au parking. Bosch laissa le siège de devant à McPherson et monta à l'arrière. Et ce n'était pas qu'il aurait été chevaleresque. La banquette arrière était longue et lui permettrait de s'allonger pendant les longues heures de cette nuit de surveillance.

— Steve Wright, lança le lieutenant en tendant la main à McPherson.

— Maggie McPherson. Merci de me laisser vous accompagner.

— Pas de problème. Nous aimons toujours beaucoup que le Bureau du district attorney s'intéresse à nous. Espérons que cette nuit ne vous décevra pas.

— Où est Jessup en ce moment ?

— Quand je suis parti, il était au Brig, dans Abbot Kinney Boulevard. Il aime bien les endroits où il y a beaucoup de monde, ce qui est bon pour nous. J'ai deux ou trois gars à l'intérieur et quelques autres à l'extérieur. On commence à s'habituer à son rythme. Il entre quelque part, attend qu'on le reconnaisse et qu'on commence à lui payer des coups, puis il passe à autre chose… assez vite s'il n'est pas reconnu.

— Je dois être plus fascinée par ses expéditions nocturnes que par ses routines de buveur.

— Ce n'est pas une mauvaise chose qu'il passe du temps à boire, lança Bosch à l'arrière. Il y a un lien de cause à effet. Les soirs où il ingère de l'alcool sont généralement ceux où il monte à Mulholland.

Wright acquiesça en hochant la tête et dirigea le SUV vers la sortie. Wright était parfait pour le travail de surveillance car il n'avait absolument rien d'un flic. Lunettes, la cinquantaine bien sonnée, le front qui se dégarnit et toujours deux ou trois stylos dans sa poche de chemise, il ressemblait à un comptable. Mais cela faisait plus de vingt ans qu'il était au SRS et il avait pris part à plusieurs des tirs mortels de ce détachement. Tous les cinq ans ou à peu près, le *Times* sortait un article sur le SRS, habituellement pour analyser le nombre des morts qu'il avait faits. Dans le dernier, Bosch se rappelait avoir lu que Wright y était décrit comme « le chef le moins vraisemblable des porte-flingues du SRS ». Si les journalistes et rédacteurs à l'origine de ce papier y voyaient une condamnation, Wright, lui, le trouvait tout à son honneur. Il avait même fait imprimer ce commentaire juste sous son nom sur sa carte de visite professionnelle. Entre guillemets, bien sûr.

Il descendit Abbot Kinney Boulevard et longea le Brig, cet établissement étant situé dans un bâtiment de un étage du côté est de la rue. Il traversa encore deux carrefours avant de faire demi-tour. Il remonta la rue en sens inverse et s'arrêta le long du trottoir, devant une bouche d'incendie, à quelques maisons du bar.

L'enseigne lumineuse représentait un boxeur sur le ring, ses gants rouges levés bien haut et prêts à frapper. L'image ne collait pas vraiment avec le nom de l'établissement[1], mais Bosch connaissait l'histoire. Il avait vécu dans le quartier, plus jeune. Il savait que l'enseigne avait été installée par un propriétaire qui avait racheté l'affaire. Ancien boxeur à la retraite, celui-ci avait décoré l'intérieur du bar dans le style salle de boxe. Et avait aussi monté le panneau à l'extérieur. Il y avait encore sur le côté du bâtiment une peinture murale représentant le boxeur et sa femme, l'un et l'autre ayant disparu depuis longtemps.

— Ici Cinq. Où en est-on ? lança Wright dans le micro accroché au pare-soleil devant lui.

Bosch savait qu'il y avait un bouton sur le plancher pour l'enclencher. Le haut-parleur se trouvait sous le tableau de bord. La façon dont la radio était montée dans les voitures permettait aux flics de surveillance d'avoir les mains libres pour conduire et, plus important encore, de sauvegarder leur couverture. Parler dans un micro manuel trahissait son flic à tous les coups.

— Ici Trois, lui répondit une voix. Retro est toujours là avec Un et Deux.

— Reçu cinq sur cinq.

— « Retro » ? répéta McPherson.

---

1. *Brig* signifie « brick » en anglais.

— C'est le nom qu'on lui a donné. Nos fréquences sont tout en bas de la bande passante et listées comme canaux DWP[1] au registre de la FCC[2], mais on ne sait jamais qui pourrait écouter. Nous ne prononçons jamais les noms de lieux ou de personnes quand nous communiquons.

— Compris.

Il n'était même pas encore 21 heures. Bosch ne s'attendait pas à ce que Jessup quitte le Brig avant longtemps, surtout s'il y avait des clients pour lui payer des verres. Ils s'installèrent, Wright ayant l'air d'apprécier McPherson au point de lui détailler les procédures suivies et de l'initier à l'art de la surveillance de haut niveau. Il n'était pas impossible que ça la rase, mais elle n'en laissait rien paraître.

— Vous voyez, dès que nous avons établi les rythmes de vie et la routine de l'individu, nous pouvons réagir nettement mieux. Prenez cet endroit… Le Brig est un des deux ou trois établissements que Retro fréquente de manière plus ou moins régulière. Nous avons assigné des bars différents à certains de nos gars de façon à ce qu'ils puissent y entrer quand il y est et avoir l'air de types qui y passent sans arrêt. Les deux gars que j'y ai maintenant y viennent toujours. Il y en a deux autres au Townhouse et deux autres encore au James Beach. C'est comme ça que ça marche. Si Retro les remarque, il se dira que c'est parce qu'il les y a déjà vus et qu'ils fréquentent l'endroit de manière régulière. Mais si

1. Department of Water and Power, organisme de Los Angeles chargé de la vente des fibres optiques.

2. Federal Communications Commission, organisme du gouvernement fédéral chargé de réguler le fonctionnement des ondes.

jamais il voyait le même mec dans deux endroits différents, il commencerait à se poser des questions.

— Je comprends, lieutenant. Ça m'a l'air d'être une manière intelligente de procéder.

— Appelez-moi Steve.

— D'accord, Steve. Et vos gars à l'intérieur, ils peuvent communiquer entre eux ?

— Oui, mais ils sont sourds.

— « Sourds » ?

— Nous avons tous des micros. Vous savez bien… comme le Secret Service[1]. Mais nous ne mettons jamais nos oreillettes quand nous travaillons dans un endroit du genre bar. Trop évident. Mes gars signalent donc leur position dès qu'ils peuvent, mais ils n'ont pas de retour à moins de prendre le récepteur qu'ils ont sous le col et de se le mettre dans l'oreille. Malheureusement, ce n'est pas comme à la télé, où les types se collent leur truc dans l'oreille sans qu'on voie le moindre fil.

— Compris. Et vos types boivent-ils vraiment quand ils font de la surveillance dans un bar ?

— Un de nos gars qui commanderait un Coca ou un verre d'eau dans un endroit comme ça se ferait immédiatement remarquer. Et donc, oui, ils commandent de l'alcool. Mais après, ils le font durer. Heureusement pour nous, Retro adore les endroits bondés. Ça aide à nous couvrir.

Pendant qu'ils continuaient de papoter à l'avant, Bosch sortit son portable et se lança lui aussi dans ce qu'on pourrait qualifier de papotage : il se mit à envoyer des textos à sa fille. Il savait qu'il y avait plu-

1. Corps de police chargé de la protection du président des États-Unis.

sieurs paires d'yeux pour surveiller le Brig et d'autres encore pour observer Jessup, mais toutes les deux ou trois secondes, il ne pouvait s'empêcher de lever la tête et de regarder la porte du bar.

Comenva ? Tutamuz ?

Madeline passait la nuit chez sa copine Aurora Smith. Ce n'était qu'à quelques maisons de chez lui, mais il ne serait pas tout près d'elle si elle avait besoin de lui. Plusieurs minutes s'écoulèrent avant qu'elle ne consente à répondre. Mais ils avaient passé un accord. Elle devait répondre à ses appels et à ses textos ou sa liberté – ce qu'elle appelait sa « laisse » – serait plus surveillée.

Toubaigne palapeine vérifier
Si Je suis ton père Ne te couche pas trop tard
OK

Et tout fut dit. Le raccourci d'une enfant dans une relation elle aussi raccourcie. Bosch savait qu'il avait besoin d'aide. Il y avait trop de choses qu'il ignorait. À certains moments, tout semblait aller bien entre eux et tout paraissait parfait. À d'autres, il était sûr qu'elle allait ouvrir la porte et fuguer. Vivre avec sa fille avait fait grandir son amour pour elle au-delà de tout ce qu'il croyait possible. Penser à sa sécurité et espérer qu'elle soit heureuse lui envahissait l'esprit à tout moment. Vouloir lui rendre la vie meilleure et lui faire oublier son passé lui donnait parfois de véritables douleurs dans la poitrine. Il n'empêche : la main qu'il lui tendait de l'autre côté de l'allée centrale de la cabine ne semblait jamais l'atteindre. L'avion partait dans tous les sens et Bosch n'arrêtait pas de rater la main de sa fille.

Il rangea son portable et jeta encore une fois un coup d'œil à la porte du Brig. Une foule de fumeurs s'était massée devant. Pile à cet instant, une voix et le claquement sec de plusieurs boules de billard entrant en collision se firent entendre dans le haut-parleur de la radio.

— Il sort. Retro est en train de sortir.

— Ça me semble un peu tôt, dit Wright.

— Il fume ? demanda McPherson.

— Peut-être qu'il est juste…

— Pas qu'on aurait vu.

Bosch garda les yeux fixés sur la porte, que quelqu'un ouvrit bientôt. Un homme en qui, même de loin, il reconnut aussitôt Jessup en sortit et s'engagea sur le trottoir. Abbot Kinney Boulevard coupait Venice vers le nord-est. C'était par là qu'il se dirigeait.

— Où s'est-il garé ? demanda Bosch.

— Il ne s'est pas garé, répondit Wright. Il n'habite qu'à quelques rues d'ici. Il est venu à pied.

Ils observèrent en silence. Jessup traversa deux rues en longeant divers restaurants, cafés et galeries. Il y avait beaucoup de monde sur le trottoir. Presque tout était encore ouvert pour la soirée du samedi. Il entra au café de l'Abbot's Habit. Wright prit la radio et demanda à un de ses hommes d'y entrer, mais avant même que ça puisse se faire, Jessup en ressortait, un café à la main, et se remettait à marcher.

Wright démarra le SUV et se glissa dans la circulation qui partait en sens inverse. Il fit demi-tour deux rues plus loin pour être sûr que Jessup ne le voie pas si jamais il se retournait, et ne cessa de garder le contact radio avec les autres. Jessup était pris dans un filet invisible. Même s'il l'avait su, il n'aurait pu s'en échapper.

— Il rentre chez lui, lança une voix. Il va peut-être se coucher tôt pour une fois.

Abbot Kinney Boulevard, du nom de celui qui avait bâti Venice plus d'un siècle plus tôt, se changea en Brooks Avenue, qui croisait Main Street un peu plus loin. Jessup traversa Main et descendit une rue piétonne interdite aux voitures. Wright s'y attendait et demanda à deux équipes de rejoindre Pacific Avenue de façon à pouvoir le reprendre dès qu'il arriverait au bout de sa rue.

Puis il s'arrêta au croisement de Brooks Avenue et de Main Street et attendit qu'on lui signale l'arrivée de Jessup dans Pacific Avenue. Deux minutes s'étant écoulées, il commença à se sentir inquiet et décrocha la radio.

— Où est-il, les gars ?

Pas de réponse. Personne n'avait Jessup dans sa ligne de mire. Wright envoya vite quelqu'un dans la rue piétonne.

— Deux, tu y vas. Sers-toi du 23.

— Compris.

McPherson se tourna vers la banquette arrière, regarda Bosch, puis Wright.

— « Sers-toi du 23 » ? répéta-t-elle.

— Nous avons toute une palette de tactiques. Nous ne les détaillons pas en direct, dit-il en montrant quelque chose du doigt. Voici le 23.

Habillé d'un coupe-vent rouge, une boîte à pizza à la main, un type traversait Main Street pour entrer dans la voie piétonne de Breeze Avenue. Dans la voiture, tout le monde attendait. Enfin, la radio revint à la vie.

— Je ne le vois pas. J'ai fait toute la rue et il n'est…

Transmission coupée. Wright garda le silence. On attendit encore et la même voix revint, en un murmure.

— J'ai failli lui rentrer dedans. Il est sorti d'entre deux maisons. Il remontait la fermeture Éclair de sa braguette.

— OK. Il t'a logé ?

— Négatif. Je lui ai demandé le chemin de Breeze Court et il m'a dit qu'on était dans Breeze Avenue. Tout va bien. Il devrait arriver devant vous.

— Ici Quatre. On l'a. Il se dirige vers San Juan.

La quatrième voiture était un des véhicules que Wright avait postés dans Pacific Avenue. Jessup habitait dans un appartement de San Juan Avenue, entre Speedway et la plage.

Bosch sentit la tension commencer à redescendre. Le travail de surveillance était parfois dur à supporter. Jessup s'était faufilé entre deux maisons pour pisser un coup et cela avait suffi à déclencher une quasi-panique.

Wright réorienta les équipes vers le secteur de San Juan Avenue, entre Pacific Avenue et Speedway. Jessup entra dans l'appartement du premier étage où il habitait, les équipes se mettant rapidement en place. Le moment était venu de se remettre à attendre.

Les surveillances qu'il avait déjà effectuées avaient appris à Bosch que pour bien observer, il faut être à l'aise avec le silence. Et certaines personnes se sentent obligées de le remplir. Harry n'en avait jamais éprouvé le besoin et doutait fort qu'il en aille autrement pour les types du SRS. Il avait très envie de voir comment McPherson allait s'en débrouiller maintenant que Wright avait fini de lui expliquer les rudiments de la bonne surveillance et qu'il n'y avait plus rien d'autre à faire qu'attendre et regarder.

Il sortit son portable pour voir s'il avait loupé un texto de sa fille, mais non, son écran était vide. Il décida de ne pas la faire suer en l'appelant encore une fois et rangea son portable. Le coup de génie qu'il avait eu en donnant le siège de devant à McPherson allait enfin porter ses fruits. Il se retourna, étendit les jambes en travers de la banquette et s'allongea, le dos à la portière. McPherson lui jeta un coup d'œil par-dessus son épaule et sourit dans la pénombre de la voiture.

— Et moi qui vous prenais pour un gentleman ! dit-elle. En fait, vous vouliez juste vous vautrer à l'arrière !

Il sourit.

— Bien vu, dit-il.

Tout le monde se tut après ça. Bosch réfléchit à ce que McPherson lui avait dit lorsqu'ils attendaient que Wright vienne les prendre au parking. Elle avait commencé par lui donner une copie de la dernière requête de la défense, qu'il avait rangée dans le coffre de sa voiture. Elle lui avait demandé de se mettre à regarder de près les témoins et leurs déclarations afin de trouver des moyens de transformer leurs menaces en avantages pour l'accusation. Elle l'avait aussi informé que Haller et elle avaient passé toute la journée à mettre sur pied une réponse à la tentative de Royce d'empêcher Sarah Ann Gleason de témoigner. L'arrêt du juge sur ce point pouvait décider de l'issue du procès.

Il était toujours agacé de voir la justice et la loi être ainsi manipulées par des avocats astucieux. Dans le processus, ce qu'il faisait, lui, était pur. Il partait de la scène de crime et remontait les éléments de preuves jusqu'à l'assassin. Il y avait certes des règles à suivre, mais au moins la route était-elle claire les trois quarts du temps. Cela dit, une fois au tribunal, les choses prenaient une autre tournure. Les avocats se disputaient sur des questions d'interprétations, d'hypothèses et de procédures. Plus rien ne donnait l'impression d'avancer en ligne droite. La justice se transformait en labyrinthe.

Comment était-il possible, s'étonna-t-il, que le témoin d'un crime horrible n'ait pas le droit de témoigner contre l'accusé devant une cour de justice ? Cela faisait maintenant plus de trente-cinq ans qu'il était flic et il ne comprenait toujours pas comment fonctionnait le système.

— Ici Trois. Retro repart.

Bosch fut brutalement tiré de ses pensées. Quelques secondes plus tard, une autre voix donnait son rapport.

— Il est en voiture.

Wright reprit le commandement.

— OK, on est prêts à le filer. Un, vous allez au croisement de Maine et de Rose, deux, vous descendez vers Pacific Avenue et Venice. Tous les autres, vous ne bougez pas avant qu'on ait la direction qu'il a prise.

Quelques minutes plus tard, ils avaient leur réponse.

— Main Street, direction nord. Comme d'habitude.

Wright réorienta ses unités, la surveillance mobile soigneusement orchestrée commençant à suivre Jessup tandis que de Main Street, il passait à Pico et gagnait l'entrée de la 10.

Jessup partit alors vers l'est, puis s'engagea dans la 405 direction nord, cette voie étant pleine de voitures même à cette heure tardive. Comme il fallait s'y attendre, il filait vers les montagnes de Santa Monica. Les véhicules de surveillance allaient du SUV de Wright à une Mercedes noire décapotable en passant par deux camionnettes japonaises ordinaires et une berline Volvo avec deux vélos attachés à un porte-bicyclettes à l'arrière. La seule voiture qui manquait pour une surveillance pareille dans les Hollywood Hills était une hybride. Les équipes avaient recours à une tactique de surveillance appelée « le piège flottant ». Une voiture de part et d'autre de la cible, une devant et une derrière, toutes se déplaçant selon des rotations chorégraphiées. Faisant office de renfort à l'arrière du piège, le SUV de Wright était le flotteur.

Tout le long du chemin, Jessup resta à la limite de vitesse ou en dessous. L'autoroute arrivant enfin dans les hauteurs, Bosch regarda par sa fenêtre et vit le musée Getty apparaître dans la brume tel un château sur fond de ciel noir.

Wright, qui s'attendait à ce que Jessup se dirige vers ses destinations habituelles, ordonna à deux équipes de se détacher du piège flottant et de partir en avant. Il voulait qu'elles arrivent en haut de Mulholland avant Jessup. Il voulait aussi avoir une équipe munie de jumelles à vision nocturne dans Franklin Canyon Park avant que Jessup n'y fasse son entrée.

Fidèle à lui-même, celui-ci prit la sortie Mulholland et emprunta la route à deux voies qui serpente sur l'échine de la montagne. Wright expliqua que c'était là le moment le plus vulnérable de la surveillance.

— Il nous faudrait une abeille pour faire ça proprement tout là-haut, mais ça n'est pas compris dans le budget, dit-il.

— Une « abeille » ? répéta McPherson.

— Ça fait partie du code. Un hélicoptère. Ça ne ferait pas de mal d'en avoir un.

La première surprise de la nuit se produisit cinq minutes plus tard, au moment où Jessup longea Franklin Canyon Park sans s'arrêter. Wright rappela vite son équipe de base du parc tandis que Jessup continuait vers l'est.

Jessup emprunta Coldwater Canyon Boulevard sans ralentir, puis il passa par le belvédère au-dessus de Fryman Canyon. Et franchit le carrefour Mulholland-Laurel Canyon Boulevard, emmenant toute l'équipe de surveillance sur de nouvelles terres.

— Des chances qu'il nous ait logés ? demanda Bosch.

— Aucune, répondit Wright. Nous sommes trop bons. Il mijote quelque chose de nouveau.

Les dix minutes suivantes virent la filature se déplacer vers l'est et le col de Cahuenga. Le véhicule de commandement se trouvait très en arrière des voitures de surveillance, Wright et ses deux passagers devant désormais compter sur les rapports radio pour savoir ce qui se passait.

Une des voitures précédait celle de Jessup, toutes les autres restant en arrière. Celles-ci ne cessaient de se remplacer les unes les autres de façon à ce que l'agencement des phares change sans arrêt dans le rétro de Jessup. Enfin, un compte rendu radio arriva et Bosch s'avança sur sa banquette comme si être plus près de la source de ce renseignement pouvait rendre les choses plus claires.

— Il y a un stop et Retro a pris vers le nord. Il fait trop noir pour voir le panneau, mais j'ai dû rester dans Mulholland. C'était trop risqué. Au prochain croisement, je prends à gauche au stop.

— Reçu cinq sur cinq. À gauche, c'est entendu.

— Non, attendez ! s'écria Bosch d'un ton plein d'urgence. Dites-lui d'attendre !

Wright le regarda dans le rétroviseur.

— Qu'est-ce qu'il y a ? demanda-t-il.

— Il n'y a qu'un stop dans Mulholland. À Woodrow Wilson Drive. Je connais bien cette voie. Elle redescend en épingles à cheveux et retrouve Mulholland au feu de Highland. La voiture de tête pourrait le reprendre à cet endroit. Mais Woodrow Wilson est trop étroite. Si vous y envoyez une voiture, il y a des chances qu'il s'aperçoive qu'on le suit.

— Vous êtes sûr ?

— Oui, j'en suis sûr. Woodrow Wilson Drive, j'y habite.

Wright réfléchit un instant à ce renseignement, puis il reprit la radio.

— Annulez la route à gauche. Où est la Volvo ?

— On attend les ordres.

— OK, vous montez et prenez à gauche avec les deux vélos. Attention à la circulation en sens inverse. Et ouvrez l'œil pour notre gars.

— Entendu.

Le 4 × 4 de Wright arriva enfin au croisement. Bosch vit la Volvo garée sur le côté. Le porte-bicyclettes était vide. Wright se rangea pour attendre et vérifia le statut des équipes à la radio.

— Un… en position ?

— Oui. Nous sommes au feu en bas. Toujours aucun signe de Retro.

— Trois… en position là-haut ?

— Oui. Tout le monde attend l'appel.

— Comment ça ? demanda Bosch.

— Et les deux vélos ?

— Ils ont dû passer en mode sourd. Nous les entendrons dès qu'ils…

— Trois à l'appareil, lança une voix dans un murmure. On l'a. Il avait fermé les yeux et s'était endormi.

Wright traduisit pour ses passagers.

— Il a éteint ses phares et ne bouge plus.

Bosch sentit sa poitrine se serrer.

— Ils sont sûrs qu'il est dans sa voiture ?

Wright transmit la question par radio.

— Oui, on le voit. Il a une bougie allumée sur son tableau de bord.

— Trois ? Où êtes-vous exactement ?

— À peu près au milieu de Woodrow Wilson Drive. On entend l'autoroute.

Bosch se pencha entre les deux sièges avant.

— Demandez-lui s'il arrive à voir un numéro de maison sur le rebord du trottoir, dit-il.

Wright relaya la demande, presque une minute s'écoulant avant que la réponse lui revienne dans un chuchotement.

— Il fait trop noir pour voir les rebords de trottoir sans se servir d'une lampe torche. Mais il y a une lumière près de la porte de la maison devant laquelle il est garé. C'est une de ces baraques avec le cul en surplomb du col. D'ici, on lit quelque chose du genre 723.

Bosch se laissa lourdement retomber contre le dossier de la banquette. McPherson se tourna vers lui, Wright se servant du rétro pour le regarder.

— Vous connaissez cette adresse ? demanda ce dernier.

Bosch hocha la tête dans la pénombre.

— Oui, dit-il. C'est la mienne.

Chapitre 23

Dimanche 21 mars – 6 h 40

Ma fille aimait faire la grasse matinée le dimanche. D'habitude, je détestais perdre ainsi le temps que j'aurais pu passer avec elle. C'était quand je n'avais droit qu'aux mercredis et à un week-end sur deux. Mais ce dimanche-là, ce fut différent. Je fus content de la laisser dormir tandis que je me levais tôt pour me remettre à formuler une requête destinée à sauver la comparution de mon témoin principal. J'étais dans la cuisine et me versais ma première tasse de café de la journée quand j'entendis frapper à la porte d'entrée. Il faisait encore nuit dehors. Je jetai un œil par le judas avant d'ouvrir et fus soulagé de voir que c'était mon ex, avec Harry Bosch juste derrière elle.

Mais ce soulagement fut de courte durée. Dès que je tournai le bouton de porte, ils la poussèrent et je sentis tout de suite la mauvaise énergie entrer avec eux.

— On a un problème, lança Maggie.

— Qu'est-ce qu'il y a ? demandai-je.

— Ce qu'il y a, c'est que Jessup a campé devant chez moi ce matin, me répondit Bosch. Et moi, je veux savoir comment il a eu mon adresse et ce qu'il est en train de fabriquer, bordel de Dieu !

Il s'était trop approché de moi pour dire tout cela et je ne sus bientôt plus ce qui était le pire : son haleine ou le ton accusateur de ses paroles. Je ne savais pas trop ce qu'il pensait, mais compris que c'était de lui que montait toute cette mauvaise énergie. Je reculai d'un pas.

— Hayley dort encore, dis-je. Laissez-moi juste aller fermer la porte de sa chambre. Il y a du déca tout frais à la cuisine, mais je peux vous en préparer du plus corsé, si vous en avez besoin.

Je descendis le couloir et jetai un œil à ma fille. Elle était toujours au pays des rêves. Je fermai la porte en espérant que les bruits de voix qui allaient sûrement monter ne la réveillent pas.

Mes deux visiteurs étaient toujours debout quand je revins dans la salle de séjour. Ni l'un ni l'autre n'avait pris de café. Bosch se détachait sur la grande baie vitrée qui donne sur la ville – c'est cette vue qui m'avait fait acheter la maison. Déjà, des bandes de lumière s'immisçaient dans le ciel derrière ses épaules.

— Pas de café ? (Ils ne firent que me dévisager.) Bon d'accord, on s'assoit et on parle.

Je leur montrai le canapé et les fauteuils, mais Bosch semblait figé dans sa posture.

— Allez, insistai-je, essayons de comprendre ce qui se passe.

Je les dépassai et m'assis dans le fauteuil à côté de la fenêtre. Bosch se décida enfin à bouger. Il s'assit sur le canapé, près du sac à dos de lycéenne de Hayley. Maggie prit l'autre fauteuil. Et fut la première à parler.

— J'essaie de convaincre Harry que nous n'avons pas mis son adresse personnelle sur la liste des témoins.

— Évidemment que non ! Nous n'avons donné aucune adresse personnelle dans le dossier d'échange des preuves. Pour toi, j'ai donné deux adresses. Celle de ton bureau et celle du mien. J'ai même donné l'adresse générale du PAB. Et je n'ai même pas donné le numéro de ta ligne directe.

— Alors comment a-t-il fait pour trouver ma maison ? demanda Bosch, la voix encore pleine d'accusation.

— Écoute, Harry, tu me reproches un truc, mais je n'y suis pour rien ! Je ne sais pas comment il a fait, mais ça n'a pas dû être bien difficile. Parce que… enfin quoi ! On peut tout trouver sur le Net ! Ta maison est à toi ? Tu paies une taxe d'habitation, des factures d'eau, d'électricité… je parie même que tu t'es enregistré pour voter républicain, j'en suis sûr.

— Non, indépendant.

— Parfait. Ce que je veux dire, c'est que n'importe qui pourrait te retrouver. Sans compter que tu as un nom particulier. Tout ce qu'il y a à faire, c'est de…

— Tu leur as donné mon nom complet ?

— Bien obligé. C'est exigé par la loi et c'est ce qui a été donné dans les échanges de dossiers depuis le premier jour où tu as témoigné. Ce qui n'a d'ailleurs aucune importance. Tout ce dont Jessup avait besoin, c'était d'avoir accès à Internet et il a pu…

— Jessup est en prison depuis vingt-quatre ans. Il en sait moins sur le Net que moi. Il a forcément eu de l'aide et je te parie que c'est Royce qui est derrière.

— Écoute, ça, on n'en sait rien.

Il me décocha un regard appuyé, une lueur sombre passant dans ses yeux.

— Parce que maintenant tu le défends ? me lança-t-il.

— Non, je ne défends personne. Je te dis seulement qu'il ne faut pas tirer de conclusions hâtives. Jessup est une petite célébrité et a un colocataire. Et les célébrités obtiennent que les gens leur rendent service, non ? Alors, pourquoi ne pas se calmer et prendre un peu de recul ? Dis-moi ce qui s'est passé chez toi.

Bosch parut en rabaisser d'un cran, mais il était toujours tout sauf vraiment calme. Je m'attendais presque à le voir se lever et flanquer un crochet à une lampe ou trouer un mur d'un coup de poing. Dieu merci, ce fut Maggie qui me raconta toute l'histoire.

— On était à le surveiller avec le SRS. On pensait qu'il allait monter jusqu'à un des parcs qu'il visite depuis quelque temps. Au lieu de ça, il les a tous dépassés et a continué dans Mulholland. Quand on est arrivés dans la rue de Harry, on a été obligé de rester bien en arrière pour qu'il ne nous voie pas. Le SRS avait une voiture avec des vélos. Deux des gars les ont enfourchés et ont descendu la rue. Et ont trouvé Jessup assis dans sa voiture devant chez Harry.

— Putain de merde ! s'écria Bosch. J'ai ma fille avec moi maintenant. Si ce merdeux…

— Harry, pas si fort et fais attention à ce que tu dis ! Ma fille est de l'autre côté de ce mur. Bon et maintenant, revenons à l'histoire. Qu'a fait Jessup ?

Bosch hésita. Pas Maggie.

— Il est resté assis là, environ une demi-heure. Et il a allumé une bougie.

Une bougie ? Dans sa voiture ?

— Oui, sur son tableau de bord.

— Mais ça veut dire quoi, nom de Dieu ?

— Qui sait ?

Bosch ne put rester assis plus longtemps. Il bondit du canapé et se mit à faire les cent pas.

— Et au bout d'une demi-heure, il est parti et est rentré chez lui, dit Maggie. Point final. Nous arrivons de Venice.

Ce fut à mon tour de me lever et de me mettre à faire les cent pas, mais bien à l'écart de Bosch.

— Bon, réfléchissons un peu, dis-je. Essayons de comprendre ce qu'il fabriquait.

— Sans déconner ! Merci de ton aide, Sherlock ! m'envoya Bosch. Comme si c'était pas la question !

Je hochai la tête. Je l'avais cherché.

— Y a-t-il la moindre raison de penser qu'il sait ou croit être suivi ? demandai-je.

— Non, absolument pas, répondit-il aussitôt.

— Minute, n'allons pas trop vite sur ce point, dit Maggie. J'y ai pas mal réfléchi. Il y a eu une quasi-collision avec lui dans la soirée. Tu t'en souviens, Harry ? Dans Breeze Avenue ?

Il acquiesça d'un signe de tête et Maggie m'expliqua.

— On croyait l'avoir perdu dans une rue piétonne de Venice. Le lieutenant a donc envoyé un gars avec une boîte à pizza. Et Jessup est sorti d'entre deux maisons après avoir pissé un coup. On l'a échappé belle.

J'écartai les mains.

— Eh bien mais, c'est peut-être ça. Ça a peut-être suffi à créer le doute et il a décidé de voir s'il était suivi. Tu te montres devant la baraque de l'enquêteur principal et t'es sûr d'y attirer toutes les mouches si tu les as aux fesses.

— Tu veux dire… comme si c'était un test ? demanda Bosch.

— Exactement. Personne ne l'a abordé, hein ?

— Non, on l'a laissé tranquille, répondit Maggie. S'il était sorti de sa voiture, je pense que ç'aurait été une autre histoire.

J'acquiesçai.

— Bon, d'accord. Alors, ou bien c'était un test, ou bien il prépare quelque chose. Dans ce cas, il s'agissait probablement d'une mission de reconnaissance. Il voulait voir où tu habites.

Bosch s'arrêta de marcher et regarda par la fenêtre. Le ciel était maintenant complètement éclairé.

— Dans tout ça, fis-je remarquer, il y a une chose à garder présente à l'esprit : il ne faisait rien d'illégal. C'est une rue publique et le tribunal ne lui a imposé aucune restriction dans ses déplacements à l'intérieur du comté de Los Angeles. Ce qui fait que quelles qu'aient pu être ses intentions, c'est bien que vous ne l'ayez pas arrêté et ne vous soyez pas mis à découvert en le faisant.

Bosch était toujours à la fenêtre à nous tourner le dos. Je ne savais pas à quoi il pensait.

— Harry, lui dis-je. Je comprends tes inquiétudes et je les partage. Mais nous ne pouvons pas nous laisser distraire. Le procès n'est plus si loin et nous avons du pain sur la planche. Si nous arrivons à condamner ce mec, il ira en taule pour de bon et qu'il sache ou ne sache pas où tu habites n'aura plus aucune importance.

— Et qu'est-ce que je fais en attendant ? Je reste assis dans ma véranda toutes les nuits, un flingue sur les genoux ?

— Les gars du SRS le suivent vingt-quatre heures sur vingt-quatre, sept jours sur sept, non ? demanda Maggie. Tu leur fais confiance ?

Il mit longtemps à répondre.

— Oui, bon, ils ne le perdront pas de vue, c'est vrai, dit-il enfin.

Maggie me regarda et je vis l'inquiétude dans ses yeux. Nous avions tous une fille. Il n'était pas facile de faire confiance à qui que ce soit, y compris à ce qui se faisait de mieux dans le genre équipe de surveillance. Je repensai à quelque chose que j'envisageais depuis le début de la conversation.

— Et si tu venais vivre ici ? Avec ta fille ? Elle pourrait utiliser la chambre de Hayley parce qu'elle repart avec sa mère aujourd'hui. Et toi, tu pourrais avoir le bureau. Il est équipé d'un canapé-lit où j'ai passé bien des nuits. Même qu'il est confortable.

Bosch se détourna de la fenêtre et me regarda.

— Quoi ? Rester ici jusqu'à la fin du procès ?

— Pourquoi pas ? Nos filles auraient enfin l'occasion de se rencontrer !

— C'est une bonne idée, dit Maggie.

Parle-t-elle de la rencontre entre les deux filles ou de la possibilité que Bosch et sa fille s'installent chez moi ?

— Et puis écoute, moi, je suis ici tous les soirs, ajoutai-je. Si jamais tu devais accompagner le SRS, ta fille serait tranquille, surtout quand Hayley serait là.

Bosch réfléchit pendant quelques instants, mais finit par refuser d'un hochement de tête.

— Non, dit-il, je peux pas faire ça.

— Pourquoi ?

— Parce que c'est chez moi. C'est ma maison. Il n'est pas question que je fuie ce mec. C'est lui qui me fuira.

— Et votre fille ? lui lança Maggie. Pensez à votre fille, Harry. Ne la laissez pas courir de risques.

— Écoutez, si Jessup a mon adresse, il est probable qu'il ait aussi celle-ci. Emménager chez toi n'est pas la solution. C'est juste… le fuir. Et c'est peut-être ça, son test : voir ce que je vais faire. Et donc, je ne fais rien. Je ne bouge pas de chez moi. J'ai le SRS et s'il revient, même s'il ne fait que monter sur le trottoir devant chez moi, je l'attendrai.

— Ça ne me plaît pas, dit Maggie.

Je songeai à ce que venait de dire Bosch, à savoir que Jessup avait probablement aussi mon adresse.

— Non, moi non plus, je n'aime pas trop, dis-je.

Chapitre 24

Mercredi 31 mars – 9 heures

Bosch n'avait pas besoin de passer au tribunal. De fait, sa présence n'y serait nécessaire qu'après la sélection des jurés et le début véritable du procès. Mais il tenait à voir de près le type qu'il filait de loin avec le SRS. Il voulait voir quelle serait sa réaction quand ce serait à lui de le découvrir. Un mois et demi s'était écoulé depuis la longue journée qu'ils avaient passée dans la voiture de patrouille pour descendre de la prison de San Quentin. Et Bosch éprouvait le besoin d'être plus près de lui que ne le lui permettait l'équipe de surveillance du SRS. Cela ne pouvait que l'aider à tenir les feux poussés au maximum.

***

L'affaire se présentait comme une conférence de mise en état. Le juge Breitman voulait statuer sur toutes les dernières requêtes et questions avant d'entamer la sélection des jurés dès le lendemain et de pouvoir passer au procès sans accroc. Il y avait des problèmes de calendrier et de jurés à discuter, la liste des pièces à conviction retenues par chacune des parties devant elle aussi être versée aux débats.

L'équipe de l'accusation avait toutes ses munitions. La quinzaine de jours précédente avait vu Haller et McPherson affûter et lisser le dossier, procéder à des revues détaillées des témoins et réexaminer toutes les pièces à charge. Ils avaient soigneusement chorégraphié les diverses manières dont ils présenteraient les éléments de preuves remontant à vingt-quatre ans. Ils étaient prêts. L'arc était bandé et la flèche prête à partir.

Jusqu'à la décision de demander la peine de mort qui avait été prise, enfin… plutôt annoncée. Officiellement, Haller l'avait retirée – dès le début, Bosch s'était dit que la façon dont il avait joué le coup pour faire peur à Jessup n'était que posture. Haller était par nature un avocat de la défense et il n'y avait pas moyen de lui faire sauter le pas. Que Jessup soit reconnu coupable des charges retenues contre lui et il écoperait de la prison à vie sans possibilité de remise en liberté conditionnelle, et il faudrait y voir un châtiment suffisant pour le meurtre de Melissa Landy.

Bosch lui aussi était prêt. Il avait repris toute l'enquête à fond et localisé les témoins qui seraient cités à comparaître. Sans cesser d'accompagner le SRS dans toute la mesure du possible, à savoir toutes les nuits où sa fille allait dormir chez des copines ou se retrouvait sous la surveillance de Sue Bambrough, l'adjointe du principal. Il était prêt à jouer son rôle et avait aidé Haller et McPherson à tenir le leur. On avait confiance et c'était là une raison supplémentaire pour qu'il soit dans la salle. Il voulait voir ce truc démarrer enfin.

Le juge Breitman entrant dans le prétoire, la cour se déclara en audience à 9 heures et quelques. Bosch s'était posé sur une chaise tout contre la barrière, juste derrière la table de l'accusation, où Haller et McPherson s'étaient installés côte à côte. Ils lui avaient suggéré de tirer une chaise et de s'asseoir avec eux, mais il voulait se tenir en retrait. Il voulait pouvoir observer Jessup par-derrière et il y avait aussi que les deux procureurs dégageaient un peu trop d'angoisse à son goût. Le juge allait ainsi décider si oui ou non Sarah Ann Gleason aurait le droit de témoigner contre Jessup. Comme l'avait déclaré Haller la veille au soir, il n'y avait que ça qui comptait. S'ils se voyaient refuser Sarah comme témoin, le procès serait sûrement perdu.

— Pour les minutes du procès « État de Californie contre Jessup » bis ! lança le juge en prenant sa place. Bonjour à tous.

Un chœur de « bonjour ! bonjour ! » lui ayant été aussitôt renvoyé, elle passa immédiatement aux choses sérieuses.

— Demain, reprit-elle, nous entamerons la sélection des jurés, après quoi nous irons au procès. C'est donc aujourd'hui que nous allons pour ainsi dire... nettoyer le garage de façon à pouvoir enfin y faire entrer la voiture. L'heure est venue de statuer sur toutes les requêtes, dernières et pendantes. Présentation des pièces à conviction, des autres éléments de preuves... c'est le moment de parler. Nous avons un certain nombre de requêtes à examiner et c'est par elles que je vais commencer. Celle de l'accusation tendant à contrecarrer celle de la défense qui voulait autoriser l'accusé à se servir de maquillage pour dissimuler ses tatouages est rejetée. Nous en avons déjà longuement débattu et je ne vois aucune raison d'en rediscuter.

Bosch regarda Jessup. Son angle de vue étant serré, il ne pouvait pas voir son visage, mais il le vit bien hocher la tête pour approuver la première décision du juge.

Breitman passa ensuite en revue toute une liste de requêtes mineures émanant des deux parties. Comme elle semblait décidée à faire plaisir à l'une comme à l'autre, aucune n'en sortit clairement favorite. Bosch constata que McPherson notait méticuleusement chacune de ses décisions dans un grand bloc-notes.

Tout cela n'était que montée en puissance jusqu'à la grande décision du jour. Sarah devant être le témoin qu'elle interrogerait pendant le procès, McPherson avait présenté ses arguments contre la requête de la défense deux jours auparavant. Bosch n'avait pas assisté à l'audience, mais Haller lui avait dit que McPherson avait argumenté pendant près d'une heure et bien présenté sa réponse à la requête en invalidation de la défense. Elle avait ensuite appuyé le tout par un mémo de quelque dix-huit pages. L'accusation croyait en son argumentation, mais personne de l'équipe ne connaissait assez bien le juge Breitman pour être sûr de la manière dont elle allait statuer.

— Venons-en maintenant, lança alors cette dernière, à la requête de la défense tendant à exclure Sarah Ann Gleason comme témoin de l'accusation. La question ayant été discutée et m'ayant été soumise par les deux parties, la cour est prête à rendre son verdict.

— Madame le juge, dit Royce en se levant à la table de la défense, puis-je être entendu ?

— Maître Royce, je ne vois nul besoin d'argumenter davantage. Vous avez déposé votre requête et je vous ai autorisé à répondre aux arguments de l'accusation. Y aurait-il donc besoin d'en dire davantage ?

— Non, madame le juge, répondit Royce en se rasseyant et laissant dans le noir ce qu'il avait envie d'ajouter à ses attaques contre Sarah Gleason.

— La requête de la défense est rejetée, s'empressa aussitôt d'ajouter Breitman. Je laisserai à la défense toute latitude pour interroger le témoin de l'accusation et faire comparaître ses propres témoins pour éclairer les jurés sur la question de la crédibilité de Mme Gleason. Je crois en effet que la crédibilité et la fiabilité de ce témoin posent des problèmes que les jurés devront résoudre.

Un grand silence s'abattit sur la salle d'audience comme si tout le monde y retenait son souffle. Aucune réaction ne se fit jour aussi bien à la table de l'accusation qu'à celle de la défense. C'était encore une décision mi-chèvre mi-chou, Bosch le savait, les deux parties étant probablement satisfaites d'en tirer chacune quelque chose. Gleason ayant l'autorisation de témoigner, le dossier de l'accusation était solide, mais le juge allait laisser Royce faire feu de tout bois contre Sarah. Tout reposait donc sur la capacité de cette dernière à tenir la distance.

— Et maintenant, j'aimerais passer à la suite, reprit le juge Breitman. Nous allons donc commencer par parler de la sélection des jurés et du calendrier, à la suite de quoi nous statuerons sur la question des éléments de preuves à retenir.

Elle se mit aussitôt en devoir de détailler la façon dont allait se dérouler le processus de sélection. Chacune des deux parties aurait certes le droit d'interroger les jurés potentiels, mais elle ne permettrait pas qu'on dépasse une certaine limite de temps. Elle voulait imprimer un élan à cette phase de la procédure, et tel qu'il se retrouve dans le procès lui-même. Elle imposa aussi une limite de douze récusations de témoin sans motivation et annonça qu'elle entendait choisir six remplaçants parce qu'elle avait coutume de vite repérer les jurés qui se conduisaient mal, arrivaient chroniquement en retard ou avaient l'audace de s'endormir pendant les témoignages.

— J'aime bien avoir une bonne réserve de suppléants parce qu'on en a généralement besoin, précisa-t-elle.

Le petit nombre de récusations sans motivation et le grand nombre de suppléants suscita pas mal d'objections tant côté défense que côté accusation. Breitman finit par leur concéder deux récusations sans motivation de plus, mais avertit tout le monde qu'elle ne permettrait pas que la sélection des jurés s'enlise.

— J'entends que cette phase soit terminée vendredi soir. Si vous me ralentissez, je vous ralentirai moi aussi. Et je retiendrai tout le monde jusque tard dans la nuit si j'y suis contrainte. Je veux que les déclarations préliminaires commencent dès lundi matin. Des objections ?

Les deux parties semblaient dûment intimidées par ces propos. Il était clair qu'elle ne laissait le commandement des opérations à personne d'autre qu'elle dans son prétoire. Elle passa ensuite au calendrier et déclara que les témoignages commenceraient tous les matins à 9 heures pile et se poursuivraient jusqu'à 17 heures avec une interruption de quatre-vingt-dix minutes pour le repas de midi et des pauses d'un quart d'heure le matin et l'après-midi.

— Cela nous laisse six bonnes heures de témoignages par jour, reprit-elle. Pour moi, si on va plus loin, les jurés commencent à se désintéresser de ce qui se passe. Bref, j'en resterai à six heures par jour. À vous d'être ici chaque matin, prêts à démarrer aussitôt que je franchirai la porte de ce prétoire à 9 heures. Des questions ?

Il n'y en eut pas. Elle demanda alors à chacune des parties d'estimer le temps qu'il leur faudrait pour présenter leurs dossiers. Haller lui répondit qu'il ne lui faudrait pas plus de quatre jours, tout dépendant du temps passé par la partie adverse à interroger ses témoins en contre. C'était déjà donner un coup de griffe à Royce et à la façon dont il prévoyait d'attaquer Sarah Ann Gleason. Royce déclara, lui, qu'il n'avait besoin que de deux jours. Le juge fit alors ses propres calculs, ajouta deux et quatre et arriva au résultat de cinq.

— Bien, je vous donne une heure chacun pour vos déclarations préliminaires lundi matin. Cela veut donc dire que nous terminerons la phase des témoignages vendredi après-midi et que nous passerons à vos conclusions le lundi suivant.

Personne n'éleva la moindre objection contre ses calculs. L'idée était claire : il fallait que ça déménage. Qu'on trouve des moyens d'abréger. Bien sûr, un procès est toujours assez mouvant et il y avait pas mal d'inconnues. Personne n'allait être tenu par ses promesses à cette audience, mais tous autant qu'ils étaient, les avocats savaient qu'ils pourraient souffrir certaines conséquences s'ils ne maintenaient pas une belle vélocité dans la présentation de leurs arguments.

— Venons-en enfin à la question des pièces à conviction et de l'électronique, reprit Breitman. Je poserai donc que chacune des parties a eu communication des listes de pièces présentées par l'adversaire. Des objections contre l'une d'entre elles ?

Haller et Royce se levèrent aussitôt, le juge faisant signe à Royce d'y aller.

— Commencez donc, maître Royce.

— Oui, madame le juge, la défense s'élève contre l'intention de l'accusation de projeter de nombreuses images du corps de Melissa Landy sur les écrans en hauteur de la salle d'audience. Cette pratique est non seulement barbare, mais aussi préjudiciable à mon client et propre à toute sorte d'exploitation.

Breitman pivota sur son fauteuil et regarda Haller, qui était toujours debout.

— Madame le juge, dit celui-ci, il est du devoir de l'accusation de montrer le corps de la victime. De montrer quel fut le crime qui nous réunit ici. La dernière chose que nous souhaitons est bien de porter préjudice à quiconque et d'exploiter les sentiments de chacun. J'accorde à maître Royce que la ligne rouge est facile à franchir, mais nous n'en avons nullement l'intention.

Royce revint à la charge.

— Cette affaire est vieille de vingt-quatre ans. En 1986, il n'y avait pas d'écrans en hauteur, ni non plus aucun de ces trucs hollywoodiens. Je pense que tout cela lèse le droit qu'a mon client d'avoir un procès équitable.

Haller avait lui aussi préparé son come-back.

— L'ancienneté de cette affaire n'a rien à voir avec cette question, mais la défense est parfaitement désireuse de présenter ces pièces à conviction comme elle l'aurait…

McPherson lui avait attrapé la manche pour l'interrompre. Il se pencha vers elle, qui lui murmura aussitôt quelque chose à l'oreille. Il se redressa dans l'instant.

— Je vous prie de m'excuser, madame le juge, je me suis mal exprimé. C'est l'accusation qui est plus que désireuse de présenter ces pièces aux jurés comme elles l'auraient été en 1986. Nous serions très heureux de leur distribuer des photos en couleurs, mais certaines conversations antérieures ont fait apparaître que la cour n'appréciait pas cette manière de procéder.

— En effet, dit Breitman, je trouve que donner ce genre de photos directement aux jurés est peut-être même plus préjudiciable à l'accusé et propre à certaines exploitations regrettables. Est-ce donc cela que vous souhaitez, maître Royce ?

— Non, madame le juge, sur ce point, je suis d'accord avec la cour. La défense essayait simplement de limiter le recours à ces photographies. Maître Haller en dénombre plus de trente qu'il aimerait projeter sur grand écran. Cela me paraît exagéré. C'est tout.

— Madame le juge, ce sont des photos du corps prises à l'endroit où il a été retrouvé et plus tard pendant l'autopsie. Chacune d'entre elles…

— Maître Haller, entonna le juge, permettez que je vous arrête tout de suite. Les photos de scène de crime sont recevables tant qu'elles fondent un raisonnement et appuient un témoignage. Mais je ne vois aucun besoin de montrer aux jurés les clichés d'autopsie de cette pauvre fillette. Et nous ne le ferons pas.

— Bien, madame le juge, dit Haller en restant debout tandis que Royce se rasseyait avec sa petite victoire.

Puis Breitman reprit la parole tout en écrivant quelque chose.

— Maître Haller, dit-elle, avez-vous des objections à opposer à la liste des pièces à conviction retenues par maître Royce ?

— Oui, madame le juge, la défense y a inclus divers instruments propres à la consommation de drogue que Mme Gleason aurait possédés jadis. Plus certaines photos et vidéos de Mme Gleason. Il n'a pas été donné à l'accusation la possibilité d'examiner ces pièces, mais nous pensons qu'elles soulignent un point que nous concéderons lors du procès et sur lequel nous ferons toute la lumière lorsque nous interrogerons ce témoin. À savoir qu'à une époque de sa vie, notre témoin a effectivement consommé de la drogue de manière régulière. Nous ne voyons pas l'utilité de montrer des photos où on la voit y avoir recours, ni non plus les pipes au moyen desquelles elle ingérait ces substances. Cela ne ferait qu'échauffer les esprits et serait préjudiciable au témoin. Ces concessions de l'accusation étant faites, il n'est nul besoin de les montrer.

Royce se releva, prêt à y aller. Le juge lui donna la parole.

— Madame le juge, ces pièces sont d'une importance vitale pour la défense. Les poursuites engagées contre M. Jessup reposent sur le témoignage d'une droguée de longue date qui ne saurait se rappeler la vérité, et encore moins la dire. Ces pièces aideront les jurés à saisir à quel point et pendant combien de temps le témoin Gleason a eu recours à l'usage de drogues illicites.

Royce en avait fini, mais le juge gardait le silence en examinant la liste dressée par la défense.

— Bien, finit-elle par dire en mettant le document de côté. Vous avez tous les deux des arguments convaincants. Nous allons donc examiner ces pièces l'une après l'autre. Lorsque la défense voudra en montrer une, nous commencerons par en discuter hors de portée de voix des jurés. Et c'est à ce moment-là que je prendrai ma décision.

Les avocats se rassirent. Bosch faillit hocher la tête, mais il ne tenait pas à attirer l'attention du juge. Mais ça le rendait fou que Breitman n'ait pas rembarré la défense sur ce point-là. Vingt-quatre ans après avoir vu sa petite sœur se faire kidnapper dans le jardin de sa maison, Sarah Ann Gleason acceptait de témoigner sur cet instant d'une horreur cauchemardesque qui avait totalement changé le cours de sa vie. Et pour ce sacrifice et ses efforts, le juge n'allait pas s'opposer à la requête d'une défense qui voulait la détruire en donnant à voir les pipes en verre et autres engins dont elle s'était jadis servie pour échapper à ce qu'elle avait enduré ? Bosch ne trouvait pas cela équitable. Il ne lui semblait pas que cela ressemble à de la justice, même de loin.

L'audience prit fin peu après, toutes les parties remballant leurs affaires et franchissant les portes de la salle *en masse*[1]. Bosch, lui, resta en retrait, puis se glissa dans le groupe juste derrière Jessup. Il ne dit pas un mot, mais Jessup eut tôt fait de sentir sa présence et se retourna.

Et sourit d'un air satisfait en le voyant.

— Eh mais, inspecteur Bosch, s'écria-t-il, me suivriez-vous ?

— Je devrais ?

— Oh, on ne sait jamais. Comment va l'enquête ?

— Vous le saurez bien assez tôt.

1. En français dans le texte original.

— C'est vrai que je ne peux…

— Ne lui parlez pas !

C'était Royce. Il s'était retourné et avait remarqué la scène.

— Et vous, vous ne lui parlez pas non plus ! ajouta-t-il en montrant Bosch du doigt. Si vous continuez à le harceler, je me plains au juge.

Bosch leva les mains comme pour dire « mais je ne touche à rien ».

— Cool, maître. On papotait, rien de plus.

— Il n'y a pas de papotages quand il s'agit de la police.

Il tendit le bras, posa la main sur l'épaule de Jessup et le cornaqua loin de Bosch.

Une fois dans le couloir, ils gagnèrent le petit comité de journalistes et de cameramen qui les attendait. Bosch dépassa le groupe, mais se retourna juste à temps pour voir Jessup changer de visage. De l'éclat d'acier du prédateur, son regard était passé à celui de la victime blessée.

Les reporters se rassemblèrent vite autour de lui.

TROISIÈME PARTIE

À la recherche d'un vrai et juste verdict

Chapitre 25

Lundi 5 avril – 9 heures

Je regardai les jurés entrer en file indienne et prendre place sur les sièges qui leur avaient été assignés dans le box. Je les regardai de près, en me concentrant surtout sur leurs yeux. Pour voir comment ils regardaient l'accusé. On peut en apprendre beaucoup de cette manière, les regards qu'ils ont pouvant être furtifs ou appuyés, voire prolongés et qui jugent.

La sélection du jury s'était déroulée comme prévu. Nous avions liquidé le premier pool de quatre-vingt-dix jurés potentiels en une journée, mais n'en avions retenu que onze, les autres ayant été éliminés pour la connaissance de l'affaire qu'ils avaient acquise par les médias. Choisir dans le deuxième pool se révélant tout aussi difficile, ce n'avait été que vendredi soir à 17 h 45 que nous avions enfin trouvé nos dix-huit personnes.

J'avais mon plan des jurés devant moi et ne cessais de passer de leurs visages aux noms que j'avais inscrits sur mes Post-it pour essayer de me rappeler qui était qui. J'en avais déjà un bon nombre en mémoire, mais je voulais que leurs noms me viennent naturellement à l'esprit. Je voulais être capable de les regarder et de m'adresser à eux comme s'il s'agissait d'amis et de voisins.

Le juge Breitman avait pris sa place et était prêt à y aller à 9 heures pile. Elle avait commencé par demander aux avocats s'ils avaient de nouveaux problèmes ou questions pendantes à résoudre. Comme ils n'en avaient pas, elle avait fait entrer les jurés.

— Bien, nous sommes donc tous là, dit-elle. Je tiens à remercier tous les jurés et toutes les parties d'être à l'heure. Nous ouvrirons ce procès avec les déclarations préliminaires des avocats. Celles-ci ne devront pas être considérées comme des preuves, mais seulement comme…

Elle s'arrêta, les yeux fixés sur la dernière rangée du box des jurés. Une femme venait d'y lever timidement la main. Breitman la dévisagea longuement, puis vérifia son propre plan avant de lui répondre.

— Oui, mademoiselle Tucci ? Avez-vous une question ?

Je jetai un coup d'œil à mon plan. Numéro dix, Carla Tucci. C'était l'un des jurés dont je n'avais pas encore emmagasiné le nom dans ma mémoire. Une petite brunette un peu terne d'East Hollywood. Trente-deux ans et encore célibataire, elle travaillait comme réceptionniste dans un dispensaire. D'après mes codes couleur, elle pouvait être influencée par de fortes personnalités dans le jury. Ce qui n'était pas mauvais en soi. Tout dépendait si lesdites personnalités penchaient pour la condamnation ou pas.

— Je pense avoir vu quelque chose que j'aurais pas dû voir, dit-elle d'un ton effrayé.

Le juge Breitman pencha la tête un instant et je sus pourquoi. Elle n'arrivait pas à faire décoller son affaire. Nous étions prêts à y aller et voilà que le procès risquait de prendre du retard avant même que les déclarations liminaires soient portées aux minutes.

— Bien, essayons de régler ce problème rapidement, dit-elle. Je demande aux jurés de ne pas bouger. Tout le monde reste où il est pendant que Mlle Tucci, les avocats et moi-même retournons vite en mon cabinet pour voir de quoi il retourne.

Je me levai en regardant mon plan. Il y avait six suppléants. J'en avais trois en faveur de l'accusation, deux entre les deux, et un pour la défense. Si Tucci était récusée pour Dieu sait quelle raison de mauvaise conduite, son remplaçant serait choisi au hasard parmi les suppléants. Cela signifiait que j'avais plus de chances de la voir remplacée par un juré favorable à l'accusation et une sur six seulement de me retrouver avec quelqu'un qui penchait pour la défense. Je suivis le petit cortège jusqu'au cabinet du juge, songeai que la chance me souriait et décidai de faire tout mon possible pour que la demoiselle Tucci soit virée du jury.

Une fois dans son cabinet, le juge Breitman ne gagna même pas son bureau en espérant sans doute qu'il ne s'agisse que d'une question mineure n'entraînant qu'un petit retard. Nous nous regroupâmes au milieu de la pièce. Tous, sauf la sténo, qui s'assit sur le bras d'un fauteuil de façon à pouvoir faire son travail.

— Bien, dit le juge, à verser aux minutes. Mademoiselle Tucci, dites-nous, je vous prie, ce que vous avez vu qui vous inquiète.

Celle-ci baissa les yeux et resta les mains devant elle.

— J'ai pris le métro ce matin et l'homme assis en face de moi lisait le journal. Il le tenait bien haut et j'ai vu la une. Je ne voulais pas regarder, mais j'ai vu une photo de l'accusé et j'ai lu la manchette.

Breitman hocha la tête.

— C'est bien de Jason Jessup que vous parlez, n'est-ce pas ?

— Oui.

— Quel était le journal ?

— Le *Times*, je crois.

— Et que disait la manchette, mademoiselle Tucci ?

— *Nouveau procès, anciennes preuves contre Jessup.*

Je n'avais pas vu la version papier du *L. A. Times*, mais j'avais lu l'article en ligne. En se fondant sur les déclarations d'une source anonyme proche de l'accusation, le journaliste faisait apparaître que dans l'affaire Jason Jessup, il fallait s'attendre à ce que tout le procès tourne autour des éléments de preuves retenus lors du premier procès et repose lourdement sur l'identification fournie par la sœur de la victime. C'était Kate Salters qui avait signé l'article.

— Avez-vous lu l'article, mademoiselle Tucci ? lui demanda Breitman.

— Non, madame le juge, je ne l'ai vu qu'une seconde et quand j'ai aperçu la photo, je me suis détournée. Vous nous aviez dit de ne rien lire sur le procès. C'est juste que ça s'est retrouvé sous mon nez.

Breitman hocha la tête d'un air pensif.

— Bien, mademoiselle Tucci, dit-elle, pouvez-vous passer dans le couloir un instant ?

Elle sortit de la salle et le juge referma la porte.

— Cette manchette dit toute l'histoire, n'est-ce pas ? lança-t-elle.

Elle regarda Royce, puis moi, pour voir si l'un ou l'autre de nous deux allait déposer une requête ou faire une suggestion. Royce garda le silence. Je me dis qu'il voyait le juré n° 10 de la même façon que moi. Mais il se pouvait aussi qu'il n'ait pas envisagé les inclinations des six suppléants.

— Pour moi, le mal est fait, madame le juge, répondis-je. Elle sait qu'il y a déjà eu un procès. Tout individu ayant la moindre connaissance de base du système judiciaire sait qu'il n'y a pas de nouveau procès s'il n'y a pas eu condamnation. Elle sait donc que Jessup a déjà été reconnu coupable. Étant donné que le préjudice est en faveur de l'accusation, je pense qu'elle doit partir si l'on veut un procès équitable.

Breitman acquiesça d'un signe de tête.

— Maître Royce ?

— Je suis d'accord avec l'évaluation du préjudice de maître Haller, mais doute du désir qu'il a de se montrer équitable. Il veut seulement qu'elle soit récusée et remplacée par un juré tout ce qu'il y a de plus bigot.

Je souris et hochai la tête.

— Cela ne mérite même pas de réponse, lui renvoyai-je. Vous ne voulez pas la virer, ça ne me gêne pas.

— Sauf que ce n'est pas aux avocats de décider, fit remarquer Breitman.

Sur quoi elle rouvrit la porte et invita Mlle Tucci à revenir.

— Mademoiselle Tucci, dit-elle, je vous remercie de votre honnêteté. Vous pouvez retourner dans le box des jurés et rassembler vos affaires. Vous êtes récusée et pouvez vous présenter à la salle des jurés pour le signaler.

Tucci hésita.

— Ça veut dire que…

— Oui, malheureusement, vous êtes congédiée. Cette manchette vous a donné une connaissance de l'affaire que vous ne devriez pas avoir. Que vous sachiez maintenant que M. Jessup a déjà été jugé pour ces crimes est préjudiciable. Je ne puis donc pas vous garder au jury. Vous pouvez disposer.

— Je suis désolée, madame le juge.

— Moi aussi.

Tucci quitta le cabinet du juge les épaules affaissées et s'éloigna du pas hésitant de quelqu'un qu'on vient d'accuser d'un crime. La porte une fois refermée, Breitman nous regarda.

— Cela aura au moins le mérite d'envoyer le bon message aux autres jurés. Nous n'avons donc plus que cinq suppléants et nous n'avons même pas démarré. Mais nous voyons maintenant tous bien comment les médias peuvent peser sur ce procès. Je n'ai pas lu cet article, mais je vais le faire. Et si je trouve quelqu'un qu'on y cite dans mon prétoire, je vais être très très déçue. Et il y aura des conséquences pour tous ceux et toutes celles qui me déçoivent.

— Madame le juge, lança Royce. J'ai lu cet article ce matin et personne ici n'y est cité nommément, mais on y attribue le renseignement à une source proche de l'accusation. J'avais d'ailleurs l'intention de porter ce fait à votre attention.

Je hochai la tête.

— Et il n'y a pas plus vieille astuce que celle-là au répertoire ! m'écriai-je à mon tour. On conclut un marché avec un journaliste de façon à se cacher derrière l'article qu'il va écrire. Une source proche de l'accusation ? Elle est assise à moins d'un mètre cinquante de moi, de l'autre côté de l'allée centrale. Cela a sûrement dû suffire au journaliste.

— Madame le juge ! s'écria Royce. Je n'ai rien eu à voir…

— Nous ne faisons que retarder ce procès, dit Breitman en l'interrompant. Retournons en salle d'audience.

Nous y repartîmes en traînant les pieds. En réintégrant le prétoire, je jetai un coup d'œil dans l'assistance et y vis Salters, la journaliste, assise au deuxième rang. Je me détournai rapidement en espérant que le bref contact oculaire que j'avais eu avec elle n'ait rien révélé. Sa source, c'était moi. Mon but ? Trafiquer l'article – en donnant le ton de l'affaire – afin que la défense se sente trop en confiance. Je n'y avais pas vu un moyen de changer la composition du jury.

De retour à sa place, le juge Breitman inscrivit quelque chose dans un bloc-notes, puis elle se tourna vers les jurés qu'une fois encore elle mit en garde contre toute tentative de lire le journal ou de regarder les nouvelles à la télé. Puis elle s'adressa à la greffière.

— Audrey, dit-elle, le bol de bonbons, s'il vous plaît.

Celle-ci prit alors le bol rempli de petits bonbons acidulés enrobés de papier posé sur le comptoir devant son bureau, vida les bonbons dans un tiroir et l'apporta au juge. Qui arracha une page de son carnet de notes, la déchira en six morceaux et gribouilla quelque chose sur chacun d'eux.

— Je viens d'inscrire les nombres de un à six sur des morceaux de papier et vais maintenant choisir un suppléant au hasard pour remplacer le juré qui occupait le siège n° 10, dit-elle.

Elle plia ses bouts de papier et les laissa tomber dans le bol. Puis elle le fit tourner dans sa main et le leva au-dessus de sa tête. Et avec l'autre main elle en retira un morceau de papier, le déplia et le lut.

— Suppléant n° 6, annonça-t-elle. Pouvez-vous rejoindre le siège n° 10 avec toutes les affaires que vous pourriez avoir, s'il vous plaît ? Merci.

Je ne pus que m'asseoir et regarder. Âgé de trente-six ans, le nouveau n° 10 était un vieux figurant du cinéma et de la télé répondant au nom de Philip Kirns. N'être qu'un figurant signifiait sans doute qu'il n'avait pas encore rencontré le succès. Il prenait des petits boulots en arrière-plan pour joindre les deux bouts. Ce qui voulait dire qu'un jour après l'autre, il partait travailler et passait son temps assis à regarder ceux qui, eux, avaient réussi. Cela le plaçait du côté amer de l'abîme qui sépare les riches des déshérités. Et donc, le faisait pencher du côté de la défense : l'opprimé qui affronte le puissant. Je l'avais mis dans la catégorie des jurés en rouge et voilà que j'étais coincé avec lui.

Maggie me murmura à l'oreille tandis qu'assis à la table de l'accusation, nous regardions Kirns s'installer à sa nouvelle place.

— J'espère que tu n'as rien à voir avec cette histoire, Haller, me dit-elle. Parce que là, on vient juste de perdre un vote.

Je levai les mains en l'air comme pour dire « Moi ? Jamais de la vie ! », mais elle ne me donna pas l'impression de marcher.

Le juge se tourna complètement vers les jurés.

— Je crois que nous sommes enfin prêts à y aller, dit-elle. Nous allons donc commencer par les déclarations préliminaires des avocats. Elles ne doivent pas être prises pour des preuves. Elles ne servent qu'à donner la possibilité à l'accusation et à la défense de dire aux jurés ce que, selon eux, les éléments de preuves devraient montrer. Elles sont une manière de résumé de ce que vous pouvez compter voir et entendre pendant ce procès. Il reviendra ensuite aux avocats de vous présenter ces éléments et ces témoignages que vous aurez, vous, pour tâche d'évaluer pendant vos délibérations. Et… nous commencerons par l'accusation. Maître Haller ?

Je me levai et gagnai le pupitre placé entre la table de l'accusation et le box des jurés. Sans prendre ni bloc-notes ni cartes format 7 × 12 avec moi. Il me semblait important de me vendre aux jurés avant de leur vendre mon dossier. Et pour y arriver, je ne pouvais pas les lâcher des yeux. Je devais me montrer direct, ouvert et honnête d'un bout à l'autre de ma prestation. Sans même parler du fait que ma déclaration serait brève et irait droit au but. Je n'avais nul besoin de notes pour ça.

Je commençai par me présenter, puis je passai à Maggie. Je leur indiquai aussi Harry Bosch, qui avait pris place près de la rambarde derrière la table de l'accusation, et précisai qu'il s'agissait de mon enquêteur dans cette affaire. Et me lançai enfin dans les choses sérieuses.

— Nous sommes ici pour une seule raison, entonnai-je. Nous sommes ici pour parler à la place de quelqu'un qui ne peut plus le faire. C'est en effet en 1986 que la petite Melissa, alors âgée de douze ans, a été kidnappée dans son jardin. À peine quelques heures plus tard, son corps était retrouvé dans une benne à ordures, où on l'avait jeté comme un sac-poubelle. Et l'homme qui est accusé de cet horrible crime est assis là, devant vous, à la table de la défense.

Et je le montrai d'un doigt accusateur, exactement comme au fil des ans, les procureurs, les uns après les autres, l'avaient fait à mes clients. Montrer quelqu'un du doigt, même un assassin, me paraissait d'une rectitude morale malhonnête, mais cela ne m'empêcha pas d'y aller. Non seulement je le montrai du doigt, mais je n'arrêtai pas de le faire encore et encore tandis que j'avançais dans mon exposé en leur annonçant les témoins que j'allais appeler à la barre et ce qu'ils leur diraient et montreraient. Je procédai avec rapidité, en veillant à bien mentionner le témoin qui avait identifié le kidnappeur et à ne pas oublier les cheveux de la victime retrouvés dans la dépanneuse de Jessup. Puis je rassemblai tout cela pour terminer en beauté.

— C'est Jason Jessup qui a pris la vie de Melissa Landy ! m'écriai-je. Il s'est emparé d'elle dans le jardin de sa maison et l'a à jamais arrachée à sa famille et au monde. Il a posé sa main autour du cou de cette jolie fillette et a serré jusqu'à ce que la vie la quitte. Il lui a volé son passé et son avenir. Il lui a tout volé. Et le ministère public vous le prouvera au-delà de tout doute raisonnable.

Sur quoi je hochai la tête pour bien souligner cette promesse et regagnai mon siège. La veille, le juge nous avait demandé de ne pas traîner dans nos déclarations, mais elle fut quand même un peu surprise par la brièveté de la mienne. Il lui fallut un petit moment pour se rendre compte que j'en avais terminé. Puis elle demanda à Royce de se lever.

Comme je m'y attendais, il se prévalut du droit de ne parler que dans la deuxième partie du procès, à savoir dès que la défense commencerait à présenter sa version des faits. Le juge se retrouva obligé de revenir vers moi.

— Très bien, dit-elle. Maître Haller, appelez donc votre premier témoin.

Je regagnai le pupitre, cette fois avec des notes et des sorties d'imprimante. J'avais passé l'essentiel de la semaine précédant la sélection des jurés à préparer les questions que j'allais poser à mes témoins. L'ancien avocat de la défense que j'étais connaissait tout de l'art d'interroger en contre les témoins du ministère public et de mettre à mal les déclarations de l'accusation. Cela n'a rien à voir avec la tâche qui consiste à interroger un témoin de manière à fonder un raisonnement et à introduire des preuves à charge et des pièces à conviction. Je reconnais qu'il est nettement plus facile de démolir quelque chose que de le bâtir. Cela dit, dans cette affaire, c'était le bâtisseur que j'allais être et je m'y étais préparé.

— Le peuple appelle William Johnson, lançai-je.

Et je me tournai vers le fond de la salle. Pendant que je gagnais le pupitre, Bosch avait quitté le prétoire pour aller chercher Johnson dans une salle d'attente réservée aux témoins. Il revint avec son bonhomme en remorque. Petit et maigre, Johnson avait le teint acajou. Il avait cinquante-neuf ans, mais ses cheveux d'un blanc pur lui donnaient l'air plus âgé. Bosch lui fit franchir le portillon, puis il lui indiqua le box des témoins, l'huissier lui faisant vite prêter serment.

Je dois reconnaître que j'étais inquiet. J'éprouvais maintenant ce que Maggie avait tenté de me décrire plus d'une fois à l'époque où nous étions mariés. Elle appelait toujours ça « le fardeau de la preuve ». Pas la charge de la preuve juridique. Non, le fardeau psychique de savoir qu'on représente le peuple tout entier. J'avais toujours rejeté ses explications comme si elles n'avaient pour but que de la grandir. Pour moi, le procureur était toujours celui qui a le dessus. Le grand patron. Quel fardeau pouvait-il donc y avoir là-dedans ? Comme si cela pouvait se comparer à celui de l'avocat de la défense qui est seul à tenir la liberté d'un homme entre ses mains ? Je n'avais jamais compris ce qu'elle essayait de me dire.

Jusqu'à ce moment-là.

Mais là, ça y était. Et je le sentais. J'allais interroger mon premier témoin devant des jurés et j'étais tout aussi inquiet que lorsque j'avais défendu ma première affaire au sortir de l'école de droit.

— Bonjour, monsieur Johnson, lui dis-je. Comment allez-vous ?

— Bien, merci.

— Parfait. Pouvez-vous, monsieur, me dire comment vous gagnez votre vie ?

— Oui, monsieur. Je dirige l'entretien du théâtre El Rey de Wilshire Boulevard.

— Qu'entendez-vous par là ?

— Je m'assure que tout marche comme il faut et que ça va… de l'éclairage de la scène aux toilettes. Tout ça fait partie de mon travail. Vous inquiétez pas, je fais travailler les électriciens à l'éclairage et les plombiers aux toilettes.

Sa réponse fut accueillie par des sourires polis et quelques rires. Il parlait avec un léger accent des Caraïbes, mais la diction était claire et ses paroles compréhensibles.

— Depuis combien de temps travaillez-vous au El Rey, monsieur Johnson ?

— Ça va faire trente-six ans maintenant. J'ai commencé en 1974.

— Hou là, belle réussite ! Félicitations. Et vous dirigez l'entretien depuis tout ce temps ?

— Non, je suis monté en grade peu à peu. J'ai commencé comme homme à tout faire.

— J'aimerais attirer votre attention sur l'année 1986. Vous travailliez donc déjà au El Rey à cette époque, c'est bien ça ?

— Oui, monsieur. J'étais homme à tout faire.

— Bien, et vous rappelez-vous la date du 16 février de cette année-là ?

— Oui.

— C'était un dimanche.

— Oui, je me rappelle.

— Pouvez-vous dire pourquoi à la cour ?

— C'est le jour où j'ai trouvé le corps d'une petite fille dans la benne à ordures, derrière le théâtre. Ç'a été un jour terrible.

Je regardai les jurés. Tous les regards étaient rivés sur mon témoin. Pour l'instant, tout allait bien.

— J'imagine bien, monsieur Johnson, repris-je. Et maintenant, pouvez-vous nous dire ce qui vous a amené à découvrir le corps de cette petite fille ?

— On travaillait à un truc dans le théâtre. On montait un mur en Placoplâtre dans les toilettes des femmes parce que ça fuyait. J'avais pris une pleine brouette de machins qu'on avait démolis… l'ancien mur, du bois qui pourrissait et d'autres choses… et je la poussais pour jeter tout aux ordures. J'ai ouvert le couvercle de la benne et c'est là que j'ai vu cette pauvre fillette.

— Elle était allongée sur les détritus déjà jetés dans la benne ?

— C'est ça.

— Était-elle couverte de détritus ou de débris ?

— Non, monsieur, pas du tout.

— Comme si la personne qui l'y avait jetée était pressée et n'avait pas eu le temps de la cou…

— Objection !

Royce venait de se lever d'un bond. Je savais qu'il allait le faire. Mais j'avais dit presque toute ma phrase… et ce qu'elle laissait entendre aux jurés.

— Maître Haller influence le témoin et lui demande de tirer des conclusions pour lesquelles il n'est nullement qualifié.

Je retirai ma question avant que le juge n'accepte l'objection. Il ne servait à rien de la voir prendre le parti de la défense devant les jurés.

— Monsieur Johnson, enchaînai-je, était-ce la première fois que vous alliez à la benne ce jour-là ?

— Non, monsieur. J'y étais déjà allé deux fois avant.

— Mais celle où vous avez découvert le corps… quand étiez-vous allé à la benne avant ?

— Environ une heure et demie avant.

— Et vous y aviez vu un corps ?

— Non, il n'y avait pas de corps à ce moment-là.

— C'est donc qu'il aurait été placé dans cette benne pendant les quatre-vingt-dix minutes qui ont précédé votre découverte, c'est ça ?

— Oui, c'est ça.

— Bien, monsieur Johnson, et maintenant j'aimerais attirer votre attention sur cet écran.

Le prétoire était équipé de deux grands écrans plats montés en hauteur sur le mur en face du box des jurés. L'un d'eux était légèrement tourné vers l'assistance de façon à ce que les observateurs puissent eux aussi voir les images numérisées. C'était Maggie qui contrôlait le Power Point depuis son ordinateur portable. Elle avait mis quinze jours, week-ends compris, à bâtir sa présentation tandis que nous chorégraphiions l'ensemble de notre affaire. Toutes les vieilles photos de l'ancien dossier ayant été scannées et chargées dans son logiciel, elle projeta la première. On y voyait la benne à ordures où le cadavre de Melissa avait été découvert.

— Monsieur Johnson, cela ressemble-t-il à la benne où vous avez trouvé le cadavre de la fillette ?

— Oui, tout à fait.

— Qu'est-ce qui vous rend si sûr ?

— L'adresse… 5515… peinte à la bombe sur le côté, là. C'est moi qui l'ai mise. C'est bien l'adresse. Et je peux vous dire que c'est l'arrière de l'El Rey. J'y ai travaillé longtemps.

— Parfait, et est-ce bien ceci que vous avez vu quand vous avez soulevé le couvercle et regardé à l'intérieur ?

Maggie passa au cliché suivant. Le prétoire était déjà très silencieux, mais j'eus l'impression qu'il le devenait absolument quand la photo du corps de Melissa Landy apparut sur les écrans. La réglementation en vigueur concernant la présentation des éléments de preuves telle qu'elle avait été promulguée suite à un récent arrêt du tribunal du neuvième district m'obligeait à montrer les anciennes pièces à conviction aux jurés. Je n'avais pas le droit de m'en tenir aux procès-verbaux de l'enquête. Je devais trouver des gens qui relient le présent au passé et Johnson était le premier à le faire.

Il ne répondit pas immédiatement à ma question. Il resta là, à regarder la scène, comme tout le monde dans la salle. Puis, et je ne m'y attendais pas, une larme coula sur sa joue foncée. C'était parfait. Si j'avais été assis à la table de la défense, j'aurais regardé ça d'un œil cynique. Mais je savais que la réaction de Johnson lui venait droit du cœur et c'était pour cette raison que j'avais fait de lui mon premier témoin.

— Oui, dit-il enfin, c'est elle. C'est ce que j'ai vu.

Je hochai la tête tandis qu'il se signait.

— Et qu'avez-vous fait quand vous l'avez vue ?

— On n'avait pas de téléphones portables à l'époque, vous savez... Alors je suis rentré en courant et j'ai fait le 911[1] avec le téléphone de la scène.

— Et la police est venue rapidement ?

— Les flics sont venus vraiment vite, comme s'ils la cherchaient déjà.

— Une dernière question, monsieur Johnson. Pouvait-on voir cette benne de Wilshire Boulevard ?

Il hocha la tête avec emphase.

— Non, elle était derrière le théâtre et on ne pouvait la voir qu'en passant par-derrière en voiture et en prenant la petite contre-allée.

J'hésitai. Je devais tirer plus de choses de ce témoin. À savoir des renseignements qui n'avaient pas été donnés au premier procès, mais que Bosch avait découverts

1. Équivalent américain de notre police secours.

au cours de son enquête. Et c'étaient des renseignements dont Royce n'avait peut-être aucune idée. Je pouvais donc ou bien poser la question qui susciterait la réponse que je voulais ou tenter ma chance en espérant que la défense m'ouvre une ouverture à l'interrogatoire en contre. Quelle que soit la façon de procéder, le renseignement serait le même, mais il aurait plus de poids si les jurés soupçonnaient la défense d'avoir essayé de le leur cacher.

— Merci, monsieur Johnson, finis-je par dire. Je n'ai pas d'autres questions à vous poser.

Le témoin fut alors laissé à Royce, qui gagna le pupitre pendant que je me rasseyais.

— Juste quelques questions, dit-il. Avez-vous vu qui a déposé le corps de la victime dans la benne ?

— Non, monsieur.

— Ce qui fait que lorsque vous avez appelé le 911, vous n'aviez aucune idée de qui ça pouvait être, c'est bien cela ?

— C'est bien ça.

— Aviez-vous déjà vu l'accusé avant ce jour-là ?

— Non, je ne pense pas.

— Merci.

Et ce fut tout. Royce venait de procéder à l'interrogatoire en contre parfaitement classique d'un témoin n'ayant que peu de valeur pour la défense. Johnson n'avait pas pu identifier l'assassin et Royce l'avait fait porter aux minutes. Sauf qu'il aurait dû se contenter de laisser tomber Johnson. En lui demandant s'il avait jamais vu Jessup avant le meurtre, il m'avait ouvert une porte. Je me relevai de façon à pouvoir la franchir.

— D'autres questions, maître Haller ? me demanda Breitman.

— Très brèves, madame le juge. Monsieur Johnson, à l'époque qui nous intéresse, travailliez-vous souvent le dimanche ?

— Non, en général, c'était mon jour de congé. Mais quand y avait des trucs spéciaux à faire, on me demandait de venir.

Royce éleva une objection en arguant du fait que j'ouvrais ainsi une série de questions qui excédaient les limites de l'interrogatoire en contre. Je promis au juge qu'il n'en était rien et que cela deviendrait vite clair. Elle m'autorisa à poursuivre et rejeta l'objection de Royce. Je revins à Johnson. Que Royce élève son objection, je l'avais espéré parce que quelques instants plus tard, tout ferait croire qu'il essayait de m'empêcher de donner un renseignement dommageable à Jessup.

— Vous dites que la benne à ordures où vous avez découvert le corps se trouvait au bout d'une contre-allée. Il n'y a pas un parking derrière l'El Rey ?

— Si, il y en a un, mais c'est pas celui du théâtre. Nous avons l'allée qui nous donne accès aux portes de derrière et aux bennes.

— À qui appartient le parking ?

— À une société qu'a des parkings dans toute la ville. La City Park.

— Y a-t-il un mur ou une grille pour séparer ce parking de l'allée ?

Royce se leva à nouveau.

— Madame le juge, ces questions n'en finissent pas et n'ont rien à voir avec ce que j'ai demandé à M. Johnson.

— Madame le juge, repris-je aussitôt, donnez-moi deux questions et je touche au but.

— Monsieur Johnson, dit-elle, vous pouvez répondre aux questions.

— Il y a une grille, dit-il.

— Et donc, dis-je, de l'allée de l'El Rey et de l'endroit où est placée la benne, on peut voir le parking voisin et quiconque s'y trouverait verrait aussi la benne à ordures, c'est bien ça ?

— Oui.

— Et avant ce jour où vous avez découvert le cadavre, aviez-vous eu l'occasion de travailler un dimanche et de remarquer que le parking derrière l'El Rey était utilisé ?

— Oui, comme qui dit un mois avant, j'étais venu travailler et au fond, il y avait des voitures et j'ai vu des dépanneuses les amener.

Je ne pus m'en empêcher. Il fallait que je jette un coup d'œil à Royce et à Jessup pour voir s'ils commençaient à se sentir mal à l'aise. J'étais sur le point de tirer mon premier sang. Ils croyaient que Johnson était un témoin sans importance, à savoir qu'il établirait bien le lieu et la réalité du meurtre, mais rien de plus.

Ils se trompaient.

— Avez-vous cherché à savoir ce qui se passait ? demandai-je.

— Oui. J'ai demandé ce qu'ils faisaient et un des conducteurs m'a dit qu'ils y ramenaient des voitures du quartier, en bas de la rue, pour que les gens viennent payer pour les reprendre.

— Et donc, on se servait de ce parking comme d'une fourrière provisoire, c'est bien ça que vous voulez dire ?

— Oui.

— Et connaissiez-vous le nom de la société de dépannage ?

— C'était sur tous les camions. C'était l'Aardvark Towing.

— Vous parlez de camions au pluriel. En avez-vous vu plus d'un ?

— Oui, il y en avait deux ou trois quand j'ai regardé.

— Qu'avez-vous dit aux chauffeurs quand on vous a appris ce qu'ils faisaient là ?

— J'en ai parlé au patron et il a appelé City Park pour voir si la direction était au courant. Il pensait qu'il pouvait y avoir un problème d'assurance, surtout avec les gens qu'étaient pas contents qu'on leur enlève leurs voitures et tout. Et il s'est avéré que l'Aardvark avait pas à être là. C'était pas autorisé.

— Que s'est-il passé ?

— Ils ont dû arrêter de se servir du parking et mon patron m'a dit d'ouvrir l'œil si je travaillais le week-end pour voir s'ils continuaient pas de s'en servir.

— Et donc, ils ont arrêté de se servir du parking derrière le théâtre ?

— C'est vrai.

— Et ce parking était bien celui d'où on pouvait voir la benne à ordures dans laquelle vous avez découvert le corps de Melissa Landy plus tard ?

— Oui, monsieur.

— Lorsque maître Royce vous a demandé si vous aviez déjà vu l'accusé avant le jour du meurtre, vous avez répondu que vous ne le pensiez pas, c'est bien ça ?

— C'est ça.

— Vous ne le pensez pas ? Pourquoi n'en êtes-vous pas certain ?

— Parce que je pense que ç'aurait pu être un des chauffeurs de l'Aardvark que j'avais vu se servir du parking. C'est pour ça que je suis pas sûr de pas l'avoir vu avant.

— Merci, monsieur Johnson. Je n'ai pas d'autres questions à vous poser.

Chapitre 26

Lundi 5 avril – 10 h 20

Pour la première fois depuis qu'on l'avait recruté pour cette affaire, Bosch trouvait que Melissa Landy était entre de bonnes mains. Il venait juste de voir Mickey Haller marquer les premiers points du procès. Il s'était emparé d'un petit morceau du puzzle que Bosch lui avait concocté et s'en était servi pour porter le premier coup. Cela n'avait rien du KO, mais il avait frappé fort. C'était le premier indice tendant à prouver que Jason Jessup connaissait bien le parking et la benne à ordures derrière l'El Rey Theater. Et avant la fin du procès, l'importance de ce fait serait parfaitement claire aux jurés. Mais plus significative encore à ses yeux était la manière dont Haller s'était servi du renseignement qu'il lui avait fourni. Il l'avait fait planer au-dessus de la défense et s'était débrouillé pour que tout donne à penser que c'était la défense qui avait tenté de déformer les faits conduisant à la découverte de ce renseignement. C'était habile et Bosch en avait été fortement conforté dans sa confiance en Haller en tant qu'avocat de l'accusation.

Il retrouva Johnson au portillon et le reconduisit dans le couloir, où il lui serra la main.

— Vous avez fait du bon boulot, monsieur Johnson, dit-il. On ne vous remerciera jamais assez.

— Vous l'avez déjà fait en condamnant ce type pour le meurtre de cette petite fille.

— Oui, bon, on n'y est pas encore, mais c'est bien le plan. Sauf que les trois quarts des gens qui lisent le journal croient que c'est à un innocent que nous nous en prenons.

— Non, c'est le bon type que vous avez. Je le sais.

Bosch acquiesça d'un signe de tête et se sentit gêné.

— Prenez bien soin de vous, monsieur Johnson, dit-il.

— Inspecteur, votre musique préférée, c'est bien le jazz, non ?

Bosch, qui s'était déjà retourné pour réintégrer le prétoire, jeta un coup d'œil à Johnson par-dessus son épaule.

— Comment le savez-vous ?

— Je l'ai senti. On a des spectacles de jazz de temps en temps. Du New Orleans. Si jamais vous voulez un billet, faites-moi signe !

— Je le ferai. Merci !

Il poussa les portes de la salle d'audience. Il souriait en pensant au fait que Johnson avait deviné ses goûts musicaux. S'il ne s'était pas trompé sur ce point, peut-être avait-il raison de penser que les jurés condamneraient Jessup. Il descendait l'allée centrale lorsqu'il entendit le juge demander à Haller d'appeler son témoin suivant.

— L'État de Californie appelle Regina Landy.

Bosch sut que son tour était venu. Cette partie-là de la présentation avait été chorégraphiée la semaine précédente par le juge et ce, en rejetant les objections de la défense. Regina Landy ne pouvait pas témoigner parce qu'elle était morte, mais comme elle avait témoigné lors du premier procès, Breitman avait arrêté que son témoignage pourrait être lu aux jurés.

Breitman se tourna alors vers eux pour le leur expliquer en se gardant bien de laisser entendre, de quelque manière que ce soit, que l'affaire avait déjà donné lieu à un procès.

— Mesdames et messieurs, dit-elle, le ministère public a décidé d'appeler quelqu'un qui n'est plus en mesure de témoigner. Mais cette personne a déjà témoigné sous serment et c'est ce témoignage qui vous sera lu aujourd'hui. Vous ne devrez en aucun cas chercher à savoir pourquoi ce témoin n'est pas en mesure de témoigner devant vous, ni non plus d'où sort ce témoignage sous serment. Vous ne devrez vous soucier que de son contenu. Permettez-moi d'ajouter que j'ai décidé d'autoriser ce témoignage malgré les objections de la défense. La Constitution des États-Unis confère en effet à l'inculpé le droit de questionner ceux qui l'accusent. Néanmoins, comme vous pourrez le constater, ce témoin a été déjà interrogé par un avocat qui représentait M. Jessup.

Elle se retourna vers la cour et ajouta :

— Vous pouvez y aller, maître Haller.

Haller appela Bosch à la barre. Après avoir prêté serment, Bosch prit sa place et ajusta le micro. Puis il ouvrit le classeur bleu qu'il avait emporté avec lui et Haller attaqua.

— Inspecteur Bosch, dit-il, pouvez-vous nous parler un peu de votre expérience en tant qu'officier des forces de l'ordre ?

Bosch se tourna vers le box des jurés et répondit en regardant leurs visages. Sans oublier les suppléants.

— Cela fait trente-six ans que je suis inspecteur assermenté, dit-il. J'en ai passé plus de vingt-cinq aux Homicides. J'ai été l'inspecteur en charge dans plus de deux cents enquêtes pour meurtre.

— Et vous l'êtes dans l'affaire qui nous concerne ?

— Oui, je le suis maintenant. Cela étant, je n'ai pas pris part à la première enquête. Je n'ai commencé cette enquête qu'en février de cette année.

— Merci, inspecteur. Nous reparlerons de cette enquête un peu plus tard. Êtes-vous prêt à lire le témoignage sous serment de Regina Landy, témoignage recueilli le 7 octobre 1986 ?

— Je le suis.

— Bien, je lirai donc les questions qui furent posées à Regina Landy par le district attorney Gary Lintz et par l'avocat de la défense Charles Barnard, et vous lirez ses réponses. Nous commencerons par les questions de maître Lintz.

Haller marqua une pause pour étudier la transcription du témoignage posée devant lui. Bosch se demanda s'il n'allait pas prêter à confusion que ce soit lui qui lise les réponses d'une femme. En arrêtant sa décision d'autoriser ce témoignage la semaine précédente, Breitman avait interdit tout ce qui aurait pu faire référence aux émotions montrées par Regina Landy lors du premier procès. Bosch savait qu'elle n'avait cessé de pleurer tout le temps qu'avait duré sa déposition. Mais cela, il n'aurait pas le droit de le faire sentir aux jurés.

— Allons-y, lança Haller. *Madame Landy, pouvez-vous nous dire quels sont vos liens de parenté avec la victime, Melissa Landy ?*

— *Je suis sa mère*, dit Bosch. *C'était ma fille... jusqu'à ce qu'on me l'enlève.*

Chapitre 27

Lundi 5 avril – 13 h 45

La lecture du témoignage de Regina Landy lors du premier procès nous mena au repas de midi. Elle était nécessaire pour établir l'identité de la victime et de la personne qui l'avait identifiée. Cela dit, sans l'émotion d'un parent, le résultat fut de pure procédure et là où la déposition du premier témoin de la journée permettait d'être raisonnablement optimiste pour la suite, celle du deuxième fit retomber les choses tout aussi fort qu'une voix d'outre-tombe aurait pu le faire. Je me dis qu'entendre Bosch lire les paroles de Regina Landy devait beaucoup troubler des jurés auxquels on n'avait donné aucune explication quant à l'absence d'une mère au procès de l'assassin présumé de sa fille.

Toute l'équipe de l'accusation alla déjeuner chez Duffy, cet établissement étant assez proche du bâtiment du tribunal pénal pour être commode et assez éloigné pour qu'on n'ait pas à s'inquiéter de voir des jurés y débarquer pour manger. Personne n'était ravi de ce début de procès, mais il fallait s'y attendre. J'avais planifié la présentation des éléments de preuves à la manière de *Schéhérazade*, la suite symphonique qui, après un départ lent et calme, devient *crescendo* de sons, de musique et d'émotions qui s'emparent de tout.

La première journée du procès devait prouver la réalité des faits. Il fallait absolument que je fasse apparaître le corps. J'avais pour tâche d'établir qu'il y avait bel et bien eu une victime, qu'elle avait été arrachée à son domicile et retrouvée morte un peu plus tard. J'avais réglé deux de ces problèmes avec mon premier témoin, c'était maintenant au témoin de l'après-midi, à savoir le médecin légiste, de prouver le reste. Alors l'accusation pourrait passer à l'accusé et présenter les preuves le reliant à son crime. Ce n'était qu'à ce moment-là que mon affaire pourrait enfin prendre vie.

Seuls Bosch et moi revînmes au tribunal après le déjeuner. Maggie avait filé au Checkers Hotel afin d'y passer l'après-midi avec notre témoin vedette, Sarah Ann Gleason. Bosch était monté dans l'État de Washington le samedi précédent et l'avait ramenée par avion dans la matinée du lendemain. Elle ne devait pas témoigner avant le mercredi matin, mais je voulais qu'elle soit près de nous et que Maggie passe le plus de temps possible avec elle pour la préparer au rôle qu'elle allait jouer dans ce procès. Maggie était déjà montée deux fois dans l'État de Washington pour être avec elle, mais je pensais que plus elle passerait de temps en sa compagnie, plus cela aiderait à renforcer le lien que je tenais à voir s'établir entre elles et voulais faire sentir aux jurés.

Maggie nous avait laissés à contrecœur. Elle crai gnait que je fasse un faux pas au prétoire alors qu'elle ne serait pas là pour m'observer à chaque instant. Je l'avais assurée que j'étais capable d'interroger un légiste et que je l'appellerais si jamais je me retrouvais en difficulté. Je ne me doutais guère de l'importance qu'allait revêtir l'interrogatoire de ce témoin.

L'audience de l'après-midi commença avec un retard de dix minutes, un des jurés n'étant pas revenu de son déjeuner à temps. Dès qu'ils furent tous réunis et de retour dans la salle, le juge Breitman leur fit la leçon sur la nécessité d'être à l'heure et leur ordonna de manger ensemble jusqu'à la fin du procès. Elle ordonna aussi à l'huissier de les escorter à l'endroit où ils déjeuneraient. De cette façon, personne ne pourrait filer loin des autres et être en retard.

En ayant enfin terminé avec ces histoires de déjeuner, elle me demanda d'un ton bougon d'appeler mon témoin suivant. Je fis un signe de tête à Bosch, qui se dirigea vers la salle d'attente des témoins afin d'y chercher David Eisenbach.

Breitman commença à perdre patience tandis que nous l'attendions, mais Eisenbach mit quelques minutes de plus que la plupart des témoins pour arriver dans la salle et gagner la barre. Il avait soixante-dix ans et marchait avec une canne. Dans sa main, il tenait aussi un oreiller muni d'une poignée, comme s'il se rendait à un match de football américain de l'USC[1] au Colyseum. Dès qu'il eut prêté serment, il le posa sur le siège du fauteuil en bois réservé aux témoins et s'assit.

— Docteur Eisenbach, lui lançai-je, pouvez-vous dire aux jurés comment vous gagnez votre vie ?

— Je suis actuellement en semi-retraite et tire mes revenus de mes travaux de consultant en autopsies. Je suis une manière d'« expert à gages » comme vous autres avocats aimez m'appeler. J'analyse des autop-

1. Sigle de l'université de Californie du Sud.

sies et dis à des avocats et à des jurés ce que le légiste a fait correctement, mais aussi ce qu'il a mal fait.

— Que faisiez-vous avant de prendre cette semi-retraite ?

— J'étais le légiste adjoint du comté de Los Angeles. J'ai fait ce travail pendant trente ans.

— Et c'est en cette qualité que vous procédiez à des autopsies ?

— Oui, maître, c'est bien ça. En trente ans de travail, j'ai procédé à plus de vingt mille autopsies. Ce qui fait beaucoup de morts.

— Effectivement, docteur. Et vous les avez toutes en mémoire ?

— Bien sûr que non. Je ne me souviens que de quelques-unes. Pour les autres, j'aurais besoin de mes notes pour m'en souvenir.

Après y avoir été autorisé par le juge, je m'approchai de la barre et y posai un document de quelque quarante pages.

— Permettez que j'attire votre attention sur la pièce que je viens de placer devant vous. Pouvez-vous nous l'identifier ?

— Oui, il s'agit d'un protocole d'autopsie daté du 18 février 1986. La morte a pour nom Melissa Theresa Landy. Mon nom est également apposé sur le document. C'est donc bien un de mes rapports.

— Ce qui veut dire que c'est vous qui avez procédé à l'autopsie ?

— Oui, c'est bien ce que je dis.

Je passai à une série de questions destinées à préciser les procédures à suivre lors d'une autopsie et à établir dans quel état de santé se trouvait la victime avant sa mort. Royce éleva plusieurs objections en prétendant que j'influençais le témoin. Le juge en retint quelques-unes, mais là n'était pas le problème. Royce avait adopté une tactique propre à me déstabiliser en ne cessant de m'interrompre, que ces interruptions soient justifiées ou pas.

Eisenbach réussit à les contourner et fut à même de déclarer que Melissa Landy était en parfaite santé jusqu'à sa mort, qui avait été violente. Il déclara qu'elle n'avait pas été agressée sexuellement et que rien n'indiquait qu'elle aurait eu une activité sexuelle auparavant – elle était vierge. Pour lui, la cause de la mort était l'asphyxie. Les os brisés dans son cou et dans sa gorge prouvaient qu'elle avait été étranglée avec force – et d'une seule main.

À l'aide d'une flèche laser pour préciser les endroits du corps analysés pendant l'autopsie, il fit apparaître sur le cou de la victime une série de contusions indiquant qu'elle avait été étranglée d'une main. Toujours avec cette flèche, il indiqua ensuite une marque de pouce sur le côté droit du cou de la fillette et montra la trace des quatre autres doigts sur le côté gauche.

— Docteur, lui demandai-je, avez-vous pu déterminer de quelle main s'est servi l'assassin pour étrangler la victime jusqu'à ce que mort s'ensuive ?

— Oui, je n'ai eu aucun mal à déterminer qu'il s'était servi de sa main droite pour étrangler cette fillette jusqu'à ce que mort s'ensuive.

— Une seule main, donc ?

— C'est exact.

— La manière dont il s'y est pris a-t-elle été déterminée ? La fillette était-elle suspendue alors qu'il l'étranglait ?

— Non, ses blessures, surtout ses os broyés, indiquent que l'assassin lui a posé la main sur le cou et l'a poussée contre une surface offrant de la résistance.

— Aurait-il pu s'agir d'un siège de véhicule ?

— Oui.

— Une jambe d'homme ?

Royce éleva une objection en arguant que la question prêtait à des spéculations infondées. Breitman lui donna raison et me demanda de passer à autre chose.

— Docteur, repris-je, vous avez parlé de vingt mille autopsies. Je pense donc qu'un grand nombre d'entre elles avaient pour objet des homicides par asphyxie. Avez-vous trouvé inhabituel de tomber sur un cas où la mort n'avait été donnée que d'une main ?

Royce éleva encore une fois une objection en affirmant que ma question ne pouvait susciter qu'une réponse hors du domaine de compétence d'Eisenbach. Mais Breitman se rangea à mon avis.

— Cet homme a procédé à vingt mille autopsies, fit-elle remarquer. Je suis assez encline à penser que cela lui donne plus que ce qu'il faut d'expertise. Je vais donc autoriser la question.

— Vous pouvez répondre, docteur, dis-je à Eisenbach. Était-ce inhabituel ?

— Pas forcément. Nombre d'homicides résultent de moments de lutte et d'autres circonstances. Je l'ai déjà vu. Quand une main est occupée, c'est l'autre qui doit suffire. Et c'est d'une fillette de douze ans et pesant dix-neuf kilos que nous parlons. La maîtriser d'une main était tout à fait possible si l'assassin avait besoin de sa main gauche pour autre chose.

— Conduire un véhicule pourrait-il faire partie de ces autres choses ?

— Objection ! s'écria Royce. Même argumentation.

— Et même rejet de ma part, lui renvoya Breitman.

— Vous pouvez répondre à ma question, docteur.

— Oui, dit Eisenbach. S'il se servait d'une main pour contrôler un véhicule, il a très bien pu se servir de l'autre pour étrangler la victime. C'est donc bien une possibilité.

À ce moment-là, j'aurais juré avoir tiré tout ce qu'il était possible d'Eisenbach. Je mis fin à mes questions et le laissai à Royce. Malheureusement pour moi, Eisenbach était le genre de témoin à toujours avoir quelque chose pour tout le monde. Et Royce se lança.

— « Une possibilité », docteur Eisenbach, répéta-t-il. Est-ce bien le terme que vous avez employé ?

— Je vous demande pardon ?

— Vous avez déclaré que le scénario de maître Haller… une main sur le volant et l'autre sur le cou… était une « possibilité ». C'est bien ça ?

— Oui, c'en était une.

— Mais comme vous n'y étiez pas, vous ne pouvez pas en être certain, n'est-ce pas, docteur ?

— C'est exact.

— Vous avez dit « une possibilité ». Quelles autres possibilités aurait-il pu y avoir ?

— Eh bien… je n'en sais rien. Je ne faisais que répondre à la question du ministère public.

— On dit… une cigarette ?

— Comment ?

— L'assassin aurait-il pu tenir une cigarette dans la main gauche pendant qu'il étranglait la fille avec l'autre ?

— J'imagine que oui.

— Son pénis ?

— Son…

— Son pénis, docteur. L'assassin aurait-il pu étrangler cette fille de la main droite et tenir son pénis de la main gauche ?

— Il faudrait que je… oui, ça aussi, c'est possible.

— Il aurait pu se masturber d'une main pendant que de l'autre il étranglait cette fille, n'est-ce pas, docteur ?

— Tout est possible, mais rien dans les conclusions de l'autopsie n'étaie cette thèse.

— Quelque chose qui ne serait pas dans ce rapport l'étaierait-il, docteur ?

— Pas que je sache.

— La langue ne vous a-t-elle pas fourché quand vous vous êtes qualifié d'« expert à gages », docteur ? Prenez-vous toujours le parti de l'accusation quels que soient les faits ?

— Je ne travaille pas toujours pour le ministère public.

— J'en suis heureux pour vous.

Je me levai.

— Madame le juge, l'avocat de la défense harcèle le témoin avec des…

— Maître Royce, lança Breitman. Je vous demande de rester dans les limites de la civilité. Et de ne pas vous égarer.

— Oui, madame le juge. Docteur, sur ces vingt mille autopsies auxquelles vous avez procédé, combien d'entre elles ont eu pour objet des victimes de violences sexuelles ?

Eisenbach me jeta un coup d'œil, mais je ne pouvais rien faire pour lui. Bosch avait pris la place de Maggie à la table de l'accusation. Il se pencha vers moi et me souffla :

— Qu'est-ce qu'il fabrique ? Il essaie de passer de notre côté ?

Je lui fis signe de se taire pour ne pas perdre le fil des échanges entre Royce et Eisenbach.

— Non, il essaie de gagner son affaire, renvoyai-je à Bosch dans un murmure.

Eisenbach n'avait toujours pas répondu.

— Docteur, dit le juge, je vous en prie, répondez à la question qui vous est posée.

— Je n'ai pas le décompte des crimes à mobile sexuel que j'ai analysés.

— Celui-là en était-il un ?

— À m'en tenir aux conclusions de l'autopsie, je ne pourrais pas l'affirmer. Cela dit, quand on tient un jeune enfant, surtout de sexe féminin, et qu'il y a enlèvement, on est presque toujours…

— Je demande que la question soit considérée comme hors de propos ! s'écria Royce en interrompant Eisenbach. Le témoin parle de faits extérieurs à l'affaire.

Breitman réfléchit à l'objection. Je me levai, prêt à répondre, mais gardai le silence.

— Docteur, je vous prie de ne répondre qu'à la question qui vous a été posée, dit le juge.

— C'est ce que je croyais faire.

— Alors permettez-moi d'être plus précis, dit Royce. Vous n'avez rien trouvé qui suggère une agression sexuelle ou des violences sur le corps de Melissa Landy, est-ce bien ça, docteur ?

— C'est exact.

— Et sur les vêtements de la victime ?

— Seul le corps est de mon ressort. Les vêtements sont analysés par le laboratoire.

— Bien sûr.

Royce hésita, puis il consulta ses notes. Je sentais qu'il essayait de décider jusqu'où pousser son argumentation. Il en était au stade du « pour l'instant, tout va bien… est-ce que je prends le risque d'aller plus loin ? »

Enfin il se décida.

— Bien, docteur, dit-il. Il y a un moment, lorsque j'ai élevé une objection contre votre réponse, vous avez parlé d'enlèvement. Qu'est-ce qui étaie cette thèse dans les éléments de preuves apportés par l'autopsie ?

Eisenbach réfléchit un long moment à la question et alla jusqu'à jeter un œil au rapport d'autopsie posé devant lui.

— Docteur ?

— Euh, non, je ne vois rien dans cette autopsie pour étayer cette thèse, dit-il.

— De fait, cette autopsie en étaie bien une autre et quasi contraire, n'est-ce pas, docteur ?

Eisenbach avait l'air véritablement perdu.

— Je ne vois pas bien ce que vous voulez dire, lança-t-il.

— Puis-je attirer votre attention sur la page 8 du rapport d'autopsie ? Sur la partie *examen préliminaire du corps* ?

Royce attendit un instant qu'Eisenbach trouve la page. Je fis pareil, mais c'était inutile. Je savais à quoi il voulait en venir et je ne pouvais rien faire pour l'en empêcher. Il fallait seulement que je sois prêt à élever mon objection au bon moment.

— Docteur, reprit Royce, le rapport indique que les résultats de l'examen des ongles de la victime en vue de déterminer s'ils contenaient du sang et divers tissus biologiques sont négatifs. Le voyez-vous à la page 8 ?

— Oui, j'ai bien raclé les ongles de la victime, mais ils étaient propres.

— Cela prouve qu'elle n'a pas griffé son agresseur… son assassin ? Exact ?

— Il semblerait que ce soit effectivement le cas.

— Et cela semblerait aussi indiquer qu'elle connaissait son agres…

— Objection !

Je m'étais dressé d'un bond, mais pas assez vite. Royce avait réussi à faire passer sa suggestion aux jurés.

— Maître Royce tire des conclusions d'éléments de preuves inexistants ! m'écriai-je. Madame le juge, l'avocat de la défense essaie très clairement de suggérer aux jurés des choses qui n'ont aucune réalité.

— Objection retenue, maître Royce. Premier avertissement.

— Oui, madame le juge. La défense n'a plus d'autres questions à poser au témoin de l'accusation.

Chapitre 28

Lundi 5 avril – 16 h 45

Bosch frappa à la porte de la salle 804 et regarda tout de suite par le judas. La porte fut vite ouverte par McPherson, qui jeta un coup d'œil à sa montre en reculant pour le laisser entrer.

— Pourquoi n'êtes-vous pas en salle d'audience avec Mickey ? lui demanda-t-elle.

Bosch entra. La pièce faisait partie d'une suite avec vue sur Grand Avenue et l'arrière de l'hôtel Biltmore. Elle comportait un canapé et deux fauteuils, dont l'un était occupé par Sarah Ann Gleason.. Bosch la salua d'un hochement de tête.

— Parce qu'il n'a pas besoin de moi là-bas, répondit-il. Alors qu'on a besoin de moi ici.

— Qu'est-ce qui se passe ?

Royce a abattu son jeu pour la défense. Il faut que j'en parle à Sarah.

Il se mit en devoir de gagner le canapé, mais McPherson lui posa la main sur le bras et l'arrêta.

— Un instant, dit-elle. C'est d'abord à moi que vous devez parler. Que se passe-t-il ?

Bosch acquiesça. Elle avait raison. Il regarda autour de lui, mais il n'y avait aucun endroit où avoir une conversation en privé.

— Allons faire un tour, dit-il.

McPherson gagna la table basse et y prit une clé magnétique.

— Sarah, dit-elle, on revient tout de suite. Avez-vous besoin de quelque chose ?

— Non, ça va. Je ne bougerai pas d'ici, répondit-elle en montrant un carnet de croquis qui allait lui tenir compagnie.

Bosch et McPherson quittèrent la pièce et descendirent à l'entrée par l'ascenseur. Le bar était plein de joyeux buveurs qui attendaient le *happy hour*, mais ils trouvèrent un coin tranquille où s'asseoir près de la porte de devant.

— Bon alors, comment Royce a-t-il montré son jeu ?

— Au moment où il interrogeait Eisenbach en contre. Il s'est lâché après la question de Mickey sur l'assassin qui ne se serait servi que de sa main droite pour étranger la petite.

— C'est ça, dit-elle, en conduisant. Il a paniqué en entendant l'appel radio de la police et l'a tuée.

— Exact, et c'est la théorie de l'accusation. Eh bien, Royce s'est déjà lancé dans une théorie pour la défense. À l'interrogatoire en contre, il a demandé s'il était possible que l'assassin ait étranglé la petite d'une main en se masturbant de l'autre.

McPherson garda le silence en intégrant cette donnée.

— C'est l'ancienne théorie de l'accusation, dit-elle enfin. Celle développée au premier procès. Celle du meurtre commis à l'occasion d'un acte sexuel. Mickey et moi nous sommes dit que dès qu'il aurait toutes les pièces et saurait que c'était l'ADN du beau-père qu'on avait retrouvé, il jouerait le coup de cette façon. Il va essayer de faire porter le chapeau au beau-père. Il va dire que c'est lui l'assassin et que l'ADN le prouve.

Elle croisa les bras et poussa son raisonnement.

— Ce qui n'est pas mauvais, sauf qu'il y a deux failles : Sarah et les cheveux. Il doit donc nous manquer quelque chose. Royce doit avoir quelque chose ou quelqu'un pour discréditer l'identification que va nous faire Sarah.

— C'est pour ça que je suis venu. Je vous ai apporté la liste des témoins de Royce. Ces gens-là n'ont pas cessé de jouer à cache-cache avec moi et je n'ai pas pu tous les retrouver. Il faut absolument que Sarah jette un œil à cette liste et me dise sur qui je dois concentrer mon attention.

— Mais comment va-t-elle le savoir, bon sang ?

— Il le faut. Ce sont ses gens à elle. Ses petits amis, ses maris, ses drogués de copains. Ils ont tous des casiers. C'est avec eux qu'elle traînait avant de se remettre dans le droit chemin. Toutes les adresses sont du type « dernière adresse connue » et ne servent à rien. Royce doit les cacher, ces types.

McPherson acquiesça d'un signe de tête.

— C'est pour ça qu'on l'appelle Clive l'Astucieux. Bon, c'est entendu, allons parler à Sarah. Vous me laissez essayer la première, d'accord ?

Elle se leva.

— Une minute ! s'écria-t-il.

Elle le regarda.

— Qu'est-ce qu'il y a ?

— Et si la théorie de la défense était juste ?

— Vous vous foutez de moi ?

Il ne répondit pas et elle n'attendit pas plus longtemps. Elle reprit le chemin de l'ascenseur. Il se leva et la suivit.

Ils regagnèrent la pièce. Bosch remarqua que Sarah Gleason avait profité de leur absence pour dessiner une tulipe dans son carnet de croquis. Il s'assit sur le canapé en face d'elle, McPherson s'installant sur la chaise juste à côté d'elle.

— Sarah, dit-elle, il faut qu'on parle. Nous pensons que quelqu'un que vous avez connu pendant ces années perdues va essayer d'aider la défense. Nous avons besoin de trouver qui c'est et ce qu'il ou elle va dire.

— Je ne comprends pas, dit Sarah. Je n'avais que treize ans quand ça nous est arrivé. Ce que cherchaient mes amis n'a aucune importance.

— Si, parce qu'ils pourraient témoigner de trucs que vous avez faits. Ou dits.

— Quels trucs ?

McPherson hocha la tête.

— C'est là que c'est frustrant. Nous ne le savons pas vraiment. Nous savons seulement qu'aujourd'hui, en salle d'audience, la défense a clairement annoncé qu'elle allait attribuer la mort de votre sœur à votre beau-père.

Sarah leva les bras comme pour parer un coup.

— Mais c'est fou ! s'écria-t-elle. J'y étais, moi ! J'ai vu ce type s'emparer de ma sœur !

— Nous le savons, Sarah. Mais l'important est ce qui est rapporté aux jurés et qui ils croient. Bon alors, l'inspecteur Bosch a une liste de témoins de la défense.

J'aimerais que vous y jetiez un œil et que vous nous disiez ce que vous évoquent ces noms.

Bosch sortit la liste de sa mallette. Il la passa à McPherson, qui la tendit à Sarah.

— Désolé, dit-il, toutes ces notes sont des choses que j'ai ajoutées quand j'essayais de les retrouver. Regardez seulement les noms.

Il vit les lèvres de Sarah bouger légèrement tandis qu'elle commençait à lire. Puis elles cessèrent de remuer et elle resta là, à fixer la feuille de papier. Elle avait les larmes aux yeux.

— Sarah ? l'encouragea McPherson.

— Tous ces gens, dit-elle en un murmure. Je pensais ne plus jamais les revoir.

— Et il se pourrait que vous ne les revoyiez plus jamais, lui renvoya McPherson. Qu'ils figurent sur cette liste ne signifie pas nécessairement qu'ils seront appelés à témoigner. La défense sort des noms des archives et gonfle sa liste pour nous déstabiliser. Ça s'appelle « monter la meule de foin ». Elle cache ses vrais témoins dans la meule et notre enquêteur, l'inspecteur Bosch... perd son temps à vérifier des gens qui ne comptent pas. Cela dit, cette liste contient sûrement au moins un nom qui a de l'importance. Lequel est-ce, Sarah ? Aidez-nous.

Sarah continua de regarder fixement la liste sans réagir.

— Quelqu'un qui pourra dire que votre sœur et vous étiez proches... Quelqu'un avec qui vous avez passé du temps et à qui vous avez dit des secrets...

— Je croyais qu'un mari n'avait pas le droit de témoigner contre sa femme.

— Conjoint ou conjointe, on ne peut forcer personne à témoigner contre l'autre. Mais… de quoi parlez-vous, Sarah ?

— De celui-ci, répondit-elle en montrant un nom sur la liste.

Bosch se pencha en avant pour lire. Edward Roman. Il avait retrouvé sa trace dans un centre de désintoxication fermé de North Hollywood où Sarah avait passé neuf mois après sa dernière incarcération. La seule chose que Bosch avait devinée était qu'ils avaient dû avoir des contacts aux séances de thérapie de groupe. La dernière adresse fournie par Royce était un motel de Van Nuys, mais il y avait longtemps que Roman l'avait quitté. Bosch n'avait pas pu aller plus loin et avait fini par laisser tomber en se disant que ça faisait partie de la meule de la défense.

— Roman, dit-il. Vous étiez en désintox avec lui, c'est ça ?

— Oui. Et après, on s'est mariés.

— Quand ça ? demanda McPherson. Nous n'avons aucune trace de ce mariage.

— Après notre départ. Il connaissait un pasteur. Nous nous sommes mariés à la plage. Mais ça n'a pas marché très longtemps.

— Avez-vous divorcé ?

— Non… ça ne m'a jamais vraiment intéressée. Et quand je suis revenue dans le droit chemin, je n'avais plus aucune envie de repartir là-bas. C'est un de ces trucs qu'on bloque. Comme si ça n'était jamais arrivé.

McPherson jeta un coup d'œil à Bosch.

— Il se peut que votre mariage n'ait pas été légal, dit-il. Il n'y a rien à l'état civil du comté.

— Qu'il soit légal ou pas n'a aucune importance, dit McPherson. Il est clair qu'il s'est porté volontaire de façon à pouvoir témoigner contre elle. Ce qui est important, c'est ce qu'il va raconter. Qu'est-ce qu'il va dire, Sarah ?

— Je ne sais pas, répondit-elle en hochant lentement la tête.

— Bon mais… qu'est-ce que vous lui avez dit sur votre sœur et votre beau-père ?

— Je ne sais pas. Ces années… c'est à peine si je me rappelle quoi que ce soit de cette époque-là.

Il y eut un instant de silence, puis McPherson demanda à Sarah de regarder les autres noms sur la liste. Ce qu'elle fit, avant de secouer la tête.

— Je ne sais pas qui sont certains de ces gens. Il y en avait que je ne connaissais que par la rue où ils habitaient.

— Mais Edward Roman, lui, vous le connaissez ?

— Oui, nous avons vécu ensemble.

— Combien de temps ?

Gleason hocha la tête tant elle était gênée.

— Pas longtemps. À la clinique, nous croyions être faits l'un pour l'autre. Dès qu'on en est partis, ça n'a plus marché. Ça a dû durer trois mois. Je me suis fait arrêter encore une fois et quand je suis sortie de prison, il avait disparu.

— Est-il possible que ce mariage ne soit pas légal ?

Gleason réfléchit un instant et haussa les épaules, sans conviction.

— Tout est possible, j'imagine.

— Bien, Sarah, reprit McPherson, je vais ressortir quelques minutes avec l'inspecteur Bosch. J'aimerais que vous pensiez à Edward Roman. Tout ce qui pourrait vous revenir en mémoire nous sera utile. Je reviens tout de suite.

Elle lui reprit la liste et la rendit à Bosch. Puis ils quittèrent la salle, mais ne firent que quelques pas dans le couloir avant de s'arrêter et de se mettre à parler en chuchotant.

— Vaudrait mieux que vous le retrouviez, dit-elle.

— Ça ne servira à rien. Si c'est le témoin vedette de Royce, il refusera de me parler.

— Alors, trouvez-moi tout ce que vous pourrez sur lui. De façon à ce que nous puissions le démolir complètement quand le moment sera venu.

— Compris.

Bosch pivota sur lui-même et redescendit le couloir vers les ascenseurs. McPherson l'appela. Il s'arrêta et la regarda par-dessus son épaule.

— C'est bien ce que vous vouliez dire ? lui demanda-t-elle.

— Qu'est-ce que je voulais dire ?

— Ce que vous avez dit à l'entrée. Ce que vous avez demandé. Vous pensez qu'elle a tout inventé il y a vingt-quatre ans ?

Bosch la regarda longuement, puis il haussa les épaules.

— Je ne sais pas.

— Bon mais, les cheveux dans la dépanneuse ? Ça n'assied pas son histoire ?

Il leva une main ouverte en l'air.

— Tout ça n'est que preuves indirectes. Et je n'étais pas là quand on les a trouvées.

— Et ça voudrait dire quoi ?

— Qu'il se produit parfois des choses quand la victime est une enfant. Et que je n'étais pas là quand on les a trouvées.

— Bon sang de Dieu, vous feriez peut-être mieux de travailler pour la défense !

Il laissa retomber sa main.

— Je suis sûr qu'ils ont déjà réfléchi à tout ça, dit-il.

Il se retourna vers les ascenseurs et repartit dans le couloir.

Chapitre 29

Mardi 6 avril – 9 heures

Il est des moments où les rouages de la justice tournent lentement. Le deuxième jour du procès démarra pile à l'heure prévue. Tous les jurés étaient dans le box, le juge installé dans son fauteuil et Jason Jessup et son avocat assis à la table de la défense. Je me levai et appelai le premier témoin de ce qui, je l'espérais, serait une journée productive pour l'accusation. Jusqu'à Harry Bosch qui tenait Izzy Gordon au prétoire prêt à y aller. À 9 h 05, elle prêta serment et s'assit. De petite taille, elle portait des lunettes à monture noire qui lui agrandissaient les yeux. D'après mes documents, elle avait cinquante ans, mais faisait nettement plus.

— Madame Gordon, pouvez-vous dire aux jurés comment vous gagnez votre vie ?

— Oui, je suis technicienne d'investigation criminelle pour la police de Los Angeles. Je travaille dans ce service depuis 1986.

— Y travailliez-vous le 16 février de cette année-là ?

— Oui. C'était mon premier jour de service.

— Et quelle tâche vous avait-on assignée ?

— Apprendre. J'avais été placée sous la direction d'un superviseur et devais recevoir une formation pratique.

Izzy Gordon était une des plus grandes trouvailles de l'accusation. Deux techniciens et un superviseur avaient travaillé sur les trois scènes de crime de l'affaire Melissa Landy – la maison de Windsor Boulevard, la benne à ordures derrière l'El Rey et la dépanneuse conduite par Jessup. Ayant reçu pour tâche d'accompagner le superviseur, Gordon s'était retrouvée sur les trois. Le superviseur était mort depuis longtemps et, déjà à la retraite, les autres techniciens ne pouvaient témoigner de ce qui s'était passé sur les trois scènes. Trouver Gordon me permettait de peaufiner la présentation des pièces à conviction.

— Qui était votre superviseur ? lui demandai-je.

— Art Donovan.

— Et ce jour-là, vous avez reçu un appel pour l'accompagner ?

— Oui. Un enlèvement qui s'était transformé en homicide. Ce jour-là, nous avons fini par passer d'une scène de crime à l'autre. Soit en trois lieux reliés.

— Bien, nous les prendrons donc un par un.

Pendant les quatre-vingt-dix minutes qui suivirent, je lui fis refaire le tour de toutes les scènes de crime sur lesquelles elle avait travaillé en ce 16 février 1986. En me servant d'elle comme d'un fil conducteur, je fus à même de montrer des photos de scènes de crime, des vidéos et des rapports d'analyse. Royce essaya bien de continuer à élever des objections à tout propos afin d'empêcher ces informations d'atteindre les jurés en un flot ininterrompu, mais il ne marqua aucun point et ne réussit qu'à agacer Breitman. Je le voyais bien et préférai ne pas me plaindre. Je voulais que son agacement se mette à suppurer. Cela pouvait m'être utile plus tard.

Le témoignage de Gordon commença par se traîner un peu tandis qu'elle retraçait les efforts infructueux qu'elle avait déployés pour trouver des empreintes de chaussures et d'autres éléments de preuves sur la pelouse des Landy. Mais il se fit plus spectaculaire lorsqu'elle raconta comment elle avait été appelée en urgence sur une autre scène de crime – la benne à ordures derrière l'El Rey.

— Nous avons été appelés dès qu'ils ont trouvé le corps. On murmurait parce que les parents étaient là, dans la maison, et on ne voulait pas les bouleverser tant qu'il ne serait pas confirmé qu'il y avait bien un corps et que c'était celui de la fillette.

— Donovan et vous vous êtes rendus à l'El Rey Theater ?

— Oui, avec l'inspecteur Kloster. Nous y avons retrouvé le légiste adjoint. Comme nous avions un homicide, d'autres techniciens ont été appelés en renfort.

La partie de son témoignage portant sur le théâtre me donna surtout la possibilité de projeter d'autres vidéos et photographies de la victime sur les écrans installés en hauteur. Je voulais que les jurés se sentent tous révoltés par ce qu'ils voyaient. Je voulais allumer un feu sous l'un des instincts de base de l'homme : la vengeance.

Je comptais sur les objections de Royce et il en eut, mais il n'était déjà plus dans les petits papiers de Breitman et tout ce qu'il pouvait dire sur le fait que ces images étaient crues et excessives à force de répétition tombait à côté. Je finissais toujours par avoir l'autorisation de les passer.

Enfin, Izzy Gordon nous amena à la dernière scène de crime – la dépanneuse –, et nous raconta comment elle y avait repéré trois longs cheveux coincés dans une fente du siège et comment elle les avait montrés à Donovan en lui demandant de les collecter.

— Qu'est-il advenu de ces cheveux ? lui demandai-je.

— Chacun d'eux a été déposé dans un sachet qui a été étiqueté et apporté au labo aux fins d'analyse et de comparaison.

Le témoignage de Gordon était fluide et efficace. Lorsque je la laissai aux mains de la défense, Royce fit du mieux qu'il pouvait. Il ne se donna pas la peine de mettre en doute la façon dont les éléments de preuves avaient été collectés, mais encore une fois tenta de poser un jalon de sa théorie. Ce faisant, il laissa tomber les deux premières scènes de crime pour se concentrer sur la dépanneuse.

— Madame Gordon, dit-il, y avait-il déjà des officiers de police sur les lieux quand vous êtes arrivés au dépôt de l'Aardvark ?

— Oui, bien sûr.

— Combien ?

— Je ne les ai pas comptés, mais il y en avait plusieurs.

— Et des inspecteurs ?

— Oui, il y avait aussi des inspecteurs qui procédaient à une fouille complète des lieux suite au mandat qu'ils avaient obtenu.

— Y avait-il certains inspecteurs que vous aviez vus plus tôt sur les autres scènes de crime ?

— Je pense que oui. Je dirais que oui, mais je ne m'en souviens pas précisément.

— Cela étant, vous semblez vous souvenir d'autres choses assez précisément. Pourquoi ne vous rappelez-vous pas avec quels inspecteurs vous travailliez ?

— Il y en avait plusieurs sur cette affaire. L'inspecteur Kloster était responsable de l'équipe, mais il supervisait trois scènes de crime différentes et s'occupait aussi de la fille qui témoignait. Je ne me souviens pas s'il était au dépôt quand j'y suis arrivée la première fois, mais il y a été à un moment donné. Je pense qu'en consultant les registres de présence aux scènes de crime, vous devriez pouvoir déterminer qui était où.

— Ah… eh bien, mais c'est ce que nous allons faire.

Royce s'approcha de la barre et posa trois documents et un crayon devant elle. Puis il regagna le pupitre.

— Que sont ces trois documents, madame Gordon ? demanda-t-il.

— Ce sont les registres de présence aux scènes de crime.

— De quelles scènes de crime parlons-nous ?

— Des trois scènes de crime de l'affaire Landy.

— Pouvez-vous, s'il vous plaît, prendre le temps d'étudier ces registres et de vous servir du crayon que je vous ai donné pour entourer les noms qui apparaissent sur ces trois listes ?

Il fallut moins d'une minute à Gordon pour arriver au bout de cette tâche.

— Terminé ? demanda Royce.

— Oui, il y a quatre noms.

— Pouvez-vous nous les donner ?

— Oui, il y a le mien, celui de mon superviseur, Art Donovan, et ceux de l'inspecteur Kloster et de son coéquipier, Chad Steiner.

— Vous êtes donc les quatre seules personnes à vous être trouvées sur ces trois scènes de crime ce jour-là, c'est bien ça ?

— C'est bien ça.

Maggie se pencha vers moi et me murmura :

— Contamination en contre.

Je hochai légèrement la tête et lui soufflai :

— Accidentelle. Mais je crois qu'il cherche à semer la confusion dans la compréhension des éléments de preuves.

Ce fut à Maggie de hocher la tête à son tour, puis elle se redressa. Royce passa à la question suivante.

— Étant donné qu'il n'y avait que vous quatre aux trois scènes de crime, vous aviez une bonne compréhension de cette affaire et de ce qu'elle signifiait, n'est-ce pas ?

— Je ne suis pas sûre de comprendre ce que vous voulez dire.

— Les émotions étaient-elles fortes chez les forces de l'ordre sur ces scènes de crime ?

— Tout le monde restait très professionnel.

— Vous voulez dire que tout le monde se moquait que la victime soit une fillette de douze ans ?

— Non, cela nous touchait et l'on pourrait dire qu'il y avait de la tension sur les deux premières scènes de crime. Nous avions une famille à la première et une petite fille morte à la deuxième. Je ne me souviens pas qu'il y ait eu de l'émotion au dépôt des dépanneuses.

Mauvaise réponse, me dis-je. Elle venait d'ouvrir une porte à la défense.

— Bien, lança aussitôt Royce. Mais vous nous dites bien qu'aux deux premières scènes de crime, il y avait beaucoup d'émotion, n'est-ce pas ?

Je me levai, rien que pour lui rendre la monnaie de sa pièce.

— Objection ! m'écriai-je. Question déjà posée et réponse déjà donnée, madame le juge.

— Objection retenue.

Royce ne se laissa pas démonter.

— Comment ces émotions se manifestaient-elles ? demanda-t-il.

— Eh bien, nous avons parlé. Art Donovan m'a enjoint de garder un détachement professionnel. Il m'a aussi dit que nous devions faire de notre mieux parce qu'il s'agissait d'une petite fille.

— Et les inspecteurs Kloster et Steiner ?

— Ils ont dit la même chose. À savoir que nous ne pouvions rien laisser au hasard, qu'il fallait que nous fassions de notre mieux pour Melissa.

— Il a appelé la victime par son prénom ?

— Oui, ça, je m'en souviens.

— À quel point l'inspecteur Kloster était-il ému et en colère, d'après vous ?

Je me levai.

— Objection, dis-je. Pose des faits qu'on ne trouve ni dans les témoignages ni dans les éléments de preuves.

Breitman retint mon objection et ordonna à Royce de passer à autre chose.

— Madame Gordon, pouvez-vous vous référer aux registres de présence sur les scènes de crime toujours devant vous et nous dire si les heures d'arrivée et de départ des membres des forces de l'ordre y sont consignées ?

— Oui, elles le sont. Les heures d'arrivée et de départ sont indiquées après chaque nom.

— Vous nous avez déclaré que les inspecteurs Kloster et Steiner étaient les seuls inspecteurs en dehors de vous et de votre superviseur à s'être montrés aux trois scènes de crime.

— Oui, c'étaient eux les inspecteurs en charge de l'affaire.

— Sont-ils arrivés sur toutes ces scènes de crime avant vous et M. Donovan ?

Gordon mit un petit moment à confirmer cette information en regardant les listes.

— C'est exact, dit-elle enfin.

— Ils ont donc dû avoir accès au corps de la victime avant que vous arriviez à l'El Rey Theater, n'est-ce pas ?

— Je ne vois pas ce que vous voulez dire par « avoir accès », mais oui, ils ont été les premiers à arriver.

— Ils ont donc dû avoir aussi accès à la dépanneuse avant que vous n'arriviez et découvriez les trois cheveux fort commodément coincés dans la fente du siège, n'est-ce pas ?

J'élevai une objection en faisant remarquer que la question obligeait le témoin à spéculer sur des faits auxquels elle ne pouvait pas avoir assisté – en plus de prêter à argumentation à cause des mots « fort commodément ». Royce était manifestement en train de servir la soupe aux jurés. Breitman lui ordonna de reformuler sa question sans se permettre certains commentaires.

— Ces inspecteurs ont donc dû avoir accès à la dépanneuse avant que vous n'arriviez et ne soyez la première à remarquer les trois cheveux logés dans la fente du siège, n'est-ce pas ?

Gordon avait saisi le sens de mon objection et lui répondit comme je le souhaitais.

— Je ne sais pas parce que je n'y étais pas.

Il n'empêche : Royce avait quand même réussi à faire passer son sentiment aux jurés. Il m'avait aussi fait comprendre quel serait le point central de sa défense. Il était maintenant clair qu'elle avancerait une théorie selon laquelle la police… en les personnes de Kloster et/ou de son coéquipier Steiner… avait placé les cheveux de telle sorte que Jessup soit condamné dès qu'il serait identifié par une Sarah alors âgée de treize ans. Après quoi, la défense poserait que l'erreur d'identification de Sarah était intentionnelle et faisait partie des efforts déployés par la famille Landy pour cacher le fait que la mort de Melissa était accidentelle ou que c'était son beau-père qui l'avait assassinée volontairement.

Ce ne serait pas un chemin facile à prendre. Pour réussir, il faudrait qu'au moins un juré marche dans ce qui constituait quand même la matière de deux conspirations fonctionnant tout à la fois ensemble et séparément. Je ne voyais que deux avocats capables de réussir ce coup-là et Royce était l'un d'eux. Je devais être prêt à l'affronter.

— Vous rappelez-vous ce qui s'est produit après que vous avez remarqué les cheveux sur le siège du camion ? demanda-t-il à Gordon.

— Je les ai montrés à Art parce que c'était lui qui procédait à la collecte des pièces à conviction. Je n'étais là que pour observer et amasser de l'expérience.

— Les inspecteurs Kloster et Steiner ont-ils été appelés pour y jeter un coup d'œil ?

— Je crois que oui.

— Vous rappelez-vous ce qu'ils ont fait à ce moment-là, si tant est qu'ils aient fait quelque chose ?

— Je n'ai pas souvenir qu'ils aient fait quoi que ce soit pour ce qui est de ces cheveux. Comme c'était leur affaire, ils ont été avertis de cette découverte et ça s'est arrêté là.

— Étiez-vous contente de vous ?

— Je ne comprends pas votre question.

— C'était votre premier jour de service… votre première affaire. Avez-vous été contente de vous après avoir découvert ces cheveux ? Fière ?

Gordon hésita avant de répondre comme si elle essayait de voir s'il n'y avait pas un piège dans la question.

— Oui, répondit-elle enfin, j'étais contente de ma contribution.

— Vous êtes-vous demandée pourquoi vous, la bleue, avez découvert ces cheveux dans la fente du siège avant votre superviseur ou les deux inspecteurs en charge de l'affaire ?

Gordon hésita encore, puis répondit que non, Royce disant alors qu'il n'avait plus de questions à lui poser. Il avait joué son interrogatoire en contre de main de maître et réussi à semer des doutes qui pourraient plus tard donner naissance à quelque chose de nettement plus important dans sa défense.

Je fis de mon mieux pour le contrer à mon tour en demandant à Gordon de réciter les noms des six agents de police mentionnés dans la liste des membres des forces de l'ordre arrivés avant Kloster et Steiner sur la scène de crime où le corps de Melissa Landy avait été retrouvé.

— Ce qui fait, et c'est seulement une hypothèse, que si les inspecteurs Kloster et Steiner avaient voulu prendre des cheveux à la victime pour les déposer ailleurs, ils auraient dû le faire sous le nez de huit autres membres des forces de l'ordre ou embarquer ces policiers dans leur machination, n'est-ce pas ?

— Il semblerait bien en effet.

Je la remerciai et me rassis. Royce regagna aussitôt le pupitre pour l'interroger à nouveau.

— Autre hypothèse, dit-il. Si Kloster ou Steiner avaient voulu poser des cheveux de la victime sur la troisième scène de crime, ils n'auraient pas été obligés de les prendre sur la tête de la victime si ces cheveux avaient pu provenir d'autres sources, n'est-ce pas ?

— Il faut croire que non si ces cheveux avaient effectivement pu provenir d'autres sources.

— Une brosse à cheveux trouvée dans la maison de la victime aurait pu les leur fournir, n'est-ce pas ?

— Probablement.

— Parce que ces inspecteurs étaient bien dans la maison de la victime, n'est-ce pas ?

— Oui, c'est bien un des lieux où ils ont confirmé leur présence en signant le registre.

— Pas d'autres questions.

Royce venait de me coincer et je décidai de ne pas poursuivre sur ce terrain-là. Il aurait toujours quelque chose à me renvoyer quoi que je puisse faire sortir au témoin.

Gordon ayant été congédiée, le juge suspendit la séance pour le déjeuner. J'informai Bosch qu'il serait à la barre après la pause afin de lire le témoignage de Kloster. Je lui demandai s'il voulait avaler quelque chose avec moi pour qu'on parle de la théorie de la défense, mais il me renvoya qu'il ne pouvait pas parce qu'il avait quelque chose à faire. Maggie ayant décidé de regagner l'hôtel pour déjeuner avec Sarah Ann Gleason, je me retrouvai seul.

Du moins le croyais-je.

Je me dirigeais vers l'allée centrale pour gagner la porte du fond lorsqu'une femme séduisante sortit de la dernière rangée de l'assistance, juste devant moi. Et se porta à ma rencontre en souriant.

— Maître Haller, dit-elle. Je me présente : Rachel Walling, FBI.

Je ne fis pas le lien tout de suite, puis son nom se raccrocha à quelque chose quelque part dans ma mémoire.

— Ah oui, la profileuse. Vous avez beaucoup troublé mon enquêteur avec votre théorie selon laquelle Jason Jessup serait un tueur en série.

— J'espère que ça l'a plus aidé que troublé, me renvoya-t-elle.

— Disons que cela reste à voir. Que puis-je faire pour vous, agent spécial Walling ?

— J'allais vous demander si vous auriez le temps de déjeuner avec moi. Cela étant, vu que pour vous je suis quelqu'un qui « sème le trouble », peut-être devrais-je me content…

— Devinez un peu, agent spécial Walling ! Vous avez de la chance : je suis libre. Déjeunons ensemble.

Je lui montrai la porte et nous nous dirigeâmes vers la sortie.

Chapitre 30

Mardi 6 avril – 13 h 15

Cette fois, ce fut le juge qui arriva en retard. Ayant pris place à l'heure prévue, les équipes de la défense et de l'accusation étaient prêtes à y aller, mais il n'y avait toujours pas de Breitman. Ni non plus aucune indication du greffier qui aurait permis de savoir si ce retard était d'origine personnelle ou s'il avait à voir avec une question de procédure. Bosch se leva de son siège près de la rambarde, s'approcha de Haller et lui donna une petite tape dans le dos.

— Harry, dit Haller, on va commencer. Tu es prêt ?

— Je suis prêt, oui, mais il faut qu'on parle.

— Quelque chose qui ne va pas ?

Bosch tourna le dos à la défense et baissa la voix jusqu'à ce qu'elle ne soit plus que murmures à peine audibles.

— Je suis allé voir les gars du SRS à midi. Ils m'ont montré des trucs auxquels tu ferais bien de jeter un œil.

Tout cela était bien cryptique, mais les photos de surveillance de la nuit précédente que le lieutenant Wright lui avait montrées avaient de quoi troubler. Jessup manigançait quelque chose et de quelque nature que ce soit, ce quelque chose allait se produire dans peu de temps.

Avant que Haller puisse lui répondre, le brouhaha de fond cessa dans le prétoire et Breitman s'assit à sa place.

— Après l'audience, murmura Haller.

Puis il se tourna vers l'avant de la salle tandis que Bosch regagnait son siège près de la rambarde. Le juge ayant ordonné à l'huissier de faire entrer les jurés, tout le monde fut bientôt prêt.

— Je tiens à m'excuser, lança Breitman. Ce retard est de ma faute. Une affaire personnelle qui m'a pris beaucoup plus de temps que je ne pensais. Maître Haller, appelez votre témoin suivant, s'il vous plaît.

Haller se leva et appela Doral Kloster. Bosch se leva et se dirigea vers la barre pendant qu'une fois encore, le juge expliquait aux jurés que le témoin cité à comparaître par l'accusation n'était pas disponible et que le témoignage qu'il avait fait sous serment serait lu par Bosch et Haller. Bien que tout cela ait été fixé lors d'une audience avant procès et ce malgré l'objection de la défense, Royce éleva encore une fois une objection.

— Maître Royce, lui renvoya Breitman, nous avons déjà réglé ce problème.

— Certes, mais je demande à la cour de revenir sur sa décision dans la mesure où cette forme de témoignage interdit à M. Jessup de se confronter à ses accusateurs, ce qui est son droit constitutionnel. À l'époque, l'inspecteur Kloster n'a pas eu à répondre aux questions que j'aurais aimé lui poser dans l'état actuel des réflexions de la défense.

— Encore une fois, maître Royce, cette question a été réglée et je ne souhaite pas y revenir devant les jurés.

— Mais madame le juge, cela m'empêche de présenter une défense complète aux jurés.

— Maître Royce, je me montre déjà très généreuse en vous permettant de poser ainsi devant le jury. Je commence à perdre patience. Vous pouvez vous rasseoir.

Royce tenta de faire baisser les yeux à Breitman. Bosch comprit immédiatement ce qu'il était en train de faire : il servait encore une fois la soupe aux jurés. Il voulait qu'ils les voient, Jessup et lui, en opprimés. Il voulait qu'ils sentent bien qu'ils n'avaient pas que le ministère public contre eux – que Breitman, elle aussi, était dans l'autre camp. Lorsque enfin il jugea avoir dévisagé Breitman aussi longtemps qu'il était possible de l'oser, il reprit la parole.

— Madame le juge, je ne saurais m'asseoir alors que c'est la liberté de mon client qui est en cause. Il s'agit là d'une énorme…

Breitman aplatit violemment la main sur son pupitre en un geste de colère, le bruit qu'elle fit étant aussi fort que celui d'une détonation.

— Il n'est pas question d'en discuter devant un jury, maître Royce ! s'écria-t-elle. Mesdames et messieurs les jurés, je vous prie de regagner votre salle d'attente.

Tout à la tension qui s'était emparée de la salle et les yeux écarquillés, les jurés sortirent en file indienne, jusqu'au dernier qui regarda par-dessus son épaule pour voir ce qui allait se passer. Pendant tout ce temps, Royce ne cessa de dévisager le juge, Bosch sachant qu'il jouait la comédie. C'était très exactement ce que voulait la défense : que les jurés comprennent qu'on la persécutait et l'empêchait de présenter son dossier. Peu importait qu'ils se retrouvent séquestrés dans la salle qui leur était réservée. Tous savaient que Royce allait se faire sérieusement taper sur les doigts.

Une fois la porte de leur salle refermée, Breitman se retourna vers Royce. Il était clair qu'elle avait mis à profit les trente secondes qu'il avait fallu aux jurés pour quitter le prétoire pour se calmer.

— Maître Royce, dit-elle, à la fin de ce procès, il sera procédé à une audition en outrage à la cour pendant laquelle la façon dont vous vous êtes conduit aujourd'hui sera analysée et punie. En attendant, si jamais je vous ordonne de vous asseoir et que vous refusez d'obéir, je demanderai au garde de vous y obliger physiquement. Et il me sera égal que les jurés soient présents ou pas. Me comprenez-vous bien ?

— Oui, madame le juge. Et je tiens à m'excuser d'avoir permis aux émotions de l'instant de me faire perdre la tête.

— Très bien, maître Royce. Je vous prie donc de vous rasseoir tout de suite afin que nous puissions faire revenir les jurés.

Ils se dévisagèrent encore un bon moment avant qu'enfin, et très lentement, Royce accepte de se rasseoir. Alors le juge ordonna à l'huissier de rappeler les jurés.

Bosch les observa. Ils avaient tous l'œil fixé sur Royce et Harry vit que le gambit de l'avocat de la défense avait payé. Il y avait de la sympathie dans leurs yeux comme s'ils savaient tous qu'à un moment ou à un autre ils pouvaient eux aussi mettre le juge en colère et être pareillement réprimandés. Ils ne savaient pas ce qui s'était passé de l'autre côté de la porte close, mais Royce avait tout du gamin qui, envoyé au bureau du principal, revient tout raconter à la récré.

Breitman s'adressa à eux avant que la séance reprenne.

— Je veux que les membres du jury comprennent bien que dans un procès de cette nature, il arrive que les émotions se déchaînent. Maître Royce et moi-même avons discuté du problème et l'avons résolu. Vous ne devez pas vous y arrêter. Et donc, poursuivons la lecture de ce témoignage effectué sous serment. Maître Haller ?

— Oui, madame le juge.

Haller se leva et gagna le lutrin avec la sortie d'imprimante du témoignage de Doral Kloster.

— Inspecteur Bosch, vous êtes toujours sous serment. Avez-vous la transcription du témoignage que l'inspecteur Doral Kloster a fait sous serment le 8 octobre 1986 ?

— Oui.

Bosch posa le manuscrit sur le pupitre et sortit une paire de lunettes de lecture de la poche intérieure de sa veste.

— Bien et donc, une fois encore, je vais lire les questions qui ont été posées sous serment à l'inspecteur Kloster par le district attorney adjoint Gary Lintz pendant que vous, vous lirez les réponses du témoin.

Après une série de questions destinées à donner les informations de base sur Kloster, le témoignage passa vite à l'enquête sur le meurtre de Melissa Landy.

— *Bien, inspecteur, vous êtes présentement assigné à l'unité des inspecteurs de la division Wilshire, correct ?*

— Oui, je travaille à la section des Homicides et Crimes graves.

— Et cette affaire n'a pas commencé comme un homicide.

— Non, en effet. Mon coéquipier et moi avons été appelés chez nous lorsqu'il est apparu à la patrouille, envoyée chez les Landy suite aux premières constatations, qu'on avait affaire à un enlèvement par personne inconnue. Cela faisant partie des crimes graves, nous avons été appelés.

— Que s'est-il passé lorsque vous êtes arrivés chez les Landy ?

— Nous avons commencé par séparer tout le monde... la mère, le père et Sarah, la sœur... puis nous avons procédé aux interrogatoires. Après, nous avons rassemblé la famille et mené un interrogatoire de groupe. C'est souvent ce qui marche le mieux et c'est ce qui s'est passé. C'est au cours de cet interrogatoire de groupe que nous avons trouvé la direction que devait prendre notre enquête.

— J'aimerais que vous nous en parliez. Comment avez-vous trouvé cette direction ?

— Au cours de son interrogatoire personnalisé, Sarah nous avait révélé que les deux sœurs s'étaient lancées dans une partie de cache-cache et qu'elle s'était cachée derrière des buissons au coin de la maison. Ces buissons l'empêchaient de voir la rue. Elle nous a alors dit avoir entendu un camion et vu un éboueur traverser le petit jardin et s'emparer de sa sœur. Ces événements s'étant produits un dimanche, nous savions qu'il n'y avait pas de ramassage des ordures organisé par la ville. Mais lorsque j'ai demandé à Sarah de répéter cette histoire devant ses parents, son père nous a aus-

sitôt informés que le dimanche matin, plusieurs dépanneuses patrouillaient le quartier et que leurs chauffeurs portaient des salopettes comme les éboueurs. Ç'a été notre premier indice.

— Comment l'avez-vous exploité ?

— Nous avons pu obtenir la liste des sociétés de dépannage agréées par la ville et opérant dans le district de Wilshire. À ce moment-là, j'avais fait appel à d'autres inspecteurs et nous nous sommes partagé cette liste. Ce jour-là, il n'y avait que trois sociétés en service. Chaque équipe de deux inspecteurs s'est chargée d'une société. Mon coéquipier et moi-même nous sommes rendus à une fourrière de La Brea Boulevard gérée par l'Aardvark Towing.

— Et que s'est-il passé lorsque vous y êtes arrivés ?

— Nous avons découvert qu'ils étaient sur le point de fermer pour la journée parce qu'ils travaillaient essentiellement des zones de stationnement interdit autour de certaines églises. Et à midi, ils avaient fini. Il y avait là trois chauffeurs qui rangeaient des affaires et s'apprêtaient à partir quand nous sommes arrivés. Ils se sont tous portés volontaires pour s'identifier et répondre à nos questions. Pendant que mon coéquipier posait les premières, je suis retourné à la voiture et j'ai appelé le central pour vérifier les casiers judiciaires de ces trois personnes.

— Qui étaient ces personnes, inspecteur Kloster ?

— Elles avaient pour nom William Clinton, Jason Jessup et Derek Wilbern.

— Et quel a été le résultat de vos recherches ?

— Seul Wilbern avait un dossier d'arrestation. Pour tentative de viol, mais sans condamnation, l'affaire remontant, si je m'en souviens bien, à quatre ans.

— Cela en faisait-il un suspect dans l'enlèvement de Melissa Landy ?

— Oui. Et en plus, il correspondait au signalement que nous avait donné Sarah. Il conduisait un gros camion et portait une salopette. Et il avait une arrestation pour crime sexuel à son actif. Ça en a fait tout de suite un suspect de première.

— Qu'avez-vous fait ensuite ?

— Je suis allé voir mon coéquipier, qui interrogeait toujours les trois types en groupe. Je savais qu'il était essentiel de faire vite. La fillette n'avait toujours pas été retrouvée. Elle était toujours quelque part dans la nature et dans ce genre d'affaires, plus longtemps la victime est introuvable, moins on a de chances que ça se termine bien.

— Vous avez donc pris certaines décisions, n'est-ce pas ?

— Oui, j'ai décidé que Sarah Landy devait voir Derek Wilbern afin de déterminer si c'était bien lui le kidnappeur.

— Vous lui avez donc organisé un tapissage ?

— Non.

— Non ?

— Non, je ne pensais pas que nous en avions le temps. Il ne fallait pas traîner. Il fallait essayer de retrouver la fillette. J'ai donc demandé à mes trois gars s'ils étaient d'accord pour aller ailleurs afin de poursuivre les interrogatoires. Ils ont tous dit oui.

Sans hésitation ?

— Non, aucune. Ils étaient d'accord.

— À propos... que s'est-il passé quand les autres inspecteurs sont allés voir les autres sociétés de dépannage qui travaillaient dans le district de Wilshire ?

— Ils n'ont trouvé ou interrogé personne qui puisse être considéré comme suspect.

— Vous voulez dire qu'ils n'ont trouvé personne avec un casier ?

— Ni casier ni signal d'alarme qui se serait déclenché pendant les interrogatoires.

— Ce qui fait que vous vous êtes concentré sur Derek Wilbern ?

— C'est exact.

— Qu'avez-vous fait lorsque Wilbern et les deux autres ont accepté d'être interrogés dans un autre lieu ?

— Nous avons demandé deux voitures de patrouille supplémentaires et nous avons mis Jessup et Clinton au fond de la première et Wilbern à l'arrière de l'autre. Après quoi, nous avons fermé le dépôt de l'Aardvark et avons pris la tête du convoi.

— Vous avez donc commencé par retourner chez les Landy ?

— À dessein. Nous avions dit aux officiers de patrouille de prendre le chemin le plus long pour gagner le domicile des Landy afin que nous soyons les premiers sur cette scène de crime. Et lorsque nous y sommes arrivés, j'ai emmené Sarah dans sa chambre du premier : elle donnait sur la rue et le jardin de devant. J'ai tiré les jalousies et lui ai demandé de regarder entre deux lames de façon à ne pas être vue par les chauffeurs.

— Que s'est-il passé ensuite ?

— Mon coéquipier était resté devant la maison. Quand les voitures de patrouille sont arrivées, je lui ai demandé de faire descendre les trois types et de les obliger à rester ensemble sur le trottoir. Puis j'ai demandé à Sarah si elle en reconnaissait un.

— *Ce qu'elle a fait ?*

— *Pas tout de suite. L'un de ces hommes... Jessup... portait une casquette de base-ball et regardait par terre en se servant du rebord de sa casquette pour cacher son visage.*

Bosch sauta deux pages du témoignage : elles avaient été expurgées. Elles contenaient certaines questions sur l'attitude de Jessup et la façon dont il essayait de se servir de son couvre-chef pour dissimuler sa figure. L'avocat de la défense de l'époque avait élevé des objections sur ces questions et, ces objections ayant été retenues par le juge lors du procès, elles avaient été reformulées, puis reposées, et avaient à nouveau suscité des objections de la défense. Lors des auditions avant procès, Breitman s'était rangée aux assertions de Royce, selon lesquelles les jurés actuels ne devaient même pas les entendre. C'était un des rares combats qu'il avait remportés.

Haller reprit la lecture du document à l'endroit où l'escarmouche prenait fin.

— *Bien, inspecteur,* lança-t-il, *pourquoi n'expliqueriez-vous pas aux jurés ce qui s'est passé ensuite ?*

— *Sarah m'a demandé si je pouvais demander au type à la casquette de l'enlever. J'ai passé un appel radio à mon coéquipier, qui a ordonné à Jessup de l'ôter. Et là, presque immédiatement, Sarah m'a dit que c'était lui.*

— *Lui, l'individu qui avait enlevé sa sœur ?*

— *Oui.*

— *Un instant. Vous nous avez bien dit que Derek Wilbern était votre suspect.*

— *Oui, au vu du fait qu'il avait une arrestation pour crime sexuel à son actif, je pensais que c'était le suspect le plus vraisemblable.*

— Sarah était-elle sûre de son identification ?

— Je lui ai demandé plusieurs fois de me la confirmer. Et elle l'a fait.

— Et après ?

— J'ai laissé Sarah dans sa chambre et je suis redescendu au rez-de-chaussée. Puis je suis sorti et j'ai immédiatement placé Jessup en état d'arrestation. Je l'ai menotté et mis à l'arrière d'une voiture de patrouille. Et j'ai demandé aux autres policiers de mettre Wilbern et Clinton dans une autre voiture et de les descendre à la division de Wilshire pour interrogatoire.

— Avez-vous interrogé Jessup à ce moment-là ?

— Oui. Encore une fois, il ne fallait pas perdre de temps et je ne pensais pas en avoir assez pour le ramener à la division et préparer un interrogatoire en règle. Au lieu de ça, je suis donc monté dans la voiture avec lui et je lui ai demandé s'il accepterait de me parler. Et il m'a répondu oui.

— L'avez-vous enregistré ?

— Non. Franchement, j'ai oublié. Tout allait très vite et je ne pensais qu'à essayer de retrouver cette petite fille. J'avais bien un magnéto dans ma poche, mais j'ai oublié d'enregistrer cette conversation.

— Bon, mais vous avez quand même interrogé Jessup ?

— Je lui ai posé des questions, mais il ne m'a donné que peu de réponses. Il a nié toute implication dans l'enlèvement. Il a reconnu avoir été de service d'enlèvement des voitures dans le quartier ce matin-là et m'a dit que oui, il n'était pas impossible qu'il soit passé devant chez les Landy, mais qu'il n'avait aucun souvenir d'avoir emprunté précisément Windsor Boulevard.

Je lui ai demandé s'il se rappelait avoir vu le panneau d'Hollywood parce que lorsqu'on se trouve dans Windsor Boulevard, on en a une vue pleine et entière en haut de la colline. Il m'a répondu qu'il ne se rappelait pas l'avoir vu.

— Combien de temps cet interrogatoire a-t-il duré ?

— Pas longtemps. Disons cinq minutes. Nous avons été interrompus.

— Par quoi, inspecteur ?

— Mon collègue a frappé à la vitre de la voiture et rien qu'à voir son visage, j'ai su que ce qu'il avait à me dire était important. Je suis descendu de la voiture et c'est là qu'il m'a dit. On avait retrouvé la petite. Le cadavre d'une fillette avait été retrouvé dans une benne à ordures de Wilshire Boulevard.

— Cela a-t-il tout changé ?

— Tout, oui. J'ai demandé qu'on descende Jessup à la division et qu'on le mette en cellule pendant que je gagnais l'endroit où le corps avait été découvert.

— Qu'avez-vous trouvé lorsque vous y êtes arrivé ?

— Le cadavre d'une fillette de douze-treize ans qu'on avait balancé dans une benne à ordures. La victime n'avait pas encore été identifiée, mais tout laissait penser qu'il s'agissait de Melissa Landy. J'avais sa photo. J'ai tout de suite été assez sûr que c'était elle.

— Vous avez donc ramené le centre de gravité de l'enquête à cet endroit ?

— Absolument. Mon coéquipier et moi avons entamé une série d'interrogatoires pendant que les techniciens de scène de crime et les services du coroner s'occupaient du corps. Nous avons très vite appris que le parking adjacent à l'arrière du théâtre avait été déjà utilisé comme fourrière temporaire par une société de

dépannage. Nous avons appris ensuite qu'il s'agissait de l'Aardvark Towing.

— Qu'avez-vous pensé de cette nouvelle ?

— Pour moi, cela voulait dire qu'il y avait maintenant un deuxième lien entre l'Aardvark et le meurtre de cette fillette. Nous avions déjà un témoin unique, Sarah Landy, qui avait identifié un des chauffeurs de l'Aardvark comme étant le ravisseur et nous avions maintenant la victime retrouvée dans une benne à ordures proche d'un parking utilisé par les chauffeurs de cette même Aardvark. L'affaire commençait à s'éclaircir.

— Qu'avez-vous décidé ensuite ?

— À ce moment-là, mon coéquipier et moi nous sommes séparés. Il est resté à la scène de crime pendant que je retournais à la division pour travailler sur les mandats de perquisition.

— Les mandats de perquisition pour faire quoi ?

— J'en voulais un pour fouiller l'Aardvark Towing de fond en comble. J'en voulais un deuxième pour la dépanneuse que Jessup conduisait ce jour-là. Et j'en voulais encore deux autres pour le domicile et la voiture personnelle de Jessup.

— Ces mandats vous ont-ils été accordés ?

— Oui, ils l'ont été. C'était le juge Richard Pittman qui était de permanence et à ce moment-là, il jouait au golf au Wilshire Country Club. Je lui ai apporté mes demandes de mandats et il les a toutes signées au neuvième trou. Nous avons tout de suite entamé les fouilles, en commençant par l'Aardvark.

— Étiez-vous présent lors de ces fouilles ?

— Oui. Mon coéquipier et moi en étions responsables.

— *Avez-vous à un moment donné commencé à vous dire qu'un des éléments de preuves retrouvés pouvait avoir de l'importance dans cette affaire ?*

— *Oui. À un moment donné, le chef de l'équipe des techniciens de scène de crime, un certain Art Donovan, m'a informé qu'on avait retrouvé trois cheveux bruns longs d'une trentaine de centimètres dans le camion de Jason Jessup.*

— *Donovan vous a-t-il dit l'endroit précis du camion où ces trois cheveux avaient été découverts ?*

— *Oui, il m'a dit qu'ils étaient coincés dans la fente entre les parties hautes et basses de la banquette du camion.*

Arrivé à cet endroit du témoignage, Bosch en referma la transcription. Le témoignage n'était pas terminé, mais ils étaient arrivés à un endroit où Haller avait déclaré vouloir s'arrêter parce qu'il avait tout ce dont il pouvait avoir besoin.

Breitman demanda alors à Royce s'il désirait faire lire une partie de l'interrogatoire en contre effectué par la défense. Aussitôt, celui-ci se leva avec à la main deux documents retenus ensemble par des trombones.

— Je verse aux minutes que je répugne à prendre part à une procédure contre laquelle je m'élève, mais déclare que, comme la cour est maître du jeu, j'y jouerai mon rôle. J'ai deux courts extraits de l'interrogatoire en contre de l'inspecteur Kloster. Puis-je en donner une copie surlignée à l'inspecteur Bosch ? Je pense que ce sera plus facile comme cela.

— Très bien, dit le juge.

L'huissier prit un des documents à Royce et l'apporta à Bosch, qui le lut rapidement. Il n'y avait que deux pages de transcription, dont deux échanges surlignés en jaune. Tandis que Bosch en prenait connaissance, Breitman expliqua aux jurés que Royce lirait les questions posées par Charles Barnard, le premier avocat de la défense de Jason Jessup, Bosch continuant de lire les réponses de l'inspecteur Doral Kloster.

— Quand vous voulez, maître Royce.

— Merci, madame le juge. Et maintenant ceci, extrait de cette transcription : *Inspecteur, combien de temps s'est-il écoulé entre le moment où, après avoir fermé l'Aardvark Towing, vous avez emmené les trois chauffeurs à Windsor Boulevard et celui où vous êtes revenu avec les mandats de perquisition signés ?*

— *Puis-je me référer au déroulé chronologique ?*

— *Vous le pouvez.*

— *Environ deux heures et trente-cinq minutes.*

— *Et comment avez-vous sécurisé l'Aardvark Towing après l'avoir fermée ?*

— *Nous avons fermé les garages et l'un des chauffeurs... M. Clinton, je crois... avait une clé. Je la lui ai empruntée pour fermer.*

— *La lui avez-vous rendue après ?*

— *Non. Je lui ai demandé si je pouvais la garder pour la journée et il m'a répondu que oui.*

— *Ce qui fait que lorsque vous êtes revenu avec vos mandats signés, vous aviez la clé et n'avez eu qu'à vous en servir pour ouvrir.*

— *C'est exact.*

Royce passa à la page suivante et demanda à Bosch d'en faire autant.

— Bien et maintenant, autre passage de l'interrogatoire en contre : *Inspecteur Kloster, à quelle conclusion êtes-vous arrivé lorsqu'on vous a informé de la présence de ces cheveux dans le camion que M. Jessup conduisait ce jour-là ?*

— Aucune. Ces cheveux n'avaient pas encore été identifiés.

— À quel moment l'ont-ils été ?

— Deux jours plus tard, j'ai reçu un appel de la police scientifique. Une technicienne spécialiste des fibres et des cheveux m'a dit qu'ils avaient été examinés et qu'il y avait une forte correspondance avec les échantillons prélevés sur la victime. Elle m'a informé qu'on ne pouvait pas exclure la victime comme source de ces cheveux.

— Qu'est-ce que cela vous a suggéré ?

— Qu'il était vraisemblable que Melissa Landy se soit trouvée dans ce camion de dépannage.

— D'autres éléments de preuves retrouvés dans ce camion reliaient-ils la victime à ce véhicule ou à M. Jessup ?

— Non, aucun.

— On n'y avait découvert ni sang ni d'autres fluides corporels ?

— Non.

— Ni non plus aucune fibre appartenant à la robe de la victime ?

— Non.

— Autre chose ?

— Non, rien.

— Qu'il n'y ait aucun autre élément de preuve dans le camion pour corroborer votre thèse vous a-t-il poussé à envisager que ces cheveux aient pu être déposés dans ce véhicule ?

— Eh bien mais... j'ai envisagé cette possibilité au même titre que toutes les autres dans cette affaire. Mais

je l'ai rejetée parce que le témoin de l'enlèvement avait identifié Jessup et que c'était ce camion qu'il conduisait. Pour moi, ces éléments de preuves n'avaient pas été introduits dans le camion. Parce que... par qui l'auraient-ils été ? Personne n'essayait de lui faire porter le chapeau. Il avait été identifié par la sœur de la victime.

Cela mit fin à la lecture des pièces. Bosch jeta un coup d'œil au box des jurés et découvrit qu'apparemment tout le monde était resté attentif pendant ce qui devait très probablement être la phase la plus barbante du procès.

— Autre chose, maître Royce ? demanda Breitman.

— Non, rien d'autre, madame le juge.

— Très bien. Je pense que cela nous amène à la pause de l'après-midi. J'entends que tout le monde soit de retour ici… et je vais m'exhorter à être moi aussi à l'heure… dans quinze minutes.

La salle commençant à se vider, Bosch quitta la barre des témoins, se porta à la rencontre de Haller, qui était en petit comité avec McPherson, et s'immisça dans leur conciliabule.

— Atwater, c'est bien ça ? demanda-t-il.

Haller leva la tête.

— Oui, c'est ça. Il faut qu'elle soit prête dans un quart d'heure.

— Et tu auras le temps de parler un peu après l'audience ?

— Je le trouverai. J'ai eu une conversation intéressante au déjeuner. Il faut que je t'en parle.

Bosch les laissa et se dirigea vers le couloir. Il savait que la queue à la machine à café de la petite boutique près des ascenseurs serait interminable et pleine de jurés. Il décida de prendre les escaliers et d'aller chercher du café à un autre étage. Mais d'abord, il fit un tour aux toilettes.

Il venait à peine d'y entrer lorsqu'il vit Jessup devant un lavabo. Il s'était penché pour se laver les mains. Il regardait en bas sous les glaces et ne se rendit pas compte que Bosch était derrière lui.

Bosch ne bougea plus et attendit en se demandant ce qu'il dirait lorsque leurs regards se croiseraient.

Mais juste au moment où Jessup leva la tête et le vit dans la glace, la porte d'une des cabines de gauche s'ouvrit et le juré n° 10 en sortit. Le moment fut délicat, les trois hommes préférant ne rien dire.

Pour finir, Jessup prit une serviette en papier au distributeur, s'essuya les mains avec et la jeta dans la poubelle. Puis il se dirigea vers la porte tandis que le juré prenait sa place au lavabo. Bosch gagna un urinoir sans rien dire, mais regarda Jessup par-dessus son épaule au moment où celui-ci poussait la porte pour sortir.

Bosch le flingua dans le dos avec son doigt, Jessup ne se doutant de rien.

Chapitre 31

Mardi 6 avril – 15 h 05

Pendant la pause, je jetai un coup d'œil à mon témoin suivant et m'assurai qu'elle était prête. Comme il me restait quelques minutes, je cherchai Bosch dans la queue des buveurs de café à l'étage en dessous. Le juré n° 6 était deux places avant lui dans la file. Je pris Bosch par le coude et l'emmenai avec moi.

— Tu pourras boire ton café plus tard, lui dis-je. De toute façon, y a pas le temps. Je voulais juste que tu saches que j'ai déjeuné avec ta petite copine du FBI.

— Quoi ? Qui ça ?

— L'agent spécial Walling.

— Ce n'est pas ma petite copine. Pourquoi a-t-elle déjeuné avec toi ?

Je l'emmenai vers l'escalier et nous remontâmes au rez-de-chaussée en parlant.

— Je crois qu'elle voulait déjeuner avec toi, mais comme tu t'es tiré trop vite, elle s'est rabattue sur moi. Elle voulait nous avertir. Elle observe l'affaire et lit tout ce qui s'écrit sur le procès et pour elle, si Jessup doit péter un câble, c'est dans pas longtemps. Elle dit qu'il réagit aux pressions et qu'il n'en a jamais connu d'aussi fortes que maintenant.

Bosch acquiesça.

— C'est en gros de ça que je voulais te parler avant, dit-il.

Il regarda autour de lui pour être sûr que personne ne pouvait l'entendre et ajouta :

— Les gars du SRS me disent que les activités nocturnes de Jessup ont beaucoup augmenté depuis le début du procès. Maintenant, c'est toutes les nuits qu'il sort.

— Il est redescendu dans ta rue ?

— Non, il n'y est pas revenu et ça fait une semaine qu'il n'est pas non plus retourné aux endroits en retrait de Mulholland. Mais ces deux dernières nuits, il s'est lancé dans de nouveaux trucs.

— De quel genre, Harry ?

— Du genre que dimanche, les gars l'ont suivi jusque sur la plage de Venice et qu'il est entré dans l'ancien entrepôt sous la jetée de Santa Monica.

— Quoi ? Quel entrepôt ? Qu'est-ce que ça veut dire ?

— C'est un vieil entrepôt municipal, mais il a été si souvent inondé à marée haute qu'il est fermé et abandonné. Jessup a creusé sous un des vieux panneaux en bois et s'est faufilé à l'intérieur.

— Pourquoi ?

— Qui sait ? Les gars n'ont pas pu entrer... ils risquaient de se faire démasquer. Mais ce n'est pas ça, la vraie nouvelle. La vraie nouvelle, c'est qu'hier soir, il a rencontré deux types au Townhouse de Venice et qu'après, il est allé jusqu'à une voiture garée dans un des parkings de la plage. Et qu'un de ces types a sorti du coffre un objet emballé dans une serviette et le lui a donné.

— Une arme ?

— Peut-être, mais les gars n'ont pas vu ce que c'était. Cela dit, grâce aux plaques d'immatriculation de la voiture, ils ont pu identifier un des deux types. Il s'agit d'un certain Marshall Daniels. Et ce Marshall Daniels était en prison à San Quentin dans les années 90… soit à la même époque que Jessup.

Je commençai à sentir un peu de la tension et de l'urgence qui émanaient de Bosch.

— Ils auraient pu se connaître. Pourquoi Daniels était-il à San Quentin ?

— Trafic de drogue et possession d'armes à feu.

Je jetai un coup d'œil à ma montre. Il fallait que je sois de retour en salle d'audience.

— On peut donc poser que Jessup a un flingue. On pourrait mettre tout de suite fin à sa remise en liberté sur parole pour association avec un criminel condamné. Les gars du SRS ont-ils des photos de Jessup et de Daniels ensemble ?

— Ils en ont, mais je ne suis pas certain qu'il faille faire ça.

— S'il a une arme… Tu penses vraiment que le SRS pourra l'arrêter avant qu'il passe à l'acte ou fasse du mal à quelqu'un ?

— Je le pense, mais ça aiderait beaucoup de savoir de quel acte il pourrait s'agir.

Nous passâmes dans le couloir et ne vîmes ni jurés ni personne d'autre ayant à voir avec le procès. Tout le monde avait regagné le prétoire, sauf moi.

— On en reparle plus tard, dis-je à Bosch. Il faut que je retourne en salle d'audience ou le juge va me faire la peau. Je ne suis pas comme Royce. Je ne peux pas me payer le luxe d'un outrage à la cour rien que pour marquer un point avec les jurés. Va nous chercher Atwater et ramène-la-nous.

Je me dépêchai de regagner la 112e chambre et poussai assez peu poliment quelques piliers de tribunal qui entraient lentement par la porte. Le juge Breitman ne m'avait pas attendu. Je vis que tout le monde, sauf moi, était à sa place et que les jurés s'étaient installés dans le box. Je remontai l'allée centrale, franchis le portillon et me glissai sur le siège à côté de Maggie.

— Tu l'as échappé belle, me souffla-t-elle. Je pense que Breitman espérait pouvoir égaliser la situation en te collant un outrage à magistrat.

— Oui, bon, elle pourrait encore le faire.

Breitman se détourna des jurés et remarqua ma présence à la table de la défense.

— Oh mais, merci de vous joindre à nous cette après-midi, maître Haller ! me lança-t-elle. L'excursion a été bonne ?

Je me levai.

— Je vous prie de m'excuser, madame le juge. Une affaire personnelle qui m'a pris beaucoup plus de temps que je ne pensais.

Elle ouvrait la bouche pour me réprimander lorsqu'elle se rendit compte que je lui avais renvoyé les mots mêmes qu'elle avait utilisés pour s'excuser de son retard ce matin-là.

— Appelez donc votre témoin suivant, maître, me dit-elle sèchement.

J'appelai Lisa Atwater à la barre et jetai un coup d'œil au fond de la salle pour voir Bosch accompagner la technicienne de l'ADN jusqu'au portillon. Je regardai la pendule accrochée au mur du fond. Mon but était de prendre le reste de l'après-midi pour le témoignage d'Atwater et de l'amener à l'essentiel juste avant la suspension de séance pour la journée. Cela donnerait peut-être toute la nuit à Royce pour préparer son interrogatoire en contre, mais j'étais prêt à échanger cette éventualité contre ce que j'allais y gagner : le fait qu'aucun juré ne pourrait rentrer chez lui sans savoir ce qui reliait – et les preuves en étaient inattaquables – Jason Jessup au meurtre de Melissa Landy.

Comme je le lui avais demandé, Atwater avait gardé sa blouse de travail pour venir du labo du LAPD. Sa veste bleu clair lui donnait un air de compétence et de professionnalisme que ne reflétait pas le reste de sa personne. Très jeune – elle n'avait que trente et un ans –, elle était blonde et la mèche rose qui lui descendait d'un côté du visage la faisait ressembler à l'une des laborantines super cool d'une série télévisée. La première fois que je l'avais rencontrée, j'avais essayé de lui faire oublier sa mèche rose, mais elle m'avait répondu qu'il n'était pas question qu'elle renonce à son individualité. Les jurés, m'avait-elle précisé, devraient l'accepter pour ce qu'elle était. Au moins sa blouse n'était-elle pas rose.

Elle s'identifia, prêta serment et prit le siège réservé aux témoins. Je commençai à lui poser des questions sur son éducation et son expérience professionnelle. J'y passai au moins dix minutes de plus que je ne l'aurais fait en temps normal, mais je n'arrêtais pas de voir ce filet de rose dans ses cheveux et me disais qu'il fallait absolument que je fasse tout mon possible pour le transformer en signe patent de son professionnalisme et de son talent.

Enfin j'arrivai au cœur de son témoignage. Grâce aux questions précises que je lui posai sur l'affaire Landy, elle déclara avoir procédé à une analyse ADN et à des comparaisons entre deux jeux d'éléments de preuves complètement distincts. Je commençai par l'analyse, qui était plus problématique.

— Mademoiselle Atwater, pouvez-vous nous décrire la première tâche qui vous a été assignée dans l'affaire Landy ?

— Oui, le 4 février, j'ai reçu un morceau de tissu découpé dans la robe que portait la victime au moment de son assassinat.

— D'où venait-il ?

— Des scellés du LAPD, où il avait été conservé dans un compartiment sous surveillance.

Ses réponses avaient été répétées avec soin. Elle ne pouvait en aucun cas laisser entendre que l'affaire avait été déjà jugée ou que Jessup avait passé vingt-quatre ans en prison. Le faire eût été préjudiciable à Jessup et entraîné un non-lieu pour vice de procédure.

— Pourquoi vous a-t-on envoyé ce morceau de tissu ?

— Il y avait une tache sur ce tissu, tache qu'il y a vingt-quatre ans de ça, le labo du LAPD avait déclaré être du sperme. Je devais en extraire de l'ADN et l'identifier si cela était possible.

— Le matériel génétique était-il dégradé de quelque manière que ce soit lorsque vous avez examiné ce bout de tissu ?

— Non, maître. Il avait été conservé comme il faut.

— Bien, et donc vous avez ce bout de tissu de la robe de Melissa Landy et vous en extrayez l'ADN. Je ne me trompe pas ?

— Non, vous ne vous trompez pas.

— Qu'avez-vous fait ensuite ?

— J'ai codifié l'ADN et l'ai entré dans la base de données du CODIS.

— Qui est... ?

— Le Combined DNA Index System du FBI. Pensez à une manière de bureau central de tous les ADN recensés. C'est là qu'arrivent toutes les signatures ADN recueillies par les forces de l'ordre et qu'on peut procéder à des comparaisons.

— Vous avez donc entré la signature ADN obtenue à partir du sperme trouvé sur la robe que portait Melissa Landy le jour où elle a été assassinée, c'est bien ça ?

— Exact.

— Et vous avez eu une concordance ?

— Oui. Ce profil ADN était celui de son beau-père, Kensington Landy.

Le prétoire est un grand espace. Il est toujours traversé par un léger courant de bruit et d'énergie. On le sent même si on ne peut pas vraiment l'entendre. On chuchote dans l'assistance, l'huissier et le garde reçoivent et passent des coups de téléphone, la sténo frappe les touches de sa machine. Mais à cet instant, le bruit et l'air quittèrent entièrement la 112e chambre après que Lisa Atwater eut prononcé ces paroles. Je laissai faire quelques instants. Je savais que c'était l'étiage de notre dossier. De fait, avec cette seule réponse, je venais d'ouvrir la voie à la défense. Mais après, tout serait à moi. À moi et à Melissa Landy. Il n'était pas question que je l'oublie.

— Pourquoi l'ADN de Kensington Landy se trouvait-il dans la base de données du CODIS ? demandai-je.

— Parce que l'État de Californie exige que toute personne arrêtée et suspectée d'avoir commis un crime grave donne un échantillon de son ADN à la police. Et en 2004, M. Landy a été arrêté pour un accident de la circulation avec délit de fuite. Bien qu'il ait plaidé coupable et n'ait été condamné que pour des charges plus légères, au début, il a été accusé de crime grave, ce qui a déclenché la mise en application de la loi sur l'ADN au moment de son incarcération. C'est ainsi que son ADN est entré dans le système.

— Bien. Revenons à la robe de la victime et au sperme qui se trouvait dessus. Comment avez-vous pu déterminer que ce sperme y avait été déposé le jour même où Melissa Landy a été assassinée ?

Elle commença par avoir l'air troublée par ma question. Très jolie comédie.

— Je n'ai rien fait de tel, finit-elle par dire. Il est impossible de savoir à quelle date exacte ce sperme y a été déposé.

— Vous voulez dire qu'il aurait très bien pu s'y trouver une semaine avant sa mort ?

— Oui. Il n'y a pas moyen de savoir.

— Et… un mois ?

— Cela se peut dans la mesure où il y a…

— Une année ?

— Encore une fois, c'est…

— Objection !

Royce venait enfin de se lever. Ce n'était pas trop tôt.

— Madame le juge, jusqu'à quand va-t-il falloir aller au-delà de ce qui est prouvé ?

— Je retire ma question, madame le juge. Maître Royce a raison. Nous sommes allés bien trop loin dans ce que nous venons de prouver.

Je marquai une pause pour bien souligner qu'Atwater et moi allions prendre une nouvelle direction.

— Mademoiselle Atwater, vous avez procédé récemment à une deuxième analyse ADN dans l'affaire Melissa Landy, n'est-ce pas ?

— Oui.

— Pouvez-vous nous dire de quoi il s'agissait ?

Avant de répondre, elle replaça sa mèche rose derrière son oreille.

— Oui, j'ai dû procéder à une extraction d'ADN, puis à une comparaison de cheveux. Des cheveux de la victime, Melissa Landy, prélevés lors de son autopsie, et des cheveux retrouvés dans une dépanneuse conduite par l'accusé, Jason Jessup.

— De combien de cheveux parlons-nous ?

— Pour finir, un de chaque. Nous avions pour objectif d'extraire de l'ADN nucléaire, que l'on ne trouve que dans la racine du cheveu. Dans ceux retrouvés dans le camion, un seul se prêtait à une extraction. Nous avons donc comparé l'ADN de sa racine avec celui d'un cheveu de l'autopsie.

Je lui fis reprendre tout le processus en essayant d'obtenir les réponses les plus simples possibles. Juste assez pour qu'on s'en sorte, comme à la télé. Je gardai un œil sur mon témoin et l'autre sur les jurés pour m'assurer que tout le monde restait branché et heureux.

Nous arrivâmes enfin à l'autre bout de ce tunnel technico-génétique et passâmes aux conclusions de Lisa Atwater. Elle projeta plusieurs graphiques avec codages couleurs sur les écrans en hauteur et les expliqua. Cela dit, le fin fond de l'histoire est toujours le même : pour sentir les choses, il faut d'abord que les jurés les entendent. Rien n'est plus important, dans ce que le témoin apporte à l'audience, que sa parole. Tous les graphiques ayant été montrés, rien ne compta plus que ce qu'elle disait.

Je me tournai et jetai un coup d'œil à la pendule. J'étais pile à l'heure. Dans moins de vingt minutes, Breitman allait clore la séance pour la journée. Je me retournai et me préparai à donner le coup de grâce.

— Mademoiselle Atwater, lançai-je, avez-vous la moindre hésitation, que dis-je ? le moindre doute quant à la vérité de la concordance que vous venez d'affirmer sous serment ?

— Non, absolument aucun.

— Croyez-vous au-delà de tout doute raisonnable que le cheveu de Melissa Landy correspond uniquement à celui retrouvé dans la dépanneuse que conduisait l'accusé le 16 février 1986 ?

— Oui.

— Y a-t-il moyen de quantifier le niveau de cette correspondance ?

— Oui, comme je l'ai montré plus tôt, nous avons eu une correspondance sur neuf des dix marqueurs génétiques du protocole CODIS. La chance que ces marqueurs génétiques précis se combinent ensemble est de un sur un milliard six cents millions d'individus.

— Êtes-vous en train de me dire qu'il y a une chance sur un milliard six cents millions que ce cheveu retrouvé dans la dépanneuse conduite par l'accusé appartienne à quelqu'un d'autre que Melissa Landy ?

— On peut dire ça comme ça, oui.

— Mademoiselle Atwater, connaissez-vous la population actuelle du globe ?

— Elle est proche de sept milliards d'individus.

— Je vous remercie, mademoiselle Atwater. Je n'ai pas d'autres questions à vous poser pour l'instant.

Je regagnai mon siège et m'assis. Et dans l'instant, commençai à rassembler des dossiers et des documents pour pouvoir les enfourner dans ma mallette et rentrer chez moi. La journée était terminée et une longue nuit m'attendait pour préparer la suivante. Breitman ne paraissait pas vouloir me reprocher d'avoir fini avec dix minutes d'avance. Elle allait baisser le rideau elle aussi et renvoyer les jurés chez eux.

— Nous procéderons à l'interrogatoire en contre de ce témoin demain, dit-elle. J'aimerais tous vous remercier d'avoir à ce point prêté attention au témoignage d'aujourd'hui. La séance est ajournée jusqu'à demain matin 9 heures pile et encore une fois, je vous enjoins de ne regarder aucun bulletin d'informations télévisées ou…

— Madame le juge ?

Je levai le nez de mes dossiers. Royce s'était levé.

— Oui, maître Royce ?

— Je m'excuse de vous interrompre, madame le juge. Mais à ma montre, il n'est encore que 16 h 50 et je sais que vous aimez engranger autant de témoignages que possible chaque jour. J'aimerais donc interroger le témoin en contre dès maintenant.

Breitman regarda Atwater, qui était toujours à la barre, puis revint à Royce.

— Maître, lui dit-elle, je préférerais que vous commenciez votre interrogatoire en contre demain matin plutôt que de l'entamer maintenant et devoir l'interrompre dans à peine dix minutes. Il n'est pas question que les jurés restent ici après 17 heures. C'est là une règle que je n'entends pas transgresser.

— Je comprends, madame le juge. Mais je n'ai pas l'intention d'interrompre mon interrogatoire. J'en aurai fini avec ce témoin à 17 heures et elle n'aura pas à revenir demain.

Breitman regarda longuement Royce d'un air incrédule.

— Maître Royce, dit-elle, Mlle Atwater est un des témoins clés du ministère public. Vous êtes vraiment en train de me dire que vous n'avez besoin que de cinq minutes pour procéder à votre interrogatoire en contre ?

— Bien sûr, cela dépendra de la longueur de ses réponses, mais je n'ai que quelques questions à lui poser, madame le juge.

— Très bien. Vous pouvez y aller. Mademoiselle Atwater, vous êtes toujours sous serment.

Royce gagna le pupitre et je restai tout aussi perplexe que le juge sur cette manœuvre de la défense. Je m'attendais à ce que Royce prenne toute la matinée ou presque pour interroger Atwater en contre. Il y avait forcément un piège. Il avait bien un expert en ADN sur sa liste de témoins, mais je n'aurais jamais renoncé à essayer de flinguer un témoin de l'accusation.

— Mademoiselle Atwater, lança-t-il, tous ces tests, classifications et extractions d'ADN auxquels vous vous êtes livrée sur le cheveu retrouvé dans la dépanneuse vous ont-ils dit comment celui-ci s'était retrouvé dans ce véhicule ?

Pour gagner du temps, Atwater demanda à Royce de répéter sa question. Mais même en l'entendant pour la deuxième fois, elle n'y répondit pas avant que Breitman n'intervienne.

— Mademoiselle Atwater, dit-elle, pouvez-vous répondre à la question ?

— Euh, oui, je m'excuse. Ma réponse est non, le travail de laboratoire auquel je me suis livrée n'avait rien à voir avec le fait de déterminer comment ce cheveu s'était retrouvé dans la dépanneuse. Cela n'était pas de mon ressort.

— Merci, dit Royce. Et donc, pour que ce soit clair comme de l'eau de roche, vous ne pouvez pas dire aux jurés comment ce cheveu… que vous avez identifié avec une grande compétence comme appartenant à la victime… est arrivé dans ce camion ou qui l'y a mis, c'est bien ça ?

— Objection. Pose des faits qui ne sont pas prouvés.

— Objection retenue. Voulez-vous reformuler votre question, maître Royce ?

— Merci, madame le juge. Mademoiselle Atwater, vous n'avez aucune idée… sauf peut-être ce qu'on vous en aura dit… de la manière dont ce cheveu que vous avez testé s'est retrouvé dans cette dépanneuse, n'est-ce pas ?

— Ça me semble correct.

— Ce qui fait que vous pouvez identifier ce cheveu comme appartenant à Melissa Landy, mais que vous ne pouvez pas affirmer avec le même degré de certitude comment il a terminé dans ce camion, exact ?

Je me levai à nouveau.

— Objection ! Question posée et réponse donnée.

— Je pense quand même devoir laisser répondre le témoin, me renvoya Breitman. Mademoiselle Atwater ?

— Oui, c'est exact. Je ne peux rien affirmer sur la manière dont ce cheveu s'est retrouvé dans ce camion.

— Eh bien, je n'ai donc plus d'autres questions à vous poser. Merci.

Je me retournai et regardai la pendule. Il me restait deux minutes. Vouloir remettre le jury sur les bons rails signifiait que j'allais devoir trouver très vite quelque chose.

— Reprise de l'interrogatoire, maître Haller ? me demanda Breitman.

Je me retournai et me penchai vers Maggie.

— Qu'est-ce que je fais ? lui chuchotai-je.

— Rien, me chuchota-t-elle en retour. Laisse filer ou ça pourrait être pire. Tu as dit ce que tu avais à dire. Il a dit ce qu'il avait à dire. Ce que tu avais à dire est plus important… car tu as fait comprendre que Melissa se trouvait dans le camion. Laisse tomber.

Quelque chose me disait bien de n'en rien faire, mais j'avais l'esprit vide. J'étais incapable de penser à une question qui, faisant suite à l'interrogatoire en contre de Royce, ferait oublier aux jurés ce qu'il avait dit et les ramènerait à ce que moi, j'avais prouvé.

— Maître Haller ? répéta Breitman d'un ton impatient.

Je renonçai.

— Je n'ai plus d'autres questions pour l'instant, madame le juge.

— Très bien, nous ajournons donc la séance jusqu'à demain. L'audience reprendra demain matin à 9 heures et je rappelle aux jurés leur obligation de ne lire aucun article de journal sur ce procès, de ne regarder aucun reportage télévisé portant sur cette affaire et amis ou parents, de n'en parler à personne. Et je vous souhaite à tous une bonne nuit.

Sur quoi les jurés se levèrent et commencèrent à quitter leur box à la queue leu leu. Je jetai un coup d'œil décontracté à la défense et vis Jessup en train de féliciter Royce. On souriait beaucoup. Je sentis une boule se former au creux de mon estomac. Tout se passait comme si j'avais tout joué à la perfection ou presque depuis le matin… soit pas loin de six heures de témoignage… et que dans les cinq dernières minutes, j'avais laissé la victoire me filer entre les doigts.

Je ne bougeai pas de mon siège et attendis que Royce, Jessup et tous les autres aient quitté le prétoire.

— Tu viens ? me demanda Maggie dans mon dos.

— Une minute. Et si je te retrouvais au bureau ?

— Non, marchons un peu ensemble.

— Je ne serais pas de bonne compagnie, Maggs.

— Allez, remets-toi. Tu as eu une excellente journée. Que dis-je ? Nous avons eu une grande journée. Lui n'a été bon que cinq minutes et les jurés le savent.

— D'accord. Je te retrouve là-bas tout de suite.

Elle renonça et je l'entendis s'en aller. Au bout de quelques minutes, je tendis la main vers le dossier du haut de la pile devant moi et l'ouvris à moitié. Une photo d'école de Melissa Landy était fixée à l'intérieur à l'aide d'un trombone. Elle souriait à l'appareil photo. Elle ne ressemblait en rien à ma fille, mais elle me fit penser à Hayley.

Sans rien dire, je me jurai de ne plus jamais laisser Royce se montrer plus malin que moi.

Quelques instants plus tard, quelqu'un éteignit les lumières.

Chapitre 32

Mardi 6 avril – 22 h 15

Bosch se tenait près des balançoires installées dans le sable cinq cents mètres au sud de la jetée de Santa Monica. À sa gauche, les eaux noires du Pacifique scintillaient sous les reflets dansants des lumières et des couleurs de la grande roue au bout de la promenade en planches. Le parc d'attractions avait fermé un quart d'heure plus tôt, mais les lumières ne s'éteindraient pas de toute la nuit, chatoiement électronique de motifs changeants sur la grande roue, spectacle fascinant dans le froid de la nuit.

Harry leva son portable et appela le dispatcheur du SRS. Il avait vérifié plus tôt et tout préparé.

— C'est encore moi. Comment se porte notre garçon ? demanda-t-il.

— On dirait qu'il s'est pieuté pour la nuit. Vous avez dû l'épuiser au prétoire ! En sortant du BTP, il est allé faire un tour au Ralph[1] du coin pour s'acheter des provisions et il est rentré directement chez lui, d'où il n'a toujours pas bougé. C'est le premier soir depuis cinq jours qu'il n'est pas ressorti pour traîner.

1. Chaîne de supermarchés en Californie.

— Oui, bon, ne vous faites pas d'illusions. La porte de derrière est sous surveillance ?

— Oui, et aussi les fenêtres, sa voiture et son vélo. On contrôle, inspecteur. Ne vous inquiétez pas.

— Bon, d'accord, je ne m'inquiéterai pas. Vous avez mon numéro. Appelez-moi s'il bouge.

— Entendu.

Bosch rangea son portable et se dirigea vers la jetée. Le vent qui montait des flots était fort et un léger brouillard de sable lui piqua la figure et les yeux tandis qu'il s'approchait de l'énorme structure. La jetée ressemblait à un porte-avions échoué. Longue et large, elle comprenait un grand parking et un vaste assortiment de restaurants et de boutiques de souvenirs. Au milieu, il y avait aussi un parc d'attractions entier avec des montagnes russes et sa grande roue caractéristique. À son extrémité maritime, elle se transformait en jetée pour la pêche avec un magasin d'appâts, un bureau administratif et un restaurant de plus. Tout cela reposait sur une épaisse forêt de pilotis en bois qui, partant du côté terre, se poursuivait jusqu'à quelque deux cents mètres au-delà de la barre, dans les profondeurs froides de l'océan.

Côté terre, ces pilotis se trouvaient derrière des panneaux de bois qui formaient un entrepôt à moitié sûr pour la ville de Santa Monica. Seulement à moitié sûr pour deux raisons : l'entrepôt était vulnérable aux très fortes marées qui se produisaient assez rarement suite à des tremblements de terre au large. Il y avait aussi que la jetée enjambait une centaine de mètres de plage, ce qui voulait dire que ces panneaux de bois s'ancraient dans du sable humide. Toujours en train de pourrir, le bois était facilement abîmé. Résultat : l'entrepôt était devenu un refuge clandestin de sans-abri que la ville devait vider de temps en temps.

D'après les gars du SRS, Jason Jessup s'était glissé sous le mur sud de la jetée la veille au soir et avait passé trente et une minutes dans l'entrepôt.

Arrivé à la jetée, Bosch commença à la parcourir en cherchant les panneaux de bois sous lesquels Jessup s'était glissé. Il tenait une mini-torche Maglite à la main et trouva rapidement un endroit où le sable avait été creusé à la base du mur et partiellement rebouché. Il s'accroupit, passa sa lampe dans le trou et découvrit que celui-ci était trop petit pour s'y glisser. Il posa sa lampe de côté, se pencha en avant et se mit à creuser tel le chien qui essaie d'échapper à la fourrière.

L'ouverture étant bientôt assez grande, il s'y faufila. Vieux jean noir, grosses chaussures de travail et tee-shirt à manches longues sous une veste en plastique pour descente de police qu'il avait mise à l'envers pour cacher l'inscription LAPD luminescente qui en barrait le devant et le dos, il s'était habillé pour.

Il se retrouva dans un espace sombre et caverneux zébré par la lumière qui filtrait entre les planches du parking au-dessus. Il se redressa, essuya le sable sur ses vêtements et balaya l'endroit avec sa lampe torche. Celle-ci étant conçue pour éclairer de près, le rayon qui en sortait n'illumina guère les profondeurs de l'endroit.

Il y régnait une odeur d'humidité et le bruit des vagues s'écrasant sur les pilotis à seulement quelque vingt-cinq mètres de là se répercutait fortement dans cet espace clos. Bosch braqua le faisceau de sa lampe vers le haut et découvrit l'épaisse moisissure qui s'était accumulée sur les traverses. Il s'avança dans le noir et tomba rapidement sur un bateau recouvert d'une bâche. Il en souleva un bout et s'aperçut qu'il s'agissait d'une ancienne embarcation de sauvetage. Il continua d'avancer et se retrouva devant des piles de bouées, de chevaux de frise et de barrières mobiles, tout cela frappé de l'inscription *Ville de Santa Monica* peinte au pochoir.

Il découvrit ensuite trois empilements d'échafaudages utilisés pour repeindre et réparer la jetée. Ils semblaient abandonnés depuis longtemps et s'enfonçaient lentement dans le sable.

Au fond se trouvaient plusieurs salles de stockage fermées, mais les panneaux de bois s'étant fissurés, puis fendus au fil du temps, tout cela était plus que poreux.

Les portes n'étant pas fermées à clé, il enfila toutes ces salles les unes après les autres et les trouva toutes vides, à l'exception de l'avant-dernière. Celle-ci était fermée par un cadenas flambant neuf. Il passa le rayon de sa torche dans une des fentes du panneau et tenta de regarder à l'intérieur. Il vit bien ce qui ressemblait au bord d'une couverture, mais ce fut tout.

Il revint à la porte et s'agenouilla devant le cadenas. Puis, en tenant sa lampe avec sa bouche, il sortit deux rossignols de son portefeuille, se mit au travail et détermina assez vite que le cadenas n'était qu'à quatre goupilles. Il l'ouvrit en moins de cinq minutes.

Il entra dans la pièce et la trouva essentiellement vide. Il y avait une couverture pliée par terre, avec un oreiller posé dessus. Et rien d'autre. D'après le rapport du SRS de la veille, Jessup s'était promené sur la plage avec une couverture. Le document ne disait pas qu'il l'avait laissée sous la jetée, et il n'y était nulle part fait mention d'un quelconque oreiller.

Harry n'était même pas sûr de se trouver à l'endroit où Jessup était venu. Il fit glisser le faisceau de sa lampe sur le mur, puis sur le dessous de la jetée, et l'y laissa. Il vit alors, et très clairement, le contour d'une porte. D'une trappe. Fermée par en dessous à l'aide d'un autre cadenas neuf.

Bosch était assez sûr de se trouver sous le parking de la jetée. La foule la quittant, il avait entendu de temps à autre des bruits de véhicules au-dessus. Il se dit que la trappe devait servir de porte de chargement pour des objets à entreposer. Il savait qu'il pouvait s'emparer d'un des échafaudages et monter dessus pour examiner le deuxième cadenas, mais il décida de ne pas se donner cette peine. Et quitta l'espace.

Il était en train de refermer la porte avec le cadenas lorsqu'il sentit son portable se mettre à vibrer dans sa poche. Il l'en sortit aussitôt en s'attendant à ce que ce soit le SRS en train de l'avertir que Jessup s'était mis en route. Mais l'écran l'informa que c'était sa fille. Il décrocha.

— Salut, Maddie, dit-il.

— Papa ? T'es là-bas ?

Elle parlait à voix basse et le bruit des vagues s'écrasant sur la plage était fort. Il cria.

— Oui, j'y suis. Y a un problème ?

— Ben… quand est-ce que tu reviens à la maison ?

— Bientôt, ma fille. J'ai encore un peu de travail.

Elle baissa encore plus la voix, Bosch devant se boucher l'autre oreille pour l'entendre. Derrière elle, le bruit de l'autoroute était perceptible. Il comprit qu'elle s'était installée sur la terrasse de derrière.

— Papa, elle me fait faire des devoirs qu'il n'y a même pas besoin de rendre avant la semaine prochaine !

Bosch l'avait encore une fois laissée aux bons soins de Sue Bambrough, l'adjointe du principal.

— Comme ça, la semaine prochaine, tu la remercieras quand tous les autres devront les faire et que toi, tu les auras déjà faits.

— Papa, j'ai fait des devoirs toute la soirée !

— Tu veux que je lui dise de te laisser faire une pause ?

Elle ne répondit pas et Bosch comprit. Elle l'appelait pour lui faire savoir l'horreur qu'elle était en train de vivre. Mais elle ne voulait pas qu'il y fasse quelque chose.

— Bon écoute... Dès que je reviens, je rappelle à Mme Bambrough que tu n'es pas à l'école quand tu es à la maison et que tu n'as pas besoin de travailler tout le temps. Ça te va ?

— OK. Et pourquoi je peux pas aller chez Rory ? C'est pas juste !

— Peut-être la prochaine fois. Il faut que je retourne au boulot, Mads. On en parle demain ? Ah oui... je veux que tu sois au lit quand je rentrerai.

— Comme tu voudras.

— Bonne nuit, Madeline. Assure-toi que toutes les portes sont fermées à clé, y compris celle de la terrasse, et je te retrouve demain.

— Bonne nuit.

Il aurait été difficile de ne pas entendre la désapprobation dans sa voix. Elle raccrocha avant lui. Il referma son portable et juste au moment où il le remettait dans sa poche, il entendit un bruit qui venait du trou par lequel il s'était glissé dans l'entrepôt – on aurait dit des morceaux de métal qui s'entrechoquent. Il éteignit aussitôt sa lampe et se dirigea vers la bâche qui recouvrait le bateau.

Accroupi derrière l'embarcation, il vit une forme humaine se lever près du mur et se déplacer dans les ténèbres sans le secours d'une lampe. Elle se dirigea sans la moindre hésitation vers la pièce fermée par un cadenas neuf.

Des réverbères éclairaient le parking au-dessus. Ils projetaient de fines rayures de lumière dans les fissures que formaient les planches de la promenade en se resserrant. La forme humaine continuant de les traverser les unes après les autres, Bosch s'aperçut que c'était Jessup.

Il se baissa encore plus et, d'instinct, porta la main à sa ceinture pour s'assurer qu'il avait son arme. De l'autre, il sortit son portable et appuya sur la touche *silencieux*. Il n'avait pas envie que le dispatcheur du SRS se rappelle qu'il devait l'appeler pour lui dire que Jessup était de sortie.

Il remarqua qu'il portait un sac qui semblait lourdement chargé. Jessup se rendit tout droit à la pièce fermée et ne tarda pas à en ouvrir la porte. Il avait manifestement une clé.

Jessup recula d'un pas, Bosch voyant un rai de lumière lui passer sur la figure tandis qu'il se retournait et passait toute la salle en revue afin d'être sûr qu'il était seul. Puis il entra dans la pièce.

Pendant quelques secondes il n'y eut ni bruit ni mouvement, puis Jessup reparut sur le seuil. Il ressortit de la pièce, referma la porte et remit le cadenas. Il repassa dans la lumière et fit un demi-tour complet pour scruter la grande salle. Bosch se baissa encore plus. Il se dit que Jessup devait se méfier après avoir découvert le trou creusé sous le mur peu de temps auparavant.

— Qui est là ? lança Jessup.

Bosch ne bougea pas. Il ne respira même plus.

— Montrez-vous !

Bosch glissa la main sous sa veste de descente de police et la referma sur son arme. Il savait que Jessup s'était procuré un flingue. Qu'il ne fasse ne serait-ce qu'un mouvement dans sa direction et il sortirait son arme, prêt à tirer le premier.

Mais rien de tel ne se produisit. Jessup regagna vite le trou et disparut dans la nuit. Bosch tendit l'oreille, mais n'entendit que le bruit des vagues s'écrasant sur la plage. Il attendit encore trente secondes avant de se diriger lui aussi vers la sortie. Sans allumer sa lampe. Il n'était pas certain que Jessup soit vraiment parti.

Il faisait le tour des échafaudages lorsqu'il se cogna le tibia sur un tuyau en métal qui dépassait du tas. Une douleur soudaine lui monta dans la jambe gauche tandis que les cadres en métal étaient déséquilibrés. Les deux du dessus dégringolèrent bruyamment du tas et tombèrent dans le sable. Bosch se jeta par terre juste à côté et attendit.

Mais Jessup ne reparut pas. Il avait filé.

Bosch se releva lentement. Il avait mal et était en colère. Il sortit son portable et appela le dispatcheur du SRS.

— Vous étiez censé m'appeler dès que Jessup sortirait de chez lui ! chuchota-t-il d'un ton rageur.

— Je sais, lui renvoya le dispatcheur. Mais il n'a toujours pas bougé.

— Quoi ? Mais vous… passez-moi le responsable !

— Je suis désolé, inspecteur, mais ce n'est pas comme…

— Écoute un peu, tête de nœud, Jessup ne s'est pas « pieuté pour la nuit ». Je viens de le voir. Et ça a failli mal tourner. Alors tu me passes un responsable à qui parler ou bien j'appelle le lieutenant Wright chez lui.

En attendant, Bosch gagna le mur latéral pour pouvoir sortir de l'entrepôt. Sa jambe le faisant beaucoup souffrir, il marchait en boitant.

Dans le noir comme il l'était, il n'arrivait plus à retrouver l'endroit où il pourrait passer sous le mur. Il finit par allumer sa mini-torche et la tint près du sol. Il retrouva le trou, mais s'aperçut que Jessup y avait poussé du sable, exactement comme la nuit précédente.

Enfin, une voix se fit entendre dans son portable.

— Bosch ? Jacquez à l'appareil. Vous prétendez avoir vu le sujet ?

— Je ne « prétends » pas l'avoir vu ! Je l'ai vu ! Où sont vos gars ?

— On est au point zéro. Il n'est pas sorti de chez lui.

Le point zéro, soit le domicile de Jessup.

— Vous déconnez ou quoi ? Je viens juste de le voir sous la jetée de Santa Monica.

— Son point zéro, on l'a sous surveillance, et sérieuse ! Et il n'est pas…

— Écoute un peu, Jacouillon ! Jessup, c'est mon affaire à moi. Je le connais, ce type, et c'est tout juste s'il ne m'est pas rentré dans le lard. Alors, tu appelles tes gars et tu trouves celui qui s'est fait la malle parce que moi…

— Je vous rappelle, lui renvoya sèchement Jacquez, et la communication fut coupée.

Bosch remit la sonnerie et glissa l'appareil dans sa poche. Et encore une fois, il s'agenouilla et recreusa le trou à toute vitesse en se servant de ses mains comme de godets. Puis il se faufila dans l'ouverture en s'attendant à moitié à ce que Jessup l'attende de l'autre côté.

Mais celui-ci était invisible. Bosch se releva, se tourna vers Venice, regarda la plage, mais ne vit personne dans la lumière de la grande roue. Il se retourna et regarda du côté des hôtels et des immeubles d'habitation qui bordaient le rivage. Il y avait bien quelques personnes sur la promenade le long des immeubles, mais aucune de ces silhouettes ne ressemblait à celle de Jessup.

Vingt-cinq mètres plus loin côté jetée, des escaliers conduisaient directement au parking. Bosch les rejoignit en boitant fort. Il était arrivé à la moitié des marches lorsque son téléphone sonna. C'était Jacquez.

— Bon alors, où est-il ? On arrive !

— C'est bien le problème. Je l'ai perdu. J'ai été obligé de me planquer et je croyais que vous l'aviez dans le collimateur. Je suis en train de remonter sur la jetée. Qu'est-ce qui s'est passé, Jacquez ?

— Un de nos gars s'est barré pour aller chier un coup. Il avait mal au ventre, qu'il disait. Ça m'étonnerait qu'il fasse encore partie du groupe demain.

— Putain de Dieu !

Arrivé en haut des marches, Bosch se rendit jusqu'au parking désert. Jessup ne donnait toujours pas signe de vie.

— Bon, moi, je suis sur la jetée et je ne le vois pas. Il est dans la nature.

— D'accord, Bosch. On est là dans deux minutes. On va se déployer. On le retrouvera. Il n'a pris ni sa voiture ni son vélo, il est donc à pied.

— Il a pu prendre un taxi dans un des hôtels du coin. Pour finir, on ne sait donc toujours pas où il…

Bosch venait de comprendre quelque chose.

— Il faut que j'y aille, reprit-il. Appelez-moi dès que vous l'avez sous surveillance. C'est compris, Jacquez ?

— C'est compris.

Bosch mit fin à la communication et appela aussitôt chez lui en numérotation rapide. Il consulta sa montre, s'aperçut qu'il était 23 heures passées et attendit que Sue Bambrough lui réponde.

Mais ce fut sa fille qui décrocha.

— Papa ?

— Bonjour, Mads, pourquoi es-tu encore debout ?

— Parce qu'il a bien fallu que je finisse tous ces devoirs. Et je voulais souffler un peu avant d'aller me coucher.

— Bon d'accord. Écoute… tu peux me passer Mme Bambrough ?

— Papa ! Je suis en pyjama dans ma chambre.

— Pas de problème. Tu vas juste à la porte et tu lui dis de décrocher dans la cuisine. Il faut que je lui parle. Et toi, en attendant, tu t'habilles : tu quittes la maison.

— Quoi ?! Mais papa, je…

— Écoute-moi, Madeline. C'est important. Je vais dire à Mme Bambrough de t'emmener chez elle et je viendrai t'y chercher. Je veux que tu quittes la maison.

— Pourquoi ?

— T'as pas besoin de le savoir. T'as juste besoin de faire ce que je te dis. Bon et maintenant, tu me passes Mme Bambrough.

Elle ne répondit pas, mais il entendit la porte de sa chambre qui s'ouvrait. Puis sa fille qui disait :

— C'est pour vous.

Un instant plus tard, Sue Bambrough prenait le téléphone dans la cuisine.

— Allô ?

— Sue, c'est moi, Harry. Il faudrait que vous fassiez quelque chose. Il faudrait que vous emmeniez Maddie chez vous. Tout de suite. Je viendrai la reprendre dans moins d'une heure.

— Je ne comprends pas.

— Sue, écoutez-moi. On surveillait un type qui sait où j'habite et on l'a perdu de vue. Il n'y a aucune raison de paniquer ou de croire que c'est là qu'il va, mais je veux prendre toutes mes précautions. J'aimerais donc que vous emmeniez Maddie avec vous et que vous lui fassiez quitter la maison. Tout de suite. Allez chez vous et je vous y retrouve. Vous pouvez faire ça pour moi ?

— Nous partons tout de suite.

La détermination qu'il entendit dans sa voix lui plut et il se dit que ça devait faire partie du métier de prof et de principal adjoint dans une école publique.

— Bien, moi, je me mets en route. Appelez-moi dès que vous serez chez vous.

Sauf qu'il ne se mit pas en route. Après avoir raccroché, il rangea son portable, reprit l'escalier qui descendait à la plage et regagna le trou qu'il avait creusé sous le mur de l'entrepôt. Il rampa en dessous et, cette fois, se servit de sa mini-torche pour rejoindre la pièce fermée par un cadenas. Il reprit ses rossignols et attaqua de nouveau ce dernier en ne cessant de penser à la manière dont Jessup avait échappé à la surveillance. Qu'il soit parti de chez lui au moment même où le gars du SRS quittait son poste était-il une simple coïncidence ou Jessup se savait-il suivi et avait-il filé en profitant de l'occasion ?

Pour l'instant, il n'y avait aucun moyen de le savoir.

Enfin il réussit à ouvrir le cadenas, l'opération prenant plus longtemps que la première fois. Il entra dans la pièce et braqua le faisceau de sa lampe sur la couverture et l'oreiller posés par terre. Le sac qu'il lui avait vu était là, lui aussi. Il portait l'inscription *Ralphs* sur le côté. Bosch s'agenouilla et s'apprêtait à l'ouvrir lorsque son portable bourdonna. C'était Jacquez.

— On le tient. Il est au croisement de Nielson et d'Ocean Park. On dirait qu'il rentre chez lui.

— Bon, essayez de ne pas le perdre ce coup-ci, d'accord, Jacquez ? Faut que j'y aille.

Il raccrocha avant que Jacquez puisse lui répondre et appela vite sa fille. Elle était dans la voiture avec Sue Bambrough. Il lui dit qu'elles pouvaient faire demi-tour, la nouvelle n'étant pas accueillie par un merci plein de soulagement. Maddie était toujours troublée et en colère d'avoir eu peur. Bosch ne pouvait pas le lui reprocher, mais il ne pouvait pas davantage s'éterniser au téléphone.

— Je serai à la maison dans moins d'une heure, reprit-il. On pourra parler de tout ça si tu es encore debout. À tout à l'heure.

Il raccrocha et se concentra sur le sac. Il l'ouvrit en le laissant à sa place, près de la couverture.

Il contenait douze portions individuelles de fruits au sirop en boîte. De la pêche coupée en petits dés, de l'ananas en tranches et un truc baptisé *mélange de fruits*. Plus un paquet de cuillères en plastique. Bosch regarda longuement tout cela, puis il leva la tête et contempla le mur, les poutres transversales et la trappe fermée au cadenas.

— Qui amènes-tu ici, Jessup ? dit-il en chuchotant.

Chapitre 33

Mercredi 7 avril – 13 h 05

Tous les regards s'étaient tournés vers le fond de la salle. L'heure du grand événement avait sonné. Cela étant, même aux premières loges, je n'en étais pas moins qu'un spectateur lambda. Ça ne me plaisait pas des masses, mais je pouvais m'en accommoder et j'avais confiance. La porte s'ouvrit et Harry Bosch fit entrer notre grand témoin. Sarah Ann Gleason nous avait dit qu'elle n'avait pas de robes et qu'elle ne voulait pas en acheter une pour témoigner. Elle portait un jean noir et un chemisier violet en soie. Elle était jolie et donnait l'impression d'avoir confiance en elle. Elle se passait très bien de la robe.

Bosch se tenait à sa droite et se posta entre elle et Jessup en lui ouvrant la porte. Assis à la table de la défense, ce dernier se tourna comme tout le monde vers son accusatrice dès qu'elle entra dans la salle.

Bosch laissa Sarah faire le reste du chemin toute seule. Déjà debout au pupitre, Maggie McFierce lui adressa un beau sourire lorsqu'elle passa devant elle. C'était aussi le grand moment pour elle et dans son sourire, je vis de l'espoir pour les deux femmes.

La matinée avait été bonne, d'abord avec le témoignage de l'ancien conducteur de dépanneuse Bill Clinton, puis avec Bosch qui avait réussi à tenir jusqu'à midi. Clinton avait raconté ce qu'il avait vécu le jour du meurtre et comment Jessup lui avait emprunté sa casquette des Dodgers juste avant qu'ils ne se retrouvent dans le tapissage improvisé devant la maison de Windsor Boulevard. Il avait aussi attesté que les chauffeurs de l'Aardvark connaissaient et utilisaient souvent le parking derrière l'El Rey Theater et que c'était bien Jessup qui s'occupait de Windsor Boulevard le matin du meurtre. Tout cela faisait gagner des points à l'accusation et Clinton ne lâcha rien à Royce lors de l'interrogatoire en contre.

Puis ç'avait été au tour de Bosch de venir à la barre et ce, pour la troisième fois depuis le début du procès. Mais au lieu de lire d'anciens témoignages, il avait détaillé sa propre enquête et montré la casquette des Dodgers prise à Jessup lors de son arrestation vingt-quatre ans plus tôt – il l'avait retrouvée aux scellés et on lisait les initiales BC sous le bord. Nous étions obligés d'y aller sur la pointe des pieds, ce couvre-chef et les autres biens appartenant à Jessup ayant été gardés au coffre de la prison de San Quentin vingt-quatre ans durant. Le faire savoir aurait révélé que Jessup avait été déjà condamné pour le meurtre de Melissa Landy.

Bientôt, ç'allait être à Sarah Gleason d'être le dernier témoin pour l'accusation. Grâce à elle, l'affaire connaîtrait le crescendo émotionnel sur lequel je comptais. Une femme serait là pour représenter sa sœur depuis longtemps disparue. Je me renversai dans mon fauteuil pour regarder mon ex nous mener droit au but : c'était le meilleur procureur que j'aie jamais rencontré.

Après avoir prêté serment, Gleason s'assit dans le box réservé aux témoins. Elle était petite et demanda à l'huissier d'abaisser le micro. Maggie s'éclaircit la voix et se lança.

— Bonjour, madame Gleason, dit-elle. Comment vous sentez-vous ?

— Plutôt bien.

— Pourriez-vous, s'il vous plaît, dire un peu qui vous êtes aux jurés ?

— Euh… j'ai trente-sept ans. Je ne suis pas mariée. J'habite à Port Townsend, dans l'État de Washington, depuis sept ans maintenant.

— Comment gagnez-vous votre vie ?

— Je suis artisan verrier.

— Quel était votre lien avec Melissa Landy ?

— C'était ma cadette.

— De combien ?

— Elle avait treize mois de moins que moi.

Maggie projeta une photographie des deux sœurs sur l'écran en hauteur comme pièce à conviction. On y voyait deux fillettes en train de sourire debout devant un sapin de Noël.

— Pouvez-vous identifier cette photo ?

— Oui. C'est Melissa et moi à son dernier Noël. Juste avant qu'on l'enlève.

— Ce devait donc être la Noël de 1985.

— Oui.

— Je remarque que votre sœur et vous faisiez à peu près la même taille.

— Oui, ce n'était plus vraiment ma petite sœur. Elle m'avait rattrapée.

— Partagiez-vous les mêmes habits ?

— Nous nous en prêtions certains, mais nous avions aussi nos préférés et ceux-là, nous ne les échangions pas. Ça aurait provoqué des disputes.

Elle sourit, Maggie y allant d'un hochement de tête pour lui signifier qu'elle comprenait.

— Vous venez de dire qu'elle a été « enlevée ». Parliez-vous du 16 février de l'année suivante, jour où votre sœur a été kidnappée et assassinée ?

— C'est bien ça.

— D'accord, Sarah. Je sais que ça va vous être pénible, mais j'aimerais que vous disiez aux jurés ce que vous avez vu et fait ce jour-là.

Gleason hocha la tête comme si elle rassemblait ses forces en vue de ce qui allait venir. Je regardai les jurés et vis que tous avaient les yeux braqués sur elle. Puis je me retournai vers la table de la défense et regardai Jessup droit dans les yeux. Et ne le lâchai pas. Je soutins son regard de défi et tentai de lui renvoyer mon propre message. À savoir que deux femmes – une qui posait les questions et l'autre qui y répondait – allaient l'abattre.

Pour finir, ce fut Jessup qui se détourna.

— Eh bien…, c'était un dimanche, lança Gleason. Nous allions partir au temple. Toute la famille. Comme Melissa et moi étions déjà en robe, ma mère nous a dit d'aller attendre devant.

— Pourquoi ne pas aller dans le jardin de derrière ?

— Parce que mon beau-père y construisait une piscine et qu'il y avait un grand trou et beaucoup de boue. Ma mère craignait que nous tombions et salissions nos robes.

— Vous êtes donc allées dans le jardin de devant.

— Oui.

— Où étaient vos parents à ce moment-là, Sarah ?

— Ma mère était toujours au premier étage à se préparer et mon beau-père dans le salon. Il regardait du sport à la télé.

— Où se trouvait le salon ?

— À l'arrière de la maison, près de la cuisine.

— Bien, Sarah. Je vais vous montrer une photo intitulée *Pièce à conviction du ministère public n° 11*. Est-ce l'avant de la maison de Windsor Boulevard où vous habitiez ?

Tous les regards se portèrent vers l'écran. La maison en brique jaune y apparut en entier. Le cliché avait été pris loin dans la rue et montrait un grand jardin avec des haies de trois mètres de haut de chaque côté. Très largement cachée par des plantes d'ornement, une véranda courait sur toute la longueur du bâtiment. Une allée pavée partait du trottoir et traversait la pelouse jusqu'aux marches de la véranda. En vue du procès, j'avais bien examiné les photos que nous allions montrer comme pièces à conviction. Mais pour la première fois, je remarquai que l'allée était fissurée en son milieu, du trottoir jusqu'à la véranda. Dieu sait pourquoi, cela me parut approprié étant donné ce qui s'y était passé.

— Oui, c'était bien notre maison.

— Dites-nous ce qui s'est produit ce jour-là dans le jardin de devant.

— Nous avions décidé de jouer à cache-cache en attendant nos parents. J'étais la première à m'y coller et j'ai trouvé Melissa cachée derrière ce buisson, là, à droite de la véranda, dit-elle en montrant la photo toujours affichée à l'écran.

Je m'aperçus que nous avions oublié de lui donner la flèche laser avec laquelle nous avions préparé son témoignage. J'ouvris vite la mallette de Maggie, la trouvai, me levai et la lui tendis. Avec la permission du juge, Maggie la passa au témoin.

— Bien, Sarah, reprit-elle, pourriez-vous nous montrer avec cette flèche laser ?

Sarah entoura d'un rond lumineux rouge un épais buisson au coin nord de la véranda.

— Et donc, c'est là qu'elle s'était cachée et que vous l'avez trouvée ?

— Oui, et quand ç'a été mon tour, j'ai décidé de me cacher au même endroit en me disant que ce n'était pas là qu'elle regarderait en premier. Dès qu'elle a eu fini de compter, elle a descendu les marches et s'est arrêtée au milieu du jardin.

— Et vous pouviez la voir de votre cachette ?

— Oui, à travers le buisson. Elle faisait une espèce de demi-tour pour me chercher.

— Que s'est-il passé ensuite ?

— Eh bien, j'ai d'abord entendu un camion qui passait et…

— Permettez que je vous arrête tout de suite, Sarah. Vous dites avoir entendu un camion. Vous ne l'avez pas vu ?

— Non, pas de l'endroit où je me cachais.

— Comment saviez-vous que c'était un camion ?

— Il était lourd et faisait beaucoup de bruit. Je le sentais dans le sol, c'était comme un petit tremblement de terre.

— D'accord. Que s'est-il passé après que vous avez entendu le camion ?

— Brusquement, j'ai vu un homme dans le jardin… et… il a foncé droit sur ma sœur et l'a attrapée par le poignet.

Sarah baissa les yeux et serra les mains sur la barre devant son siège.

— Sarah, connaissiez-vous cet homme ?

— Non, je ne le connaissais pas.

— L'aviez-vous déjà vu ?

— Non, jamais.

— A-t-il dit quelque chose ?

— Oui, je l'ai entendu dire : « Il faut que tu viennes avec moi. » Et ma sœur a dit : « Vous êtes sûr ? » Et c'est tout. Je crois qu'il a dit autre chose, mais je ne l'ai pas entendu. Et il l'a emmenée. Jusqu'à la rue.

— Et vous êtes restée cachée ?

— Oui, je ne pouvais... Dieu sait pourquoi, je n'arrivais pas à bouger, à appeler à l'aide... je ne pouvais rien faire. J'étais terrorisée.

Le prétoire connut alors le genre de solennité où le silence est absolu hormis pour les voix du procureur et du témoin.

— Sarah, reprit Maggie, avez-vous vu ou entendu autre chose ?

— J'ai entendu une portière se fermer et le camion partir.

Je vis les larmes couler sur ses joues. L'huissier avait dû les voir lui aussi car il sortit une boîte de mouchoirs en papier d'un tiroir de son bureau et traversa la salle avec. Mais au lieu de l'apporter à Sarah, il la tendit à la jurée nº 2 qui, elle aussi, avait des larmes sur les joues. Cela m'allait très bien. Je n'avais pas envie que ces larmes quittent le visage de Sarah.

— Sarah, combien de temps s'est-il écoulé avant que vous ne sortiez de derrière ce buisson pour dire à vos parents que votre sœur venait de se faire enlever ?

— Moins d'une minute, je crois, mais c'était déjà trop tard. Elle avait disparu.

Le silence qui suivit cette déclaration fut comme un vide dans lequel des vies entières peuvent s'engloutir. À jamais.

***

Maggie passa la demi-heure suivante à guider Sarah dans l'évocation de ce qui était arrivé ensuite. L'appel désespéré de son beau-père à la police, les déclarations qu'elle avait faites aux inspecteurs, le tapissage auquel elle avait assisté de la fenêtre de sa chambre et son identification de Jason Jessup comme étant l'homme qu'elle avait vu emmener sa sœur.

Maggie devait faire très attention. Nous nous étions servis de témoignages faits sous serment lors du premier procès. Les minutes en étaient aussi accessibles à Royce et je savais – sans le moindre doute – que son adjoint assis à côté de Jessup comparait tout ce que Sarah disait maintenant avec les déclarations qu'elle avait faites lors du premier procès. Qu'elle change seulement une nuance dans son histoire et Royce lui sauterait dessus pendant l'interrogatoire en contre et se servirait de ces différences pour essayer de la faire passer pour une menteuse.

J'avais, moi, l'impression que son témoignage était spontané et pas le moins du monde répété. Cela disait assez tout le travail de préparation auquel s'étaient livrées les deux femmes. Ce fut sans accroc et de manière efficace que Maggie amena Sarah au moment crucial où celle-ci reconfirma son identification de Jessup.

— Avez-vous eu le moindre doute lorsque, en 1986, vous avez identifié Jason Jessup comme étant le ravisseur de votre sœur ?

— Non, aucun.

— Beaucoup de temps s'est écoulé depuis, Sarah, mais je vous demande de regarder autour de vous et de dire aux jurés si vous voyez l'homme qui a enlevé votre sœur le 16 février 1986.

— Oui, c'est lui, dit-elle sans aucune hésitation en montrant Jessup du doigt.

— Pouvez-vous nous dire où il est assis et nous décrire un de ses vêtements ?

— Il est assis à côté de maître Royce et porte une cravate bleu foncé et une chemise bleu clair.

Je marquai une pause et regardai le juge Breitman.

— Qu'il soit inscrit aux minutes que le témoin a identifié l'accusé, dit-elle.

Je reportai aussitôt mon attention sur Sarah.

— Après toutes ces années, doutez-vous le moins du monde que cet homme soit celui qui a enlevé votre sœur ?

— Pas le moins du monde.

Maggie se retourna et regarda le juge.

— Madame le juge, dit-elle, il est peut-être un peu tôt, mais je pense que ce serait le moment de faire la pause de l'après-midi. Ce sont de tout autres questions que je me propose de poser au témoin maintenant.

— Très bien, dit Breitman. La séance est levée pour un quart d'heure. Je vous demande d'être tous de retour ici à 14 h 35. Merci.

Sarah manifesta le souhait d'aller aux toilettes et quitta la salle, Bosch lui dégageant le passage et s'assurant qu'elle ne se retrouve pas nez à nez avec Jessup dans le couloir. Maggie se rassit à la table de la défense et nous nous concertâmes.

— Tu les tiens, Maggie, lui dis-je. C'est ce qu'ils voulaient depuis le début de la semaine et c'est mieux que ce à quoi ils s'attendaient.

Elle savait bien que c'était des jurés que je lui parlais. Elle n'avait besoin ni de mon approbation ni de mes encouragements, mais il fallait que je les lui donne.

— C'est maintenant que ça va être difficile, dit-elle. J'espère qu'elle tiendra le coup.

— Elle se débrouille comme un chef. Et je suis sûr qu'Harry est en train de le lui dire en ce moment même.

Maggie ne répondit pas. Elle commença à tourner les pages du bloc-notes où elle avait inscrit ses remarques et le schéma général de l'interrogatoire en contre. Elle fut vite complètement immergée dans le travail de l'heure suivante.

Chapitre 34

Mercredi 7 avril – 14 h 30

Bosch dut chasser les reporters lorsque Sarah Gleason sortit des toilettes. En se servant de son corps comme d'un bouclier contre les caméras et les appareils photo, il la raccompagna jusqu'au prétoire.

— Sarah, vous vous débrouillez comme un chef, lui dit-il. Vous continuez comme ça et ce type retournera directo là où il faut qu'il soit.

— Merci, mais cette partie-là était facile. La suivante ne va plus l'être.

— Ne vous racontez pas d'histoires, Sarah. Des parties faciles, il n'y en a pas. Continuez seulement de penser à votre sœur Melissa. Il faut absolument que quelqu'un parle pour elle. Et à l'heure qu'il est, ce quelqu'un, c'est vous.

Ils arrivaient à la porte du prétoire lorsqu'il se rendit compte que Sarah avait fumé aux toilettes. Il le sentit sur elle.

Dès qu'ils furent entrés, il lui fit descendre l'allée centrale et la confia à Maggie, qui l'attendait au portillon. Il adressa un hochement de tête au procureur. Elle marchait du tonnerre, elle aussi.

— Finissez le boulot ! lui lança-t-il.

— On le fera, lui renvoya-t-elle.

Après lui avoir remis le témoin, il reprit l'allée centrale et s'arrêta à la sixième rangée de spectateurs. Il y avait repéré Rachel Walling. Il se faufila entre plusieurs journalistes et observateurs pour la rejoindre. Il y avait une place libre à côté d'elle, il s'y assit.

— Harry.

— Rachel.

— Je crois que le type assis ici avait l'intention de revenir, dit-elle.

— Pas de problème. Dès que l'audience reprendra, il faudra que je reparte. Vous auriez dû m'avertir que vous veniez ! Mickey m'a dit que vous étiez passée l'autre jour.

— J'aime bien venir quand j'ai un peu de temps libre. Jusqu'à présent, cette histoire est fascinante.

— Oui, mais espérons que les jurés y verront plus que du fascinant. J'ai tellement envie que ce type soit renvoyé à San Quentin que j'en baverais !

— Mickey m'a dit que Jessup sortait la nuit. C'est toujours le…

Elle baissa la voix jusqu'au chuchotement en voyant ce dernier descendre l'allée centrale pour rejoindre sa place à la table de la défense.

— … toujours le cas ?

Bosch chuchota lui aussi.

— Oui, et hier soir, ça a bien failli mal tourner pour nous. Le SRS l'a perdu de vue.

— Oh non !

La porte du juge s'ouvrit et cette dernière se dirigea vers son fauteuil. Tout le monde se leva. Bosch sut qu'il devait retourner à la table de l'accusation au cas où on aurait besoin de lui.

— Mais je l'ai retrouvé, poursuivit-il. Bon, il faut que j'y aille… vous allez rester toute l'après-midi ?

— Non, il faut que je retourne au bureau. C'est la pause.

— D'accord, Rachel. Merci d'être passée. Je vous rappelle.

Tout le monde commençant à se rasseoir, il se faufila hors de la rangée, redescendit vite l'allée et franchit le portillon pour regagner les chaises disposées juste derrière la table de l'accusation.

McPherson reprit l'interrogatoire de Sarah Ann Gleason. Bosch trouvait que le procureur, aussi bien que le témoin, avaient fait un travail remarquable, mais il savait aussi qu'elles allaient toutes les deux se retrouver en territoire inconnu et que, bientôt, tout ce qui avait été dit avant n'aurait plus aucune importance si ce qui était dit maintenant n'était pas présenté d'une manière aussi convaincante qu'inattaquable.

— Sarah, lança McPherson, à quel moment votre mère a-t-elle épousé Kensington Landy ?

— Quand j'avais six ans.

— Ken Landy vous plaisait-il ?

— Non, pas vraiment. Au début, ça s'est bien passé, mais après, tout a changé.

— De fait même, vous avez essayé de vous enfuir de chez vous quelques mois à peine avant la mort de votre sœur, c'est bien ça ?

— C'est exact.

— Je vais vous montrer la pièce à conviction n° 12, à savoir un rapport de police daté du 13 novembre 1985. Pouvez-vous dire aux jurés de quoi il s'agit ?

McPherson donna des copies de ce rapport au témoin, au juge et à l'équipe des défenseurs. Bosch l'avait trouvé en allant fouiller dans les archives et c'était un beau coup de chance.

— C'est une main courante signalant la disparition d'une personne, répondit Sarah. Ma mère avait signalé ma disparition.

— La police vous a-t-elle retrouvée ?

— Non, je suis rentrée à la maison, tout simplement. Je n'avais pas d'endroit où aller.

— Pourquoi vous étiez-vous enfuie ?

— Parce que mon beau-père… couchait avec moi.

McPherson acquiesça d'un signe de tête et laissa cette déclaration longtemps résonner dans la salle d'audience. Trois jours plus tôt, Bosch se serait attendu à ce que Royce se déchaîne aussitôt sur cette partie du témoignage de Sarah, mais il savait maintenant qu'elle jouait aussi en faveur de la défense. Kensington Landy était l'homme de paille et tout ce qui pouvait étayer cette idée était bienvenu.

— Quand cela a-t-il commencé ? finit par lui demander McPherson.

— L'été avant ma fugue. L'été avant l'enlèvement de Melissa.

— Sarah, je suis désolée de vous faire revivre ces horreurs, mais… tout à l'heure, vous avez déclaré partager certains vêtements avec votre sœur, n'est-ce pas ?

— Oui.

— La robe qu'elle portait le jour de son enlèvement était-elle à vous ?

— Oui.

McPherson fit enregistrer la robe comme pièce à conviction, Bosch l'installant aussitôt sur un mannequin devant le box des jurés afin qu'ils puissent la voir.

— Est-ce bien cette robe, Sarah ?

— Oui.

— Vous remarquerez qu'un carré de tissu a été ôté de l'ourlet de devant. Le voyez-vous ?

— Oui.

— Savez-vous pourquoi ce carré de tissu a été découpé ?

— Oui, parce qu'ils ont trouvé du sperme à cet endroit.

— « Ils », c'est-à-dire les techniciens d'investigation criminelle ?

— Oui.

— Était-ce quelque chose que vous saviez au moment où votre sœur a été tuée ?

— Je le sais maintenant. On ne m'en avait pas parlé à ce moment-là.

— Savez-vous à qui ce sperme a été attribué après analyse génétique ?

— Oui, on m'a dit qu'il appartenait à mon beau-père.

— Cela vous a-t-il surprise ?

— Non, malheureusement.

— Pouvez-vous expliquer comment il s'est retrouvé sur votre robe ?

Royce éleva une objection en arguant que la question prêtait à spéculations. Elle poussait aussi le témoin à diverger de la théorie de la défense, mais cela, il omit de le dire. Breitman acceptant l'objection, McPherson dut trouver un autre moyen de toucher au but.

— Sarah, quel jour aviez-vous porté cette robe pour la dernière fois avant que votre sœur ne vous l'emprunte le jour où elle a été kidnappée ?

Royce éleva de nouveau une objection.

— Même objection, dit-il. Nous ne faisons que spéculer sur des événements vieux de vingt-quatre ans, à savoir à une époque où le témoin n'en avait que treize.

— Madame le juge, lança McPherson, maître Royce n'avait pas de problème pour parler de prétendues « spéculations » lorsque celles-ci cadraient avec la vision de la défense. Mais voilà qu'il élève une objection alors même que nous arrivons au cœur du sujet. Il ne s'agit point de « spéculations » ! Mlle Gleason est présentement en train de dire la vérité sur un des moments les plus sombres et les plus tristes de sa vie et je ne pense pas…

— Objection rejetée, dit Breitman. Le témoin peut répondre à la question.

— Merci, madame le juge.

Bosch scruta les jurés pendant que McPherson reposait sa question. Il voulait voir s'ils voyaient la même chose que lui – à savoir un avocat de la défense qui essayait de freiner la marche à la vérité. Il trouvait le témoignage de Sarah Gleason parfaitement convaincant jusqu'alors et voulait entendre ce qu'elle avait à dire, son espoir étant qu'embarqués dans le même bateau que lui, les jurés voient d'un mauvais œil tout ce que tentait la défense pour l'en empêcher.

— Je l'avais portée deux soirs avant, répondit Sarah.

— Le vendredi 14, donc. Le soir de la Saint-Valentin.

— Oui.

— Pourquoi portiez-vous cette robe ?

— Ma mère avait préparé un bon repas pour fêter la Saint-Valentin et mon beau-père avait dit que nous devions toutes nous mettre sur notre trente et un.

Elle avait à nouveau baissé la tête et perdu tout contact oculaire avec les jurés.

— Votre beau-père s'est-il engagé dans des activités sexuelles avec vous ce soir-là ?

— Oui.

— Portiez-vous cette robe à ce moment-là ?

— Oui.

— Sarah, savez-vous si votre père a éja…

— *Ce n'était pas mon père !*

Elle avait crié et sa voix résonna en écho dans toute la salle, révélant à plus de cent personnes son plus noir secret. Bosch regarda McPherson et vit qu'elle étudiait la réaction des jurés. Alors seulement, il comprit que c'était sciemment qu'elle s'était trompée.

— Je suis désolée, Sarah. Je voulais dire : « votre beau-père ». Savez-vous s'il a éjaculé au moment où il était avec vous ce soir-là ?

— Oui, et une partie de son sperme est tombé sur ma robe.

McPherson consulta ses notes et tourna plusieurs pages de son bloc. Elle voulait que cette dernière réponse résonne aussi longtemps que possible dans la salle.

— Sarah, qui faisait la lessive chez vous ?

— Une dame. Elle s'appelait Abby.

— Avez-vous mis votre robe au linge sale après la Saint-Valentin ?

— Non, je ne l'ai pas fait.

— Pourquoi ?

— J'avais peur qu'Abby découvre la tache et qu'elle comprenne ce qui s'était passé. Je me disais qu'elle en parlerait peut-être à ma mère ou alors qu'elle appellerait la police.

— Pourquoi cela aurait-il été un mal ?

— Je… ma mère était heureuse et je ne voulais pas tout lui flanquer par terre.

— Et donc, qu'avez-vous fait de votre robe ce soir-là ?

— J'ai nettoyé la tache et je l'ai accrochée dans ma penderie. Je ne savais pas que ma sœur allait la mettre.

— Qu'avez-vous fait lorsque, deux jours plus tard, votre sœur a voulu la porter ?

— Elle l'avait déjà mise quand je l'ai vue. Je lui ai dit que je voulais la mettre, mais elle m'a répondu que c'était trop tard parce que cette robe ne faisait pas partie de la liste de vêtements que je ne partageais pas avec elle.

— Pouvait-on voir la tache ?

— Non, j'ai regardé et comme elle était en bas, sur l'ourlet, je n'ai rien vu.

McPherson marqua une nouvelle pause. Connaissant le travail de préparation du témoin, Bosch comprit que McPherson avait couvert toutes les questions qu'elle voulait lui poser. Elle avait suffisamment expliqué l'ADN qui réunissait tout le monde dans ce prétoire. Elle allait devoir obliger Sarah à s'enfoncer plus avant dans son sinistre périple parce que si elle ne le faisait pas, Royce, lui, le ferait à coup sûr.

— Sarah, reprit-elle, vos relations avec votre beau-père ont-elles changé après la mort de votre sœur ?

— Oui.

— Comment ?

— Il ne m'a plus jamais touchée.

— Savez-vous pourquoi ? Lui en avez-vous parlé ?

— Non, je ne sais pas pourquoi. Et je ne lui en ai jamais parlé. Ça ne s'est tout simplement plus jamais reproduit et il a essayé de faire comme si ça n'était jamais arrivé avant.

— Mais pour vous, tout ceci… votre beau-père, la mort de votre sœur… vous l'avez payé, n'est-ce pas ?

— Oui.

— De quelle façon, Sarah ?

— Euh, eh bien… j'ai commencé à me droguer et je suis encore partie de la maison. J'ai beaucoup fugué, en fait. Coucher ne m'intéressait pas. C'était juste quelque chose que je faisais pour me procurer ce dont j'avais besoin.

— Avez-vous jamais été arrêtée ?

— Oui, plusieurs fois.

— Pourquoi ?

— La drogue, surtout ça. Une fois aussi, je me suis fait arrêter pour avoir racolé un policier en civil. Et pour vol.

— Vous avez été arrêtée six fois quand vous étiez mineure et cinq en tant qu'adulte, c'est bien ça ?

— Je n'ai pas compté.

— Quelles drogues preniez-vous ?

— Essentiellement du cristal. Mais s'il y avait autre chose de disponible, je le prenais aussi. C'est comme ça que j'étais, à l'époque.

— Êtes-vous passée en désintoxication et avez-vous bénéficié de suivis thérapeutiques ?

— Souvent, oui. Au début, ça n'a rien donné, puis ça a fini par marcher. J'ai arrêté de consommer.

— À quel moment ?

— Il y a environ sept ans. À mes trente ans.

— Cela fait sept ans que vous ne vous droguez plus ?

— Oui, je suis clean. Je mène une vie complètement différente maintenant.

— Je vais vous montrer la pièce à conviction n° 13, à savoir une fiche d'admission avec rapport d'évaluation d'un centre de désintoxication privé de Los Angeles, Les Pins. Vous rappelez-vous l'avoir fréquenté ?

— Oui. C'est ma mère qui m'y a envoyée quand j'avais seize ans.

— Est-ce à ce moment-là que vous avez commencé à avoir des ennuis ?

— Oui.

McPherson distribua des copies de ce document au juge, au greffier et à la défense.

— Bien, dit-elle, je veux attirer votre attention sur le paragraphe que j'ai surligné en jaune dans la partie évaluation de la fiche d'admission. Pourriez-vous, s'il vous plaît, la lire à haute voix aux jurés ?

— *La candidate parle de TSPT suite au meurtre de sa sœur il y a trois ans. Souffre de culpabilité non résolue associée à ce meurtre et présente le comportement typique d'une enfant violée. Évaluation physique et psychique recommandée.*

— Merci, Sarah. Savez-vous ce que signifie l'acronyme TSPT ?

— Oui, troubles du syndrome post-traumatique.

— Avez-vous procédé à cette évaluation recommandée par Les Pins ?

— Oui.

— A-t-il été fait mention des viols répétés de votre beau-père ?

— Non, parce que j'ai menti.

— Comment ça ?

— À ce moment-là, j'avais déjà couché avec d'autres hommes et je n'ai donc jamais parlé de mon beau-père.

— Avant de l'avoir révélé à la cour aujourd'hui, aviez-vous jamais parlé à quiconque de votre beau-père et des viols répétés qu'il vous faisait subir ?

— Non, seulement à vous et à l'inspecteur Bosch. À personne d'autre.

— Avez-vous été mariée ?
— Oui.
— Plus d'une fois ?
— Oui.
— Et vous n'avez jamais parlé de ça à vos maris ?
— Non. Ce n'est pas le genre de choses qu'on a envie de raconter à quiconque. On garde ça pour soi.
— Merci, Sarah. Je n'ai plus d'autres questions à vous poser.

McPherson reprit son bloc-notes et regagna sa place, où Haller l'accueillit en lui serrant le bras. Le geste était destiné aux jurés, mais tous les regards s'étaient déjà portés sur Royce. Son tour était venu, mais pour Bosch toute la salle était pour Sarah Gleason. Tous les efforts que Royce pourrait déployer pour la détruire risquaient fort de se retourner contre son client.

Royce joua le coup intelligemment. Il décida de laisser retomber les émotions une nuit durant. Il se leva et dit au juge qu'il se réservait le droit de rappeler Gleason à la barre en qualité de témoin pendant la phase de la défense. De fait, il renonçait à l'interroger en contre. Puis il reprit sa place.

Bosch consulta sa montre. Il était 16 h 15. Le juge demanda à Haller d'appeler son témoin suivant, mais Bosch savait qu'il n'y en avait pas. Haller regarda McPherson et tous les deux hochèrent la tête. Haller se leva.

— Madame le juge, dit-il, l'accusation en a terminé.

Chapitre 35

Mercredi 7 avril – 19 h 20

L'équipe de l'accusation se retrouva à dîner à la « Casa Haller ». Je préparai des pâtes bolognaise avec une sauce achetée en magasin et des farfalles que je plongeai dans l'eau bouillante. Maggie contribua au repas avec sa recette personnelle de *Caesar salad*, celle que j'adorais déguster quand nous étions mariés, mais à laquelle je n'avais plus goûté depuis des années. Bosch et sa fille furent les derniers arrivés, Bosch ayant dû ramener Sarah Ann Gleason à son hôtel après l'audience et s'assurer de sa sécurité pour la nuit.

Nos filles se montrèrent timides en faisant connaissance et bien gênées par la manière plus que manifeste dont leurs parents observaient ce moment tant attendu. Elles comprirent d'instinct qu'il valait mieux rester à l'écart et partirent dans le bureau du fond, pour faire, un peu trop ostensiblement, leurs devoirs. Peu après, nous commençâmes à entendre des rires au bout du couloir.

Je versai les pâtes et la sauce dans un grand saladier et mélangeai tout ça. Puis j'appelai les filles pour qu'elles se servent en premier et emportent leurs assiettes au bureau.

— Ça va là-bas derrière ? leur demandai-je tandis qu'elles remplissaient leurs assiettes. Des devoirs de faits ?

— Oh, papa ! me lança Hayley d'un ton dédaigneux, comme si ma question attentait à sa dignité.

J'essayai la cousine.

— Maddie ?

— Heu… j'ai presque fini les miens.

Elles se regardèrent et pouffèrent comme si question et réponse ne pouvaient que prêter à intense jubilation. Puis elles s'éclipsèrent et regagnèrent le bureau.

Je posai tout sur la table autour de laquelle les adultes avaient pris place. La dernière chose que je fis fut de m'assurer que la porte du bureau était bien fermée, de façon à ce que les filles n'entendent pas ce que nous disions et que nous, nous n'entendions pas ce qu'elles pouvaient bien se dire.

— Bien, lançai-je en passant le saladier à Bosch. Nous en avons terminé avec notre phase à nous du procès. C'est maintenant que ça va être dur.

— Oui, dit Maggie, la phase de la défense. Que croyons-nous qu'ils aient en réserve pour Sarah ?

Je réfléchis un instant avant de répondre et goûtai à ma première farfalle. Elle était bonne. Je fus fier de mon plat.

— Nous savons qu'ils vont lui jeter tout ce qu'ils pourront à la tête, répondis-je enfin. C'est sur elle que tout repose.

Bosch glissa la main dans la poche de sa veste, en sortit une feuille de papier et la déplia sur la table. Je vis qu'il s'agissait de la liste des témoins de la défense.

— À la fin de l'audience d'aujourd'hui, Royce a dit au juge qu'il n'en aurait plus que pour une seule journée, dit-il. Il a ajouté qu'il ne ferait venir que quatre témoins à la barre alors qu'il en a vingt-trois sur cette liste.

— Bah, nous savons depuis le début que l'essentiel de sa liste se résume à du vent, dit Maggie. Il cache sa stratégie.

— Bon, et donc, nous avons Sarah qui revient, dis-je en levant un doigt. Après, nous avons Jessup en personne. À mon avis, Royce sait très bien qu'il est obligé de le citer à comparaître. Ça nous fait deux témoins. Qui d'autre ?

Maggie finit d'avaler sa bouchée avant de parler.

— Eh mais, c'est bon, ce truc, Haller ! s'écria-t-elle. Quand as-tu appris à préparer ça ?

— C'est un petit plat que j'aime appeler *Newman's own*[1].

— Non, non, tu y as ajouté des trucs. Tu l'as amélioré. Comment se fait-il que tu n'aies jamais fait la cuisine comme ça quand nous étions mariés ?

— Sans doute la nécessité… quand je suis devenu père célibataire… Et toi, Harry ? C'est quoi, tes petits plats ?

Il nous regarda tous les deux comme si nous étions fous.

— Je sais faire les œufs au plat, répondit-il. Et c'est à peu près tout.

— Revenons-en au procès, dit Maggie. Je pense donc que Royce va citer Jessup et Sarah. Et après, ce sera le témoin mystérieux que nous n'avons pas réussi à retrouver. Le type du dernier centre de désintoxication.

---

1. « La recette spéciale Paul Newman ». Par référence à la ligne de produits alimentaires créée par le célèbre acteur américain.

— Edward Roman, précisa Bosch.

— C'est ça, Roman. Ça nous en fait trois, le quatrième pouvant être son enquêteur, ou son expert en méthamphétamines, tout ça n'étant probablement que du vent. Il n'y aura pas de quatrième témoin. Royce fait beaucoup dans les fausses pistes. Il n'a aucune envie qu'on ait les yeux fixés sur le joyau de la couronne. Il veut qu'on regarde absolument tout, sauf la vérité.

— Et Roman ? demandai-je. On ne l'a pas retrouvé, mais sait-on ce qu'il va dire ?

— Tant s'en faut, répondit Maggie. Je n'arrête pas d'y réfléchir avec Sarah et elle n'a aucune idée de ce qu'il va bien pouvoir raconter. Elle ne se rappelle pas lui avoir jamais parlé de sa sœur.

— D'après la présentation qui accompagnait l'échange des pièces, il parlera des « révélations » que Sarah lui aurait faites sur son enfance, dit Bosch. Rien de plus précis que ça, bien sûr, Royce prétendant qu'il n'a pas pris de notes pendant sa déposition.

— Écoutez, dis-je, on connaît ses antécédents et nous savons exactement à quel type d'individu on a affaire. Il dira tout ce que Royce voudra qu'il dise. C'est aussi simple que ça. Tout ce qui pourra aller dans le sens de la défense. Ce qui fait que nous devrions nous soucier moins de ce qu'il dira... – parce que, et on le sait, ce ne seront que des mensonges... – que de la manière dont nous devrons nous y prendre pour l'éjecter de la barre. Qu'est-ce qui pourrait nous y aider ?

Maggie et moi regardâmes Bosch, qui nous attendait.

— Je crois tenir quelque chose, dit-il. Je dois voir quelqu'un ce soir. Et si ça marche, on aura ça demain matin. Je vous dirai.

Les frustrations que sa façon d'enquêter et de communiquer suscitaient en moi débordèrent.

— Oh, Harry, arrête ! On fait équipe ici ! Tes trucs d'agent secret ne marchent vraiment pas quand, à côté de ça, on est tous les jours dans ce prétoire à risquer notre peau !

Il baissa les yeux sur son assiette et je le vis se mettre en colère. Il fut bientôt d'un rouge aussi foncé que ma sauce.

— Parce que vous risqueriez votre peau ! s'écria-t-il. Je ne vois dans aucun rapport de surveillance que Jessup aurait jamais traîné devant chez toi, Haller, alors ne viens pas me raconter que tu « risques ta peau ». Toi, ton boulot, tu le fais dans ce prétoire. C'est chouette et c'est sécurisé. Un coup, tu gagnes, un autre tu perds, mais quoi qu'il arrive, le lendemain, c'est dans ce même prétoire que tu te retrouves. Tu veux risquer ta peau ? Essaie donc de faire du terrain !

Et il montra la fenêtre et la vue de la ville qu'on y avait.

— Holà, les mecs, calmez-vous ! s'écria vite Maggie. Qu'est-ce qu'il y a, Harry ? Jessup est remonté à Woodrow Wilson Drive ? Peut-être qu'on devrait lui révoquer sa liberté et le refoutre au trou.

Bosch hocha la tête.

— Non, dit-il, il n'est pas revenu dans ma rue. Il n'y est pas repassé depuis cette première fois et il n'est pas remonté à Mulholland depuis plus d'une semaine non plus.

— Alors qu'est-ce qu'il y a ?

Bosch reposa sa fourchette et repoussa son assiette.

— Nous savons déjà qu'il y a toutes les chances pour qu'il ait un flingue depuis que le SRS l'a vu rencontrer un trafiquant d'armes déjà condamné. Les gars ne savent pas ce que lui a filé le mec, mais comme le truc était enveloppé dans une serviette, y a pas besoin de beaucoup réfléchir pour deviner de quoi il peut s'agir. Bon et maintenant, vous voulez savoir ce qui s'est passé hier soir ? Un gros malin de l'équipe de surveillance a décidé de lâcher son poste pour aller aux toilettes sans en parler à personne, et Jessup en a profité pour échapper à la toile d'araignée.

— Quoi ? Les gars l'ont perdu de vue ? dit Maggie.

— Oui, jusqu'à ce que moi, je le retrouve juste avant que lui me tombe dessus, ce qui aurait pu se terminer plutôt mal. Et vous savez ce qu'il manigance ? Il est en train de construire des espèces d'oubliettes pour quelqu'un et pour ce que j'en sais…

Il se pencha sur la table et termina sa phrase en un murmure plein d'urgence.

— … ce quelqu'un pourrait être ma fille !

— Hé minute, Harry ! s'écria Maggie. On reprend depuis le début. Il serait en train de construire des « oubliettes » ? Où ça ?

— Sous la jetée de Santa Monica. Il y a une espèce de hangar de stockage. Il a mis un cadenas à la porte et y a déposé de la nourriture en conserve hier soir. Comme s'il préparait l'endroit pour quelqu'un.

— Bon, oui, ça fout la trouille. Mais… votre fille ? Ça, on ne le sait pas. Vous n'avez pas dit vous-même qu'il n'est resté devant chez vous qu'une fois ? Pourquoi croyez-vous que…

— Parce que je ne peux pas me payer le luxe de ne pas le croire. Vous comprenez ?

— Oui, je comprends, dit-elle. Et donc, j'en reviens à ce que je disais. On le fait arrêter pour association avec un criminel reconnu... le trafiquant d'armes... et on le prive de sa liberté sur parole. Le procès sera terminé dans quelques jours, et il est clair qu'il n'est pas passé à l'acte et n'a pas commis l'erreur que nous espérions. On la joue sécurité et on le remet derrière les barreaux jusqu'à la fin du procès.

— Et si on n'obtient pas sa condamnation ? demanda Bosch. Qu'est-ce qui se passe après ? Le mec est libre et c'est la fin de toute possibilité de surveillance. Il est dans la nature et personne ne peut l'observer.

Le silence se fit autour de la table. Je dévisageai Bosch et compris la pression qu'il subissait. L'affaire, la menace sur sa fille, et aucune épouse ou ex-épouse pour le soutenir chez lui.

Ce fut Bosch qui finit par briser ce silence embarrassé.

— Maggie, dit-il, vous prenez Hayley chez vous ce soir ?

— Oui, dès qu'on aura fini ici.

— Maddie peut-elle rester chez vous ce soir ? Elle a des vêtements de rechange dans son sac à dos. Je pourrais passer la prendre pour l'emmener à l'école demain matin.

Cette demande parut surprendre Maggie, d'autant plus que les deux filles venaient à peine de faire connaissance. Mais Bosch la pressa.

— Je dois retrouver quelqu'un ce soir et je ne sais pas où ça risque de m'emmener. Il se pourrait même que ça me conduise à Roman et j'ai besoin de pouvoir agir sans avoir à m'inquiéter pour Maddie.

— Bon, d'accord, pas de problème, dit Maggie. En plus, on dirait qu'elles sont en train de devenir vraiment copines. J'espère seulement qu'elles ne vont pas rester debout toute la nuit.

— Merci, Maggie.

Une trentaine de secondes s'écoulèrent avant que je reprenne la parole.

— Parle-nous de ces oubliettes, Harry, dis-je.

— Je me suis retrouvé dedans hier soir.

— Mais pourquoi à la jetée de Santa Monica ?

— À mon avis, parce que c'est juste dessous.

— Il veut une proie. (Il acquiesça.) Mais… et le bruit ? Tu ne viens pas de dire que c'était juste sous la jetée ?

— Il y a des tas de façon de contrôler ça. Et hier soir, le bruit des vagues s'écrasant sur les piles de la jetée était tellement fort que t'aurais pu hurler toute la nuit sans qu'on t'entende. On n'entendrait probablement même pas un coup de feu tiré dans cet endroit.

Il parla avec une certaine autorité de ces endroits de ténèbres et du mal qui s'y cachait. Je perdis vite l'appétit et repoussai moi aussi mon assiette. Je sentais la peur m'envahir.

La peur pour les victimes, la peur pour toutes les Melissa Landy de la planète.

Chapitre 36

Mercredi 7 avril – 23 heures

« Gilbert and Sullivan[1] » l'attendaient dans une voiture garée dans Lankershim Boulevard, près de son extrémité nord, à l'endroit où il rejoint San Fernando Road. Comme pelé, ce lieu était essentiellement occupé par des ateliers de mécanique automobile et des parkings pleins de véhicules d'occasion. Au milieu de tout ce petit négoce se trouvait un motel avec des chambres à louer pour cinquante dollars la semaine. L'établissement n'avait pas de nom, son enseigne au néon se contentant de proclamer : *Motel*.

Gilberto Reyes et John Sullivan, de leurs vrais noms, étaient deux inspecteurs des Stups détachés auprès de la Valley Enforcement Team, une unité de la lutte antidrogue travaillant dans les rues du quartier. Lorsqu'il s'était lancé à la recherche d'Edward Roman, Bosch en avait fait part à toutes sortes d'unités de la police de Los Angeles. Connaissant les antécédents de Roman, il se disait qu'au contraire de Sarah Gleason, il n'avait

1. Respectivement librettiste et compositeur anglais d'opérettes célèbres telles que *Le Mikado, Les Pirates de Penzance*, entre autres…

pas lâché le monde des toxicos. Il devait donc y avoir quelqu'un des Stups qui savait des choses sur lui.

Cette approche fut payante lorsque Reyes l'appela. Son coéquipier et lui ne l'avaient pas dans leur ligne de mire, mais ils le connaissaient suite à certaines affaires et savaient où se cachait sa dernière gagneuse en date, gagneuse qui, apparemment, attendait son retour. Les camés de longue date se maquent souvent avec des prostituées, auxquelles ils offrent leur protection en échange de la part de drogue que les gains de ces dames leur permettent d'acheter.

Bosch s'arrêta derrière la voiture des inspecteurs en civil et se gara. Puis il descendit de son véhicule, gagna le leur et monta dedans après avoir vérifié que la banquette arrière était libre de toutes les vomissures et autres cochonneries laissées par les derniers clients qu'ils avaient transportés.

— L'inspecteur Bosch, j'imagine ? lança le conducteur, Bosch se disant que ce devait être Reyes.

— Oui. Ça va, les gars ?

Il leur tendit le poing par-dessus le dossier, les deux inspecteurs y donnant un petit coup du leur en se présentant. Bosch s'était trompé. Celui qui avait l'air latin était Sullivan et l'autre, celui qui ressemblait à un grand sachet de pain de mie, Reyes.

— Gilbert and Sullivan, hein ? reprit Bosch.

— C'est comme ça qu'on nous a appelés quand on a fait équipe, dit Sullivan. Et ça nous est resté.

Bosch hocha la tête. Il n'y avait pas besoin de pousser plus loin les présentations. Tout le monde avait un surnom, et une histoire pour le justifier. À eux deux, ces gars-là n'avaient même pas son âge et sans doute pas non plus la moindre idée de qui pouvaient être Gilbert and Sullivan.

— Alors comme ça, vous connaissez Eddie Roman ?

— Oui, nous avons eu le plaisir de faire sa connaissance, répondit Reyes. C'est rien de plus qu'un énième étron humain qui flotte dans le coin.

— Mais comme je vous l'ai dit au téléphone, on ne l'a pas vu depuis à peu près un mois, précisa Sullivan. Alors, on vous a trouvé ce qu'il y a de mieux après lui. Sa pute. Elle est là-bas, dans sa chambre.

— Comment s'appelle-t-elle ?

Sullivan se mit à rire, Bosch ne comprenant pas pourquoi.

— Elle s'appelle Sonia Reyes, dit Reyes. Elle n'est pas de la famille.

— Qu'il dit ! ajouta Sullivan.

Et il éclata de rire, Bosch l'ignorant complètement.

— Vous m'épelez ça ?

Il sortit son carnet de notes et y inscrivit le nom.

— Et vous êtes sûrs qu'elle est dans sa chambre ?

— On en est sûrs, dit Reyes.

— Bon, d'accord. Autre chose que je devrais savoir avant d'y aller ?

— Non, dit Reyes, mais on comptait vous accompagner. Elle pourrait décider de faire la maligne avec vous.

Bosch lui flanqua une grande claque sur l'épaule.

— Non, dit-il, j'ai ce qu'il faut. Et j'ai pas envie d'avoir du monde dans la chambre.

Reyes acquiesça d'un signe de tête. Le message était passé. Bosch ne voulait pas de témoin de ce qu'il allait peut-être avoir besoin de faire.

— Mais merci pour le coup de main, dit-il. Il ne sera pas oublié.

— Une grosse affaire, c'est ça ? demanda Sullivan.

Bosch ouvrit la portière et descendit de la voiture.

— Elles le sont toutes, dit-il.

Et il referma la portière, tapa deux fois sur le toit du véhicule et s'éloigna.

Le motel était entouré par un grillage de deux mètres cinquante de haut. Bosch fut obligé de sonner et de montrer son badge à une caméra. On le fit entrer, mais il fila devant le bureau sans s'arrêter et s'engagea dans un passage couvert qui conduisait aux chambres.

— Hé là ! lui cria quelqu'un dans son dos.

Bosch se retourna et vit un type à la chemise déboutonnée qui s'était penché à la porte du bureau.

— Où tu vas, mec, bordel ?

— Rentre chez toi et ferme la porte. Affaire de police.

— Rien à foutre, mec. Je t'ai laissé entrer, mais c'est privé ici. Tu peux pas entrer comme ça et...

Bosch remonta vite le passage vers le type. Qui le jaugea et recula sans que Bosch ait quoi que ce soit à ajouter.

— Pas de problème, mec. C'est bon.

Il rentra vite fait et referma la porte derrière lui. Bosch se retourna et trouva la chambre n° 3 sans plus de difficultés. Il se pencha près du montant de la porte dans l'espoir d'entendre quelque chose. Mais non, rien.

Il y avait un judas. Il mit le doigt dessus et frappa. Et attendit et frappa de nouveau.

— Sonia, dit-il, ouvre. C'est Eddie qui m'envoie.

— Qui c'est ?

Voix de femme éreintée et soupçonneuse. Bosch eut recours au sésame universel.

— Aucune importance. Eddie m'a envoyé avec quelque chose pour que tu tiennes jusqu'à ce qu'il ait fini.

Pas de réponse.

— D'accord, Sonia. Je lui dirai que ça t'intéresse pas. J'ai quelqu'un d'autre qui crachera pas dessus.

Il ôta son doigt du judas et commença à s'éloigner. Presque aussitôt, la porte s'ouvrit derrière lui.

— Attendez !

Il se retourna. Elle avait ouvert la porte sur une quinzaine de centimètres. Il vit ses yeux caves, avec une vague lumière dans son regard.

— Faites voir.

Bosch regarda autour de lui.

— Quoi ? Ici ? dit-il. Avec toutes les caméras qu'il y a autour ?

— Eddie m'a dit de pas ouvrir aux inconnus. Et vous avez l'air d'un flic.

— Peut-être que j'en suis un, mais ça change rien au fait que c'est Eddie qui m'envoie.

Et il recommença à s'éloigner.

— C'est comme j'ai dit. J'y dirai que j'ai essayé. Bonne nuit !

— D'accord, d'accord. Vous pouvez entrer, mais juste pour livrer la came. Rien d'autre.

Bosch repartit vers la porte. Elle se glissa derrière et l'ouvrit. Bosch entra, se tourna vers elle et vit son arme. Un vieux revolver, sans aucune balle visible dans les chambres. Il leva les mains à hauteur de poitrine. Il voyait bien qu'elle souffrait. Cela faisait trop longtemps qu'elle attendait, qu'elle mettait toute sa confiance de camée dans quelque chose qui ne marcherait pas.

— Sonia, dit-il, c'est pas nécessaire. En plus, je pense pas qu'Eddie t'ait laissé des balles.

— Il m'en reste une. Vous voulez l'essayer ?

C'était sans doute celle qu'elle se gardait pour elle-même. Elle n'avait que la peau et les os et était pratiquement au bout du rouleau. Aucun camé ne tenait jamais la distance.

— Filez-moi ça ! lança-t-elle. Tout de suite.

— OK, vas-y doucement. Je l'ai là.

Il glissa la main droite dans la poche de sa veste et en sortit une boule de papier alu qu'il avait prise à un rouleau installé dans la cuisine de Haller. Il la tint à droite de son corps en sachant que, désespérée comme elle l'était, elle suivrait son geste des yeux. Il lança vite la main gauche en avant et lui arracha l'arme des mains. Il fit encore un pas en avant et la poussa brutalement sur le lit.

— Tu la fermes et tu bouges pas ! lui ordonna-t-il.

— Qu'est-ce que… ?

— Je t'ai dit de la fermer.

Il ouvrit le barillet et regarda dedans. Elle avait raison. Il lui restait bien une balle. Il la fit glisser dans la paume de sa main et la mit dans sa poche. Puis il se coinça le revolver dans la ceinture. Et ouvrit son porte-badge pour qu'elle le voie.

— Tu ne te trompais pas, dit-il.

— Qu'est-ce que vous voulez ?

— On va y venir.

Il fit le tour du lit et regarda la pièce complètement défraîchie. Ça sentait la sueur et les cigarettes. Ses affaires étaient enfermées dans plusieurs sacs de commissions en plastique posés par terre. Dans l'un se trouvaient des chaussures, dans les deux ou trois autres des vêtements. Sur la seule table de nuit étaient posés un cendrier qui débordait et une pipe en verre.

— C'est quoi qui te fait souffrir, Sonia ? demanda-t-il. T'es en manque de crack ? D'héroïne ? Ou alors… de meth ?

Elle garda le silence.

— Je pourrais mieux t'aider si je savais ce dont tu as besoin.

— Je veux pas de votre aide.

Il se retourna et la regarda. Pour l'instant, tout marchait exactement comme prévu.

— Vraiment ? T'as pas besoin de mon aide. Parce que tu crois qu'Eddie va revenir pour toi ?

— Oui, il va revenir.

— Laisse-moi te dire. Il a déjà filé. À mon avis, ils ont dû le désintoxiquer comme il faut et il reviendra jamais ici dès qu'il aura fait ce qu'ils veulent. Il prendra le chèque et quand il aura plus de fric, il se maquera avec une autre pute, tout simplement.

Il marqua une pause, la regarda et ajouta :

— Avec une nana qu'aura encore quelque chose qu'un mec voudrait se payer.

Dans ses yeux, il vit le regard d'une fille qui reconnaît la vérité quand elle l'a devant elle.

— Laissez-moi tranquille, dit-elle d'une voix rauque.

— Et je sais que je ne te dis pas des trucs que tu ne saurais pas déjà. T'attends Eddie depuis bien plus longtemps que tu croyais, pas vrai ? Combien il te reste de jours payés dans cette chambre ?

Il lut la réponse dans ses yeux.

— C'est déjà fini, c'est ça ? Tu dois donc sucer le mec du bureau pour qu'il te laisse rester. Mais combien de temps ça va durer, ça ? Dans pas longtemps, il ne voudra plus que ton fric.

— Je vous ai dit de partir.

— Je vais m'en aller. Mais tu vas venir avec moi, Sonia. Tout de suite.

— Qu'est-ce que vous voulez ?

— Que tu me dises tout ce que tu sais sur Eddie Roman.

QUATRIÈME PARTIE

Le témoin silencieux

Chapitre 37

Jeudi 8 avril – 9 h 01

Avant que le juge n'appelle les jurés, Clive Royce se leva et demanda à la cour de prononcer un verdict d'acquittement. Il argua que le ministère public ne s'était pas montré à la hauteur de son devoir, à savoir assumer pleinement la charge de la preuve. Il affirma que les pièces à conviction présentées par l'accusation étaient loin de prouver la culpabilité de son client au-delà de tout doute raisonnable. J'étais prêt à argumenter pour l'accusation, mais Breitman leva la main pour me signifier de rester à ma place. Puis elle rejeta très vite la demande de Royce.

— Requête refusée, dit-elle. La cour est d'avis que les pièces à conviction présentées par l'accusation sont suffisantes pour que les jurés s'en saisissent. Maître Royce, êtes-vous prêt à présenter les arguments de la défense ?

— Oui, madame le juge.

— Bien. Nous allons donc appeler les jurés. Avez-vous une déclaration préliminaire à nous faire ?

— Elle sera très brève, madame le juge.

— Bien, je vais donc vous prendre au mot.

Les jurés entrèrent dans la salle l'un après l'autre et s'assirent aux places qui leur étaient assignées. Sur le visage de nombre d'entre eux, je lus l'attente. J'y vis un bon signe – c'était comme s'ils se demandaient comment diable la défense allait pouvoir se sortir de toutes les preuves que le ministère public lui avait balancées. Je ne faisais sans doute que prendre mes désirs pour des réalités, mais j'ai passé une bonne partie de ma vie d'adulte à scruter les jurés et ce que je voyais me plaisait bien.

Le juge les accueillit, puis passa la main à Royce en rappelant aux jurés qu'ils allaient commencer par entendre une déclaration préliminaire, et non pas une liste de faits avérés à moins que ceux-ci ne soient plus tard étayés par des témoignages et des preuves. Plein de confiance en lui-même, Royce gagna le pupitre sans la moindre note ou le moindre dossier dans les mains. Je savais qu'il fonctionnait selon les mêmes principes que moi pour ce qui est de la déclaration préliminaire. On regarde les jurés dans les yeux, on ne bronche pas et on ne revient jamais sur sa théorie, aussi tirée par les cheveux ou carrément incroyable soit-elle. Le but étant de la leur faire avaler. S'ils s'aperçoivent qu'on n'y croit pas soi-même, jamais ils ne le feront.

La stratégie qu'il avait choisie, à savoir repousser sa déclaration préliminaire au début de la phase défense du procès, allait payer. C'était lui qui allait ouvrir la journée et présenter l'affaire en livrant aux jurés une analyse qui n'avait nul besoin d'être vraie, qui pouvait même être aussi saugrenue que tout ce qu'on peut entendre dans tous les prétoires de la Terre. Il n'avait qu'à s'en tenir à sa ligne directrice et rien d'autre ne compterait vraiment.

— Bonjour, mesdames et messieurs les jurés ! lança-t-il. C'est aujourd'hui que commence une nouvelle phase de ce procès. Celle de la défense. C'est maintenant que nous allons vous donner notre version des faits et, croyez-moi, une autre version que ce que l'accusation vient de vous présenter ces trois derniers jours, nous en avons une !

« Je ne vais pas vous prendre beaucoup de votre temps parce que Jason Jessup et moi-même sommes très impatients d'en venir aux preuves que l'accusation n'a pas réussi, volontairement ou pas, à vous présenter. Que ce soit pour ceci ou pour cela n'a pour l'instant aucune importance ; la seule chose qui compte est que ces preuves, vous les entendiez maintenant et que cela vous permette de vous faire une idée de ce qui s'est passé le 16 février 1986, dans Windsor Boulevard. Je vous prie donc de bien écouter et de bien regarder. Faites-le et vous verrez la vérité en sortir.

Je jetai un coup d'œil au grand bloc-notes sur lequel Maggie avait gribouillé pendant que Royce pérorait. En très gros, elle avait noté : *MOULIN À PAROLES*. Je me dis qu'elle n'avait pas tout vu.

— Cette affaire, reprit-il, tourne autour d'une seule chose : les secrets les plus noirs d'une famille. Vous n'en avez eu qu'un aperçu pendant la présentation qui vous a été faite par l'accusation. Vous n'avez eu droit qu'à la partie émergée de l'iceberg, mais aujourd'hui, c'est l'entier de cet iceberg qui vous sera offert. Aujourd'hui, c'est la froide et dure vérité qui vous sera présentée. À savoir que la vraie victime dans cette affaire n'est autre que Jason Jessup. À savoir que Jason Jessup est, oui, la victime d'une famille qui tenait à cacher ses plus noirs secrets.

Maggie se pencha vers moi et me murmura :

— Prépare-toi.

J'acquiesçai d'un signe de tête. Je savais exactement où nous allions.

— Ce procès est celui d'un monstre qui a tué une enfant. Un monstre qui a sali une jeune fille et s'apprêtait à passer à la phase suivante lorsque, quelque chose tournant mal, il l'a tuée. Ce procès est celui d'une famille qui avait si peur de ce monstre qu'elle a préféré couvrir son crime et montrer quelqu'un d'autre du doigt. Un innocent.

Et de montrer fort vertueusement Jason Jessup en disant ces derniers mots. Geste destiné aux jurés. Maggie hocha la tête de dégoût.

— Jason, reprit Royce, voulez-vous vous lever, s'il vous plaît ?

Son client s'exécuta, se tourna vers les jurés et les regarda effrontément l'un après l'autre, sans jamais broncher ni se détourner.

— Jason Jessup est innocent, enchaîna Royce avec ce qu'il fallait d'outrage dans la voix. C'est à lui qu'on veut faire porter le chapeau. Lui, un innocent pris dans une machination improvisée pour couvrir le pire des crimes, celui qui consiste à prendre la vie d'une enfant.

Jessup se rassit et Royce marqua une pause de façon à ce que ses paroles se gravent dans la conscience de tous les jurés. Du grand guignol, et c'était voulu.

— Dans cette affaire, nous avons deux victimes, dit-il enfin. Melissa Landy est la première. C'est elle qui a perdu la vie. Jason Jessup est la seconde parce que c'est sa vie à lui qu'on essaie de prendre. Toute cette famille a conspiré contre lui et c'est sa théorie que la police a suivie. On a ignoré les preuves et on en a fabriqué. Et maintenant, au bout de vingt-quatre ans, après que les témoins ont disparu et que les souvenirs se sont estompés, voilà qu'on s'en prend à lui…

Il baissa la tête comme si le poids de la vérité était un énorme fardeau et je compris qu'il allait boucler sa péroraison.

— Mesdames et messieurs les jurés, dit-il, nous ne sommes ici que dans un seul but : chercher la vérité. Avant la fin de cette journée, la vérité sur ce qui s'est passé à Windsor Boulevard, vous la connaîtrez. Et vous saurez que Jason Jessup est innocent.

Il marqua une nouvelle pause, remercia les jurés et regagna sa place. En un geste dont j'étais sûr qu'il avait été longuement préparé, Jessup posa le bras sur l'épaule de son avocat, la serra fort et le remercia.

Mais Breitman ne laissa que peu de temps à Royce pour savourer l'instant et l'habileté avec laquelle il avait fait sa déclaration préliminaire. Elle lui ordonna d'appeler son premier témoin. Je me retournai sur mon siège et vis Bosch debout au fond de la salle. Il me fit un signe de tête. Je lui avais demandé d'aller chercher Sarah à l'hôtel dès que Royce m'avait informé – et ce, dès l'ouverture de la séance – qu'elle serait son premier témoin.

— La défense appelle Sarah Ann Gleason à la barre, dit Royce en insistant sur le mot « défense » de façon à laisser entendre qu'on allait avoir droit à tout autre chose et que c'était inattendu.

Bosch sortit de la salle et revint vite avec Sarah. Il lui fit descendre l'allée centrale et franchir le portillon. Elle fit le reste du chemin toute seule. Elle s'était encore une fois habillée de façon simple, jean et chemisier blanc.

Breitman lui rappela qu'elle était toujours sous serment et se tourna vers Royce. Cette fois, il portait un gros dossier et un grand bloc-notes lorsqu'il gagna le pupitre. Pour l'essentiel – le dossier au moins –, c'était pour essayer d'intimider Gleason, pour lui faire croire qu'il savait des tas de choses sur tout ce qu'elle avait fait de mal dans sa vie.

— Bonjour, madame Gleason, dit-il.

— Bonjour.

— Hier, vous avez donc déclaré avoir été victime d'abus sexuels de la part de votre beau-père, Kensington Landy, c'est bien ça ?

— Oui.

Dès ce premier mot, je sentis sa nervosité. Elle n'avait pas été autorisée à entendre la déclaration préliminaire de Royce, mais nous l'avions préparée à la façon dont, selon nous, la défense allait présenter son affaire.

Elle commençait déjà à montrer de la peur et ça ne passait jamais bien auprès des jurés. Moi, j'avais Maggie avec moi et je pouvais m'en débrouiller. Elle, elle était toute seule à la barre.

— Quel âge aviez-vous quand ces abus sexuels ont commencé ?

— J'avais douze ans.

— Et quand ils ont cessé ?

— Quand j'en avais treize. Ils ont cessé tout de suite après la mort de ma sœur.

— Je remarque que vous n'avez pas dit « le meurtre de ma sœur ». Vous avez dit sa « mort ». Y a-t-il une raison à cela ?

— Je ne suis pas sûre de bien comprendre ce que vous voulez dire.

— Eh bien, votre sœur a été assassinée, n'est-ce pas ? Il ne s'agit pas d'un accident, si ?

— Non, il s'agit d'un meurtre.

— Alors pourquoi avez-vous parlé de « mort » ?

— Je n'en suis pas sûre.

— Vous n'êtes pas sûre de ce qui est arrivé à votre sœur ?

Maggie s'était déjà dressée pour lancer son objection avant que Sarah puisse répondre.

— L'avocat de la défense harcèle le témoin ! s'écria-t-elle. Il cherche moins à obtenir une réponse qu'une réaction émotionnelle.

— Madame le juge, j'essaie simplement de savoir comment et pourquoi le témoin envisage ce crime de cette façon. J'essaie de définir l'état d'esprit du témoin. Je n'ai d'autre but que celui d'obtenir une réponse à la question que je viens de poser.

Breitman pesa un moment le pour et le contre avant de répondre.

— Je vais autoriser la question. Le témoin peut y répondre.

— Je vais la répéter, dit Royce. Madame Gleason, n'êtes-vous pas sûre de ce qui est arrivé à votre sœur ?

Pendant cet échange entre les avocats et le juge, elle avait retrouvé un peu de détermination. Elle répondit avec force et fusilla Royce du regard.

— Si, je suis tout à fait sûre de ce qui est arrivé à ma sœur. Elle a été enlevée par votre client et je ne l'ai plus jamais revue depuis. Aucune confusion là-dedans.

J'eus envie de me lever pour applaudir. Au lieu de ça, je me contentai de hocher la tête. La réponse était bonne, très bonne même. Mais Royce enchaîna et fit comme s'il n'avait pas reçu la tomate en pleine figure.

— Cela dit, il y a eu dans votre vie des moments où c'était la confusion dans votre tête, non ?

— Quoi ? Pour ma sœur ? Sur ce qui lui est arrivé et sur qui l'a enlevée ? Non, jamais.

— Non, je vous parle des moments où vous avez été incarcérée dans des établissements de soins mentaux et dans les secteurs de soins psychiatriques des prisons.

Sarah baissa la tête en comprenant qu'elle ne pourrait pas sortir de ce procès sans faire la lumière sur toutes ses années perdues. J'espérais seulement qu'elle réagirait comme Maggie le lui avait indiqué.

— Après le meurtre de ma sœur, beaucoup de choses ont mal tourné dans ma vie, dit-elle.

Puis elle regarda Royce droit dans les yeux et ajouta :

— Oui, j'ai passé du temps dans ce genre d'endroits. Je pense, et mes thérapeutes étaient d'accord, que c'était dû à ce qui était arrivé à Melissa.

Bonne réponse, me dis-je. Elle se battait.

— Nous en reparlerons plus tard, dit Royce. Mais revenons d'abord à votre sœur : elle avait bien douze ans lorsqu'elle a été assassinée, n'est-ce pas ?

— C'est exact.

— C'est donc à l'âge que vous aviez, vous, lorsque votre beau-père a commencé à abuser de vous. Je me trompe ?

— Non, c'est à peu près à cet âge.

— Avez-vous mis votre sœur en garde contre lui ?

La pause fut longue tandis que Sarah cherchait sa réponse. Elle ne pouvait être que mauvaise.

— Madame Gleason ? la pressa Breitman. S'il vous plaît, répondez à la question.

— Non, je ne l'ai pas avertie. J'avais peur de le faire.

— De quoi aviez-vous peur ?

— De lui. Comme vous venez de le faire remarquer, j'ai eu droit à beaucoup de thérapies dans mon existence. Je sais qu'il n'est pas inhabituel qu'une enfant soit incapable de parler de ce genre de choses à quiconque. On est piégé dans cette façon de faire. Piégé par la peur. On me l'a dit bien des fois.

— En d'autres termes, on accepte pour pouvoir poursuivre.

— En quelque sorte. Mais cela n'est qu'une simplification. C'était plus…

— Mais vous connaissiez beaucoup la peur à cette époque de votre vie.

— Oui, je…

— Vous menaçait-il ?

— Il me disait que si j'en parlais, on m'arracherait à ma mère et à ma sœur. Il me disait qu'il ferait en sorte que les autorités de l'État pensent que ma mère était au courant et la déclarent indigne. Et qu'alors, ces autorités nous prendraient, Melissa et moi. Et qu'après, nous serions séparées parce que les familles d'accueil ne pouvaient pas toujours prendre deux enfants en même temps.

— Le croyiez-vous ?

— Oui, j'avais douze ans. Je le croyais.

— Et ça vous faisait peur, n'est-ce pas ?

— Oui, je voulais rester avec ma fami…

— N'est-ce pas cette même peur et cette même domination exercée par votre beau-père qui vous ont fait tout accepter après qu'il a tué votre sœur ?

Encore une fois, Maggie bondit sur ses pieds pour élever une objection en arguant que la question était tendancieuse et posait comme réels des faits qui n'étaient pas démontrés. Breitman en tomba d'accord et retint l'objection.

Pas le moins du monde démonté, Royce continua d'attaquer Sarah sans relâche.

— N'est-il pas vrai que votre mère et vous avez fait et dit exactement ce que votre beau-père vous disait pour couvrir l'assassinat de Melissa ?

— Non, ce n'est pas…

— Il vous a bien dit de dire que l'assassin était un conducteur de dépanneuse et que vous deviez choisir un des types que la police a amenés à la maison.

— Non. Il n'a jamais…

— Objection !

— Vous n'avez jamais joué à cache-cache devant la maison, c'est bien ça ? Votre sœur a été assassinée dans la maison par Kensington Landy et c'est ça, la vérité, n'est-ce pas ?

— Madame le juge ! hurla Maggie. L'avocat de la défense harcèle le témoin avec des questions tendancieuses. Ses réponses ne l'intéressent pas. Ce qu'il veut, c'est asséner ses mensonges aux jurés !

Breitman regarda Maggie, puis Royce.

— Bien, dit-elle, que tout le monde se calme. L'objection est retenue. Maître Royce, posez une seule question à la fois au témoin et laissez-lui le temps d'y répondre. Et je vous interdis de poser des questions tendancieuses. Dois-je vous rappeler que c'est vous qui l'avez citée à comparaître comme témoin ? Si vous vouliez la confondre, vous auriez dû procéder à son interrogatoire en contre lorsque vous en aviez l'occasion.

Royce prit son plus bel air contrit. Ça devait lui coûter.

— Je m'excuse de m'être laissé emporter, madame le juge, dit-il. Cela ne se reproduira pas.

Que cela ne se reproduise plus n'avait aucune importance. Il avait déjà fait passer le message. Il n'avait pas pour but d'obtenir des aveux de Sarah. De fait, il n'en attendait aucun. Son but était de porter sa théorie à la connaissance des jurés. Et en cela, il avait plus que réussi.

— Bien, reprit-il, passons à autre chose. Vous avez dit plus tôt avoir passé une grande partie de votre vie d'adulte en thérapie et cures de désintoxication, cela pour ne pas parler de vos séjours en prison. Est-ce exact ?

— Jusqu'à un certain point. Je suis clean et ne me drogue plus depuis…

— Contentez-vous de répondre à la question qui vous est posée, lui lança vite Royce.

— Objection ! s'écria Maggie. Le témoin est en train d'essayer de répondre à la question que maître Royce vient de lui poser, mais celui-ci n'a pas envie d'entendre la réponse complète et tente de l'interrompre.

— Laissez le témoin répondre à votre question, maître Royce, dit Breitman d'un ton las. Allez-y, madame Gleason.

— Je disais seulement que cela fait sept ans que je ne prends plus de drogues et que je suis un membre productif de la société.

— Merci, madame Gleason.

Royce lui fit ensuite reprendre tout son passé aussi tragique que sordide – une arrestation après l'autre et sans lui épargner un seul détail de la vie de dépravée dans laquelle elle s'était vautrée pendant si longtemps. Maggie éleva nombre d'objections en arguant que cela n'avait pas grand-chose à voir avec l'identification qu'elle avait faite de Jason Jessup, mais Breitman l'autorisa à lui poser l'essentiel de ses questions.

Enfin, il mit un terme à son interrogatoire en préparant les jurés à entendre son témoin suivant.

— Revenons-en au centre de désintoxication de North Hollywood, dit-il. Vous y avez bien passé cinq mois en 1999 ?

— Je ne me rappelle pas exactement à quelle date j'y suis allée, ni combien de temps j'y suis restée. Il est clair que vous avez tout ça dans votre dossier.

— Mais vous vous rappelez bien y avoir fait la connaissance d'un autre client, un certain Edward Roman, plus connu sous le prénom d'Eddie.

— Oui, je m'en souviens.

— Et vous avez fini par bien le connaître, n'est-ce pas ?

— Oui.

— Comment avez-vous fait sa connaissance ?

— Nous étions tous les deux dans une thérapie de groupe.

— Comment qualifieriez-vous la relation que vous avez eue avec Eddie Roman à cette époque ?

— Eh bien, en thérapie, nous nous sommes plus ou moins rendu compte que nous connaissions certaines personnes tous les deux et que nous aimions faire les mêmes choses… prendre de la drogue, s'entend. Ce qui fait que nous avons traîné ensemble et que cette relation s'est poursuivie après notre libération à tous les deux.

— Cette relation était-elle sentimentale ?

Elle partit d'un rire sans humour aucun.

— Sentimentale seulement au sens où l'entendent deux drogués, répondit-elle. Je crois que le terme qui convient est celui de « facilitatrice ». En restant ensemble, nous nous facilitions les choses. Non, je ne dirais pas que cette relation était « sentimentale ». Nous faisions l'amour de temps en temps… quand il en était capable. Mais de l'amour ? Du sentiment là-dedans ? Non, maître Royce, il n'y en avait pas.

— Mais n'y a-t-il pas eu un moment où vous avez cru être mariés ?

— Eddie a organisé un truc sur la plage avec un type qu'il m'avait dit être pasteur. Mais ce n'était pas vrai. Ni légal.

— Mais à l'époque, vous pensiez que ce l'était, n'est-ce pas ?

— Oui.

— Et donc vous étiez amoureuse de lui ?

— Non, je n'étais pas amoureuse de lui. Je pensais seulement qu'il pouvait me protéger.

— Et donc, vous étiez mariée avec lui… au moins le pensiez-vous. Avez-vous vécu ensemble ?

— Oui.

— Où ?

— Dans différents motels de la Valley.

— Et pendant tout ce temps où vous étiez ensemble, vous avez bien dû vous confier à lui, non ?

— Sur certaines choses, oui.

— Vous êtes-vous confiée à lui sur le meurtre de votre sœur ?

— Je suis sûre que oui. Je n'en faisais pas un secret. J'avais dû en parler dans des séances de thérapie de groupe à North Hollywood et il était assis juste à côté de moi.

— Lui avez-vous jamais dit que votre beau-père avait tué votre sœur ?

— Non, parce que ce n'est pas ce qui s'est passé.

— Ce qui fait que si Eddie Roman devait venir dans ce prétoire et déclarer sous serment que c'est bien ce que vous lui avez dit, il ne ferait que mentir ?

— Oui.

— Mais vous avez déjà déclaré hier, et aujourd'hui encore, que vous avez menti à vos thérapeutes et à la police. Que vous avez volé et commis bien des délits dans votre vie. Et là, vous ne mentez pas. Pourquoi devrions-nous vous croire ?

— Je ne mens pas. Vous parlez d'une époque de ma vie où je faisais effectivement ces choses. Je ne le nie pas. J'étais une ordure, d'accord ? Mais c'est fini, ça, et depuis longtemps. Je ne mens pas maintenant.

— Bien, madame Gleason, je n'ai plus de questions à vous poser.

Tandis que Royce regagnait sa place, Maggie et moi conférâmes en chuchotant.

— Elle a bien résisté, dit Maggie. On laisse ce truc en l'état et je ne fais que quelques remarques.

— Ça me semble bon.

— Maître McPherson ? lança Breitman.

Maggie se leva.

— Oui, madame le juge. Je n'aurai que quelques questions à poser au témoin.

Elle gagna le pupitre avec son fidèle bloc-notes. Elle laissa tomber la montée en puissance et alla droit au but.

— Sarah, dit-elle, cet Eddie Roman, ce faux mariage… qui en a eu l'idée ?

— C'est Eddie qui me l'a demandé. Il m'a dit que nous devrions travailler en équipe et tout partager, qu'il me protégerait et que nous ne pourrions jamais être forcés de témoigner l'un contre l'autre si nous nous faisions arrêter.

— Que signifiait ce « travailler en équipe » dans de telles circonstances ?

— Eh bien, je… il voulait que je me vende pour que nous ayons assez d'argent pour nous acheter de la drogue et nous payer une chambre de motel.

— L'avez-vous fait pour lui ?

— Pendant un petit moment, oui. Et je me suis fait arrêter.

— Eddie a-t-il payé une caution pour vous sortir d'affaire ?

— Non.

— Est-il venu à votre procès ?

— Non.

— Votre casier indique que vous avez plaidé coupable de racolage et avez été condamnée à ce que vous aviez déjà passé de temps en prison. Est-ce exact ?

— Oui.

— Combien de temps êtes-vous restée en prison ?

— Treize jours, je crois.

— Eddie vous attendait-il à votre sortie ?

— Non.

— L'avez-vous jamais revu ?

— Non, jamais.

Maggie vérifia ses notes, feuilleta quelques pages et trouva ce qu'elle cherchait.

— Bien, Sarah, dit-elle. Vous avez déjà mentionné plusieurs fois lors de vos précédents témoignages que vous ne vous rappeliez pas précisément certains faits et certaines dates de l'époque où vous étiez une droguée et que maître Royce voulait vous faire préciser. Est-ce juste ?

— Oui, c'est vrai.

— Pendant toutes ces années de drogue, de thérapie et d'incarcérations, avez-vous jamais pu oublier ce qui était arrivé à votre sœur, Melissa ?

— Non, jamais, j'y pensais tous les jours. Et j'y pense toujours.

— Avez-vous jamais réussi à oublier l'individu qui a traversé le jardin de devant et s'est emparé de votre sœur alors que vous regardiez la scène depuis les buissons ?

— Non, jamais.

— Avez-vous jamais douté un seul instant que l'homme que vous avez identifié comme étant l'assassin de votre sœur soit le bon ?

— Non, jamais.

Maggie se retourna et regarda ostensiblement Jessup, qui avait baissé les yeux sur un grand bloc-notes et y inscrivait des remarques probablement sans intérêt. Elle avait fixé les yeux sur lui et attendit. Juste au moment où Jessup relevait la tête pour voir ce qui avait arrêté le témoignage de Sarah, elle demanda :

— Jamais le moindre doute, Sarah ?

— Non, jamais.

— Merci, Sarah, je n'ai pas d'autres questions à vous poser.

Chapitre 38

Jeudi 8 avril – 10 h 35

Juste après le témoignage de Sarah, le juge annonça qu'elle suspendait la séance pour la pause du matin. Bosch attendit sur sa chaise près de la barrière que Royce et Jessup se lèvent et commencent à partir. Alors il se leva à son tour et remonta la foule des spectateurs pour retrouver son témoin. Et au moment où il passait devant Jessup, il lui frappa fort sur le bras.

— Jason, dit-il, j'ai l'impression que ton maquillage commence à dégouliner.

Et de sourire en poursuivant sa route.

Jessup s'arrêta, se retourna et s'apprêtait à répondre à ce sarcasme lorsque Royce l'attrapa par l'autre bras et le força à ne pas s'arrêter.

Bosch alla chercher Gleason au box des témoins. Après avoir témoigné deux jours durant sans interruption ou presque, elle avait l'air épuisée aussi bien émotionnellement que physiquement. Au point d'avoir peut-être besoin d'aide pour se lever de son fauteuil.

— Sarah, vous vous en êtes sortie brillamment, lui dit-il.

— Merci. Je n'avais aucun moyen de savoir si on me croyait.

— Ils vous ont tous crue, Sarah. Tous.

Il la raccompagna jusqu'à la table de l'accusation, où Haller et McPherson lui firent le même genre de compliments sur sa prestation. McPherson se leva même de son siège pour la serrer dans ses bras.

— Vous avez très bien affronté Jessup et défendu votre sœur, lui dit-elle. Vous pourrez en être fière jusqu'à votre dernier jour.

Soudain, Sarah fondit en larmes et se cacha les yeux avec la main. McPherson s'empressa de la serrer à nouveau dans ses bras.

— Je sais, je sais, dit-elle. Vous avez bien résisté, et longtemps. Vous pouvez vous détendre, maintenant.

Bosch gagna le box des jurés, y prit la boîte de mouchoirs en papier et l'apporta à Sarah, qui essuya ses larmes.

— C'est presque fini, dit Haller à Sarah. La partie témoignage étant complètement terminée, nous ne voulons plus qu'une chose : que vous veniez au tribunal pour observer. Nous voulons que vous soyez assise là, au premier rang, quand ce sera au tour d'Eddie Roman de témoigner. Après, on vous met dans un avion qui vous ramènera chez vous dès cette après-midi.

— D'accord, mais pourquoi ?

— Parce qu'il va raconter des mensonges sur vous. Et si jamais il s'y risque, il faudra qu'il le fasse devant vous.

— Je ne pense pas que ça lui pose problème. Ça ne lui en a jamais posé.

— Bien, mais le jury, lui, voudra voir vos réactions. Et les siennes. Ne vous inquiétez pas, on a quelque chose sur le feu qui va lui chauffer sérieusement les oreilles.

Sur quoi, il se tourna vers Bosch et ajouta :

— T'es prêt ?

— Dès que tu me fais signe.

— Je peux vous demander quelque chose ? dit Sarah.

— Bien sûr.

— Et si je ne veux pas reprendre l'avion aujourd'hui ? Et si je voulais rester jusqu'au verdict ? Pour ma sœur ?

— On aimerait beaucoup, Sarah ! s'écria Maggie. Vous êtes la bienvenue et vous pouvez rester aussi longtemps que vous voudrez.

***

Debout dans le couloir, Bosch avait sorti son portable et tapait lentement, d'un seul doigt, un texto à sa fille. Ses efforts furent soudain interrompus lorsqu'un autre texto lui arriva. Il émanait de Haller et se réduisait à un mot : *maintenant.*

Bosch rangea son portable et gagna la salle d'attente des témoins. Deux tasses de café vides posées sur la table devant elle, Sonia Reyes, la tête baissée, y était affalée sur une chaise.

— OK, Sonia, dit-il. Allez, debout ! On démarre. Ça va ? T'es prête ?

Eh, le flic, ça fait trop de questions, tout ça !

— Bon, d'accord. Je t'en pose qu'une : comment tu te sens ?

— À peu près comme j'en ai l'air. T'as encore de ce truc qu'ils m'ont filé à la clinique ?

— Non, y en avait plus. Mais je vais te trouver quelqu'un qui te ramènera là-bas dès que t'auras fini ici.

— Comme tu voudras, le flic. Je crois pas m'être levée aussi tôt depuis que j'étais au gnouf du comté.

— Ouais, bon, il est pas si tôt que ça. Allons-y.

Il l'aida à se lever et ils gagnèrent la 112e chambre. Reyes était ce qu'on appelle un « témoin silencieux ». Elle ne se tiendrait pas à la barre. Elle n'était absolument pas en état de le faire. Mais en lui faisant descendre l'allée centrale et en la plaçant au premier rang de l'assistance, Bosch s'assurerait qu'Edward Roman la remarque. Le but espéré était que cela le déstabilise et que, peut-être, cela lui fasse changer sa chanson. Qu'il ne connaisse pas les règles de la procédure et ne sache donc pas que se montrer dans le public empêchait Reyes de témoigner et de dénoncer ses mensonges, tel était le pari.

Bosch donna un coup de poing dans la porte avant de l'ouvrir : il savait que cela attirerait l'attention. Puis il fit entrer Reyes et l'accompagna dans l'allée. Edward Roman était déjà à la barre à témoigner sous serment. Il portait un costume lâche qu'il avait décroché dans la penderie des clients de Royce, s'était rasé de près et lavé et coupé les cheveux à ras. Il bafouilla dès qu'il vit Sonia dans l'assistance.

— On a eu thérapie de groupe deux…

— Seulement deux fois ? lui demanda Royce, qui ne se rendait pas compte de ce qui se passait dans son dos.

— Quoi ?

— Vous dites que vous n'avez eu thérapie de groupe que deux fois avec Sarah Gleason ?

— Non, mec, je voulais dire qu'on avait thérapie deux fois par jour.

Bosch accompagna Reyes jusqu'à un siège muni d'une affichette « réservé ». Puis il s'assit à côté d'elle.

— Et combien de temps cela a-t-il duré, à peu près ?

— C'était chaque fois un quart d'heure, je crois, répondit Roman, les yeux rivés sur Reyes.

— Je voulais dire : combien de temps êtes-vous restés tous les deux en thérapie ? Un mois ? Un an ? Combien de temps ?

— Oh, ça a duré cinq mois.

— Et… êtes-vous devenus amants quand vous étiez dans ce centre ?

Roman baissa les yeux.

— Euh… ouais, c'est ça.

— Comment avez-vous fait ? J'imagine que le règlement l'interdisait…

— Ouais, bon, mais quand on veut, on peut, hein ? On a trouvé des moments. Et des coins.

— Cette relation s'est-elle poursuivie après que vous avez été tous les deux libérés du centre ?

— Oui. Elle est sortie deux ou trois semaines avant moi. Après, ç'a été moi et on s'est mis à la colle.

— Avez-vous vécu ensemble ?

— Hmm, hmm.

— Ça veut dire « oui » ?

— Oui. Je peux poser une question ?

Royce marqua une pause. Il ne s'attendait pas à ça.

— Non, monsieur Roman, dit Breitman. Vous ne pouvez pas poser de questions. Vous n'êtes qu'un témoin dans cette procédure.

— Ouais, mais comment qu'ils peuvent l'amener ici comme ça ?

— Qui ça, monsieur Roman ?

Il montra Reyes dans l'assistance.

— Elle.

Breitman regarda Reyes, puis Bosch assis à côté d'elle. Un air de profonde méfiance traversa son visage.

— Je vais demander aux jurés de regagner la salle du jury quelques instants. Cela ne devrait pas prendre longtemps.

Les jurés gagnèrent leur salle d'attente en file indienne. Dès que le dernier eut refermé la porte derrière lui, Breitman se concentra sur Bosch.

— Inspecteur Bosch ! lança-t-elle. (Harry se leva.) Qui est la femme assise à votre gauche ?

— Madame le juge, lança Haller, puis-je répondre à votre question ?

— Je vous en prie.

— L'inspecteur Bosch est assis à côté de Sonia Reyes, qui a accepté d'aider l'accusation en qualité de consultante.

Breitman regarda Haller, passa à Reyes, puis revint sur Haller.

— Vous voulez bien répéter, maître Haller ?

— Madame le juge, Mme Reyes connaît le témoin. Étant donné que la défense n'a pas jugé bon de nous faire connaître M. Roman avant qu'il ne dépose dans cette enceinte, nous avons demandé à Mme Reyes de nous conseiller sur la façon de procéder à notre contre-interrogatoire du témoin.

Cette explication ne fit rien pour altérer l'air de méfiance qui s'affichait sur le visage de Breitman.

— Payez-vous cette dame pour ces conseils ?

— Nous sommes tombés d'accord pour l'aider à entrer dans un centre de désintoxication.

— J'espère bien.
— Madame le juge, dit Royce, puis-je être entendu ?
— Allez-y, maître Royce.
— Il me semble tout à fait évident que l'accusation essaie d'intimider M. Roman. Belle tactique de gangster, madame le juge ! Je ne m'attendais pas à ça de la part du Bureau du district attorney !
— Je m'élève absolument contre cette façon de présenter les choses ! s'écria Haller. Il est parfaitement acceptable, dans le canon des procédures et de l'éthique de l'audience, d'engager et utiliser des consultants. Maître Royce s'est servi d'un consultant en jurés pas plus tard que la semaine dernière et il n'y avait rien à y redire. Mais maintenant que c'est à l'accusation de recourir à un consultant qui, il le sait bien, aidera beaucoup à faire comprendre que son témoin n'est qu'un menteur et quelqu'un qui s'attaque continuellement aux femmes, il objecte ! Avec tout le respect qui vous est dû, madame le juge, c'est moi qui devrais parler de « tactique de gangster » !
— Bien, dit Breitman, nous n'allons pas en discuter maintenant. Je trouve que l'accusation est tout à fait en droit d'utiliser Mme Reyes comme consultante. Faites revenir les jurés.
— Merci, madame le juge, dit Haller en se rasseyant.

Lorsque les jurés regagnèrent leur box, Haller se retourna et regarda Bosch. Il lui adressa un léger hochement de tête, Bosch comprit alors qu'il était satisfait. L'échange avec le juge n'aurait pas pu mieux marcher pour faire comprendre certaines choses à Roman – ces choses étant que nous voyions clair dans son jeu et que les jurés ne seraient pas dupes, eux non plus.

Roman était maintenant confronté à un choix. Il pouvait s'en tenir à la ligne de la défense ou commencer à jouer pour l'accusation.

Son témoignage reprit dès que les jurés eurent retrouvé leurs places. Royce établit rapidement que Roman et Sarah Gleason avaient eu une relation qui avait duré près d'un an, au cours duquel ils avaient partagé des histoires personnelles et pas mal de drogue. Mais lorsqu'il voulut révéler ces histoires personnelles, Roman fila dans une autre direction et le flanqua dans le pétrin.

— Bon, dit-il, y a-t-il eu un moment où elle vous a parlé du meurtre de sa sœur ?

— Un moment ? Il y en a eu plein ! Elle en parlait beaucoup, mec.

— Et vous a-t-elle jamais raconté en détail ce qu'elle appelle « l'histoire vraie » ?

— Si.

— Pouvez-vous rapporter à la cour ce qu'elle vous a dit ?

Roman hésita et se gratta le menton avant de répondre. Bosch savait que c'était le moment de savoir si son travail paierait ou ne servirait à rien.

— Elle m'a dit qu'elles jouaient à cache-cache dans le jardin et qu'un type est arrivé et a pris sa sœur, et qu'elle a tout vu.

Bosch parcourut toute la salle des yeux. Il commença par regarder les jurés et il lui sembla qu'eux aussi s'attendaient à ce que Roman dise quelque chose d'autre. Puis il jeta un coup d'œil à la table de l'accusation. Il vit que McPherson avait pris Haller par le coude et le serrait fort. Enfin, il regarda Royce, qui était maintenant celui qui hésitait. Debout au pupitre, il regardait ses notes, un poing serré sur la hanche tel le maître frustré de ne pas arriver à sortir la bonne réponse de la bouche de son élève.

— C'est l'histoire que vous avez entendu Sarah Gleason raconter en thérapie de groupe ?

— C'est ça.

— Mais n'est-il pas vrai qu'elle vous a donné une autre version des faits… ce qu'elle appelait « la vraie histoire »… quand vous vous êtes retrouvés dans des lieux plus privés ?

— Euh… non. Elle racontait à peu près toujours la même.

Bosch vit McPherson serrer à nouveau le bras de Haller. Toute l'affaire reposait sur cette réponse.

Royce avait tout du type que le hors-bord de ski nautique a laissé dans l'eau. Il était encore debout, mais en plein océan, et il n'allait pas tarder à couler. Il fit de son mieux.

— Voyons, monsieur Roman, dit-il, n'avez-vous pas, le 2 mars de cette année, contacté mon bureau pour m'offrir vos services en qualité de témoin de la défense ?

— Je sais pas pour la date, mais j'ai appelé, ouais.

— Et vous avez bien parlé à mon enquêtrice, Karen Revelle ?

— J'ai parlé à une femme, mais je me rappelle pas son nom.

— Et ne lui avez-vous pas raconté une histoire très différente de celle que vous venez de nous rapporter ?

— Mais j'étais pas sous serment et autre à c'moment-là.

— C'est exact, monsieur, mais vous avez bien raconté une tout autre histoire à Karen, n'est-ce pas ?

— Ça se peut. Je me souviens pas.

— Ne lui avez-vous pas affirmé que Mme Gleason vous avait dit que c'était son beau-père qui avait tué sa sœur ?

Déjà Haller s'était levé pour objecter en arguant que non seulement Royce influençait le témoin, mais qu'en plus sa question n'était pas fondée et qu'il essayait de vendre aux jurés un témoignage que le témoin ne voulait pas lui donner. Le juge retint son objection.

— Madame le juge, dit alors Royce, la défense souhaite avoir quelques instants pour conférer avec le témoin.

Mais avant même que Haller puisse élever une nouvelle objection, Breitman refusait sa demande.

— Maître, d'après les déclarations mêmes de votre témoin, vous avez eu depuis le 2 mars pour vous préparer à cet instant. Nous allons déjeuner dans un quart d'heure. Vous pourrez conférer avec lui à ce moment-là. Passez à la question suivante.

— Merci, madame le juge.

Il regarda son bloc-notes. De l'endroit où il se trouvait, Bosch constata qu'il contemplait une feuille blanche.

— Maître Royce ? le pressa Breitman.

— Oui, madame le juge. Je vérifiais une date. Monsieur Roman... pourquoi avez-vous appelé mon bureau le 2 mars ?

— Ben, j'avais vu quelque chose sur l'affaire à la télé. Même qu'en fait, c'était vous. Je vous avais vu en parler. Et moi, je savais des trucs là-dessus vu que je connaissais Sarah. Alors je vous ai appelé pour voir si vous auriez pas besoin de moi.

— Et vous êtes passé à mon bureau, n'est-ce pas ?

— Oui, c'est ça. Vous m'avez envoyé une femme pour passer me prendre.

— Et quand vous êtes venu à mon bureau, vous m'avez raconté une histoire très différente de celle que vous venez de rapporter aux jurés à l'instant, n'est-il pas vrai ?

— C'est comme je vous ai dit : je me rappelle pas exactement ce que j'ai dit à ce moment-là. Je suis un camé, monsieur. Je dis beaucoup de trucs que je me rappelle pas et que je voulais pas vraiment dire. Tout ce que je me rappelle, c'est que la femme qui est venue m'a dit qu'elle me trouverait un meilleur hôtel et que moi, à ce moment-là, j'avais pas d'argent pour me loger. Et donc, j'y ai dit ce qu'elle m'a dit de dire, en gros.

Bosch serra le poing et l'abattit un grand coup sur sa cuisse. Le désastre de la défense était complet. Il regarda Jessup pour voir s'il comprenait que tout avait viré à la catastrophe. Et oui, Jessup semblait s'en être rendu compte. Il s'était tourné vers Bosch et le regardait d'un œil noir et plein de colère qui montait. Bosch leva lentement un doigt en l'air. Et se le passa lentement en travers de la gorge.

Jessup se détourna.

Chapitre 39

Jeudi 8 avril – 11 h 30

J'ai connu beaucoup de bons moments au tribunal. Je me suis trouvé à côté de certains hommes au moment même où ils apprenaient qu'ils étaient libres grâce à la qualité de mon travail. Debout devant des jurés, j'ai senti le frisson de la vérité et de la vertu me descendre le long du dos. Et j'ai détruit, et sans la moindre pitié, des menteurs à la barre des témoins. Tels sont les instants pour lesquels je vis dans mon travail. Mais peu d'entre eux égalèrent celui où je vis la défense de Jason Jessup se détricoter pareillement avec le témoignage d'Edward Roman.

Tandis que ce dernier s'écrasait en vol à la barre des témoins, mon ex et maintenant coéquipière me serra le bras à m'en faire mal. Elle ne pouvait pas s'en empêcher. Et elle le savait. Ce qui se passait n'était pas une broutille dont Royce allait se remettre. La clé de voûte de ce qui ne pouvait déjà être qu'une défense plutôt fragile était en train de s'effondrer sous ses yeux. Et ce n'était pas tant que son témoin avait fait volte-face. C'était que maintenant, les jurés voyaient clair dans une défense manifestement fondée sur des mensonges.

Et ça, ils n'étaient pas près de le lui pardonner. C'était fini et je pense que tout le monde dans la salle – du juge aux mouches du coche au dernier rang des spectateurs – le savait.

Jason Jessup était cuit.

Je me retournai et regardai par-dessus mon épaule pour partager cet instant avec Bosch. Après tout, c'était lui qui avait eu l'idée du « témoin silencieux ». C'est alors que, signe internationalement reconnu de la fin, je le vis se passer le doigt en travers de la gorge en regardant Jessup.

Je me tournai vite vers l'avant du prétoire.

— Maître Royce, lança Breitman. En avez-vous fini avec ce témoin ?

— Un instant, madame le juge.

La question était juste. Royce n'avait plus beaucoup de solutions pour continuer avec Roman. Il pouvait sauver les meubles en mettant purement et simplement fin à son interrogatoire. Il pouvait aussi demander au juge de déclarer que Roman était devenu un « témoin hostile », mais cette décision est toujours professionnellement très gênante quand ledit témoin hostile est quelqu'un qu'on s'est donné la peine de faire venir à la barre. Pour autant, cela lui donnerait plus de latitude pour poser des questions appuyées qui lui permettraient de révéler ce que Roman avait commencé par déclarer à la défense et pourquoi maintenant il biaisait. Mais pareille ligne d'attaque était pleine de dangers, surtout parce que les déclarations initiales de son témoin n'avaient pas été enregistrées ou étayées, le but étant de ne pas centrer l'attention de la partie adverse sur Roman lors de l'échange des dossiers.

— Maître Royce ! aboya Breitman. Ne faites pas perdre de temps à la cour. S'il vous plaît, posez votre question ou je passe votre témoin à maître Haller pour son interrogatoire en contre.

Royce hocha la tête – il venait de prendre sa décision.

— Je suis désolé, madame le juge. Je n'ai plus de questions à poser au témoin pour l'instant.

L'air vaincu, il rejoignit sa place et un client qui l'attendait et semblait visiblement troublé par ce renversement de situation. Je me levai et commençai à me diriger vers le pupitre avant même que Breitman ne me confie le témoin.

— Monsieur Roman, dis-je, votre témoignage me semble un rien confus. J'aimerais comprendre. Êtes-vous, oui ou non, en train de dire aux jurés que Sarah Ann Gleason vous a confié que c'était son beau-père qui avait assassiné sa sœur ?

— Non, elle ne me l'a pas dit. C'est juste ce qu'ils voulaient que je raconte.

— Qui ça, « ils », monsieur ?

— La défense. L'enquêtrice et M. Royce.

— En dehors de votre chambre d'hôtel, deviez-vous recevoir d'autres cadeaux si vous affirmiez aujourd'hui que cette histoire était vraie ?

— Ils m'ont juste dit qu'ils prendraient bien soin de moi. Et qu'il y avait beaucoup d'argent à la...

— Objection ! hurla Royce en bondissant sur ses pieds. Madame le juge, le témoin m'est très clairement hostile et agit sous l'effet d'un fantasme de vengeance.

— C'est votre témoin, maître Royce. Il peut répondre à la question. C'est à vous, monsieur.

— Ils m'ont dit qu'il y avait beaucoup d'argent en jeu et qu'ils s'occuperaient bien de moi, dit Roman.

C'était de mieux en mieux pour moi et de pire en pire pour Jessup. Cela dit, je devais faire attention à ne pas avoir l'air trop satisfait ou vengeur aux yeux des jurés. Je recalibrai mon propos et me concentrai sur ce qui était important.

— Quelle était donc l'histoire que Sarah vous racontait il y a tant d'années de cela, monsieur Roman ?

— C'est comme j'ai dit… qu'elle était dans le jardin, qu'elle se cachait et qu'elle avait vu le mec qui avait attrapé sa sœur.

— Vous a-t-elle jamais dit avoir identifié le mauvais individu ?

— Non.

— Vous a-t-elle jamais confié que la police lui avait indiqué l'individu à identifier ?

— Non.

— Vous a-t-elle jamais dit, même seulement une fois, que c'était le mauvais individu qu'on avait accusé du meurtre de sa sœur ?

— Non.

— Je n'ai plus d'autres questions à poser au témoin.

Je jetai un coup d'œil à la pendule en regagnant ma place. Nous avions encore vingt minutes avant la pause déjeuner. Plutôt que de lever la séance en avance, le juge demanda à Royce d'appeler son témoin suivant. Il appela son enquêtrice, Karen Revelle. Je compris aussitôt ce qu'il fabriquait et m'y préparai.

D'aspect hommasse, Revelle portait un pantalon et une veste de sport. Son air austère disait l'ancien flic. Dès qu'elle eut prêté serment, Royce alla droit au but, dans l'espoir, sans doute, d'arrêter l'hémorragie avant que les jurés partent déjeuner.

— Comment gagnez-vous votre vie, madame Revelle ? demanda-t-il.

— Je travaille comme enquêtrice pour le cabinet Royce and Associates.

— Vous travaillez donc pour moi, n'est-ce pas ?

— C'est exact.

— Le 2 mars de cette année, avez-vous mené une interview téléphonique avec un certain Edward Roman ?

— Oui.

— Que vous a-t-il dit lors de cet entretien téléphonique ?

J'élevai une objection et demandai à Breitman si je pouvais lui en parler en privé.

— Oui, vous pouvez venir me voir, me répondit-elle.

Maggie et moi suivîmes Royce jusqu'au siège du juge, qui me demanda de formuler mon objection.

— La première sera que tout ce que le témoin pourra dire d'une quelconque conversation avec Roman sera très clairement du ouï-dire et donc irrecevable. Mais plus important encore, il est évident que maître Royce essaie de récuser son propre témoin. Il va se servir de Revelle pour récuser Roman et ça, madame le juge, vous ne pouvez pas le permettre. Maître Royce n'est plus très loin du parjure par subornation étant donné que l'un ou l'autre de ces deux témoins ment sous serment et qu'il les a appelés tous les deux à la barre.

— Je m'élève vigoureusement contre la manière dont maître Haller présente les faits ! s'écria Royce en se penchant à la rambarde pour être plus près du juge.

Parjure par subornation de témoin ? Je pratique le droit depuis plus de…

— Et d'un, reculez, maître Royce… s'il vous plaît. Vous me gênez, lui renvoya sèchement Breitman. Et de deux, vous pouvez garder cette objection intéressée pour plus tard. Maître Haller a raison en tous points. Si j'autorisais ce témoin à poursuivre, non seulement vous tomberiez dans le ouï-dire, mais nous, en plus, nous serions face à une situation où l'un de vos témoins mentirait sous serment. Vous ne pouvez ni jouer sur les deux tableaux, ni faire témoigner un menteur à la barre. Voici donc ce que nous allons faire. Vous allez dispenser votre enquêtrice de témoigner, maître Haller, lui, va me demander d'invalider le peu qu'elle a déjà dit dans sa déposition et je vais accéder à sa requête. Et après, nous irons déjeuner. Vous et votre client pourrez alors décider de la suite à donner à cette affaire. Cela dit, il me semble que vos possibilités se sont considérablement réduites depuis une demi-heure. Ce sera tout.

Et elle n'attendit pas nos réactions. Elle se contenta de reprendre sa place en faisant rouler son fauteuil[1].

Royce suivit ces recommandations et mit fin à l'interrogatoire de Revelle. Je soumis ma requête en annulation de témoignage et tout fut dit. Une demi-heure plus tard, j'étais assis avec Maggie et Sarah Gleason à une table du Water Grill, l'endroit même où l'affaire avait commencé pour moi. Nous avions décidé d'y aller haut de gamme pour fêter ce qui ressemblait beaucoup au commencement de la fin pour Jason Jessup – et aussi

1. Les apartés entre le juge et les avocats se déroulent près de la « barre de côté », ainsi dénommée parce qu'elle se trouve à côté du box du juge qui, lui, est en hauteur.

parce que le Water Grill se trouvait juste en face de l'hôtel de Sarah. Le seul absent était Bosch, mais il s'était mis en route et arrivait après avoir déposé notre témoin silencieux, Sonia Reyes, à la clinique de désintoxication du centre médical de County-USC.

— Houahou ! lançai-je dès que nous fûmes assis. Je ne crois pas avoir jamais vu un truc pareil au prétoire !

— Moi non plus, dit Maggie.

— J'ai moi aussi pas mal fréquenté les salles d'audience, dit Sarah, mais je n'en sais pas assez pour comprendre ce que ça signifie.

— Ça signifie que la fin est proche, répondit Maggie.

— Ça signifie que toute la défense s'est effondrée, ajoutai-je. Elle avait une thèse assez simple : c'est le beau-père qui a tué la fillette et la famille a tenté d'étouffer l'affaire. Elle a inventé l'histoire de la partie de cache-cache et du type sur la pelouse de façon à aveugler les autorités sur le rôle du beau-père. Et c'est là que la sœur, à savoir vous, a faussement identifié Jessup comme étant l'assassin. Vous lui auriez, au hasard, imputé un crime qu'il n'avait pas commis.

— Mais… et les cheveux de Melissa dans le camion ?

— La défense prétend qu'ils y auraient été déposés après coup. Soit pour étayer la théorie de la conspiration, soit en toute indépendance des tentatives de la famille pour étouffer l'affaire. La police savait qu'elle n'avait pas grand-chose. Elle avait l'identification d'un suspect par une fillette de douze ans et pratiquement rien d'autre. Les flics auraient donc recueilli des cheveux de la victime sur une brosse à cheveux ou sur son cadavre et les auraient déposés dans le camion. Après le déjeuner, s'il est assez bête pour continuer dans cette voie, Royce va nous sortir des chronologies et des rapports de suivi qui montreront que l'inspecteur Kloster avait et le temps et l'accès au camion pour y déposer les cheveux avant qu'un mandat de perquisition soit obtenu et que la Scientifique puisse examiner la dépanneuse.

— Mais c'est fou ! s'écria Gleason.

— Peut-être, dit Maggie, mais c'était la théorie de la défense et Eddie Roman en était la clé de voûte : il était censé déclarer à la barre que vous lui aviez confié que votre beau-père était l'assassin. C'était lui qui devait semer le doute dans la tête des jurés. Il n'en faut pas plus, Sarah. Un rien de doute et c'est bon. Sauf qu'il lui a suffi de voir qui était dans l'assistance, à savoir Sonia Reyes, pour comprendre qu'il allait avoir des ennuis. Il s'est conduit de la même façon avec elle qu'avec vous. Il la rencontre, ils deviennent intimes, il la met sur le trottoir pour pouvoir continuer de consommer sa méthamphétamine. Et là, quand il l'a vue dans l'assistance, il a compris qu'il était dans la merde. Il savait que si jamais Sonia venait à la barre et racontait la même histoire que vous sur lui, les jurés sauraient ce qu'il était, à savoir un menteur et un prédateur, et ne croiraient pas un seul mot de ce qu'il dirait. Et en plus, il n'avait aucune idée de ce que Sonia avait pu nous dire des crimes et délits qu'ils avaient commis ensemble. Il a donc décidé que la meilleure solution pour s'en sortir était de dire la vérité. De baiser la défense et de faire plaisir à l'accusation. C'est là qu'il a changé sa chanson.

Sarah hocha la tête en commençant à comprendre.

— Vous croyez vraiment que Royce lui a dit ce qu'il fallait dire et qu'il allait le payer pour ses mensonges ?

— Évidemment, dit Maggie.

— Je ne sais pas, précisai-je aussitôt. Je connais Clive depuis longtemps. À mon avis, ce n'est pas comme ça qu'il fonctionne.

— Quoi ? s'écria Maggie. Tu crois donc que c'est Eddie Roman qui a inventé ça tout seul ?

— Non, mais c'est à l'enquêtrice qu'il a parlé en premier, avant même de voir Clive.

— Comme déni, c'est plausible. Je te trouve bien charitable, Haller. Ce n'est pas pour rien qu'on l'appelle « Clive l'Astucieux ».

Sarah parut sentir qu'elle nous avait poussés dans une zone de conflits qui dataient de bien avant le procès et tenta de nous faire passer à autre chose.

— Vous pensez vraiment que c'est terminé ? demanda-t-elle.

Je réfléchis un moment, puis j'acquiesçai.

— Si j'étais à la place de Clive l'Astucieux, je penserais à ce qu'il y a de mieux pour mon client et ce serait de ne pas laisser traîner les choses jusqu'au verdict. Je commencerais à songer à un deal. Il n'est même pas impossible qu'il nous appelle pendant le déjeuner.

Je sortis mon portable et le posai sur la table, comme si être prêt à recevoir son appel allait obliger Royce à le passer. Juste à cet instant, Bosch se pointa et s'assit à côté de Maggie. Je m'emparai de mon verre d'eau et le levai à sa santé.

— Bravo, Harry ! C'était vraiment bien joué. J'ai dans l'idée que le château de cartes de Jessup est en train de s'effondrer.

Bosch leva un verre d'eau et trinqua avec moi.

— Royce avait raison, tu sais, dit-il. C'était bien un truc de gangster. Je l'ai vu y a longtemps dans *Le Parrain.*

Sur quoi il salua les deux femmes avec son verre.

— Bon, bravo quand même, dit-il. Mais les vraies stars, c'est vous, mesdames. Vous avez fait de l'excellent boulot, et hier, et aujourd'hui.

Tous nous trinquâmes, mais Sarah hésita.

— Qu'est-ce qu'il y a ? lui demandai-je. Ne me dites pas que la souffleuse de verre que vous êtes a peur d'en casser en trinquant !

Et je souris, tout fier d'avoir autant d'humour.

— Non, ce n'est rien, dit-elle. Mais… ça ne porte pas malheur de trinquer avec de l'eau ?

— Eh bien mais… il faudrait plus que de la simple malchance pour changer la situation à présent ! lançai-je vite pour me rattraper.

Ce fut Bosch qui changea le sujet de la conversation.

— C'est quoi, la suite, maintenant ? demanda-t-il.

— J'étais en train de dire à Sarah qu'à mon avis, les jurés n'auront plus de travail[1]. Clive ne peut pas ne pas réfléchir à un arrangement. Il n'a pas vraiment d'autre choix.

Bosch prit l'air sérieux.

— Je sais qu'il y a de l'argent en jeu et que ton patron pense très probablement que c'est ça, la priorité, dit-il, mais pour moi, ce type doit retourner en prison.

— Absolument ! s'écria Maggie.

---

1. S'il y a arrangement entre la défense et l'accusation et que le juge en valide la teneur, le procès s'arrête et l'accusé, qui a ainsi reconnu sa culpabilité, est condamné à une peine moindre que si le procès allait jusqu'au bout et qu'il était alors reconnu coupable.

— Bien sûr, ajoutai-je. Et après ce qui s'est passé ce matin, la main, c'est nous qui l'avons. Jessup devrait accepter notre offre ou…

Mon portable se mit à sonner. L'écran affichait *Inconnu*.

— En parlant du diable…, dit Maggie.

— Il se pourrait quand même que vous rentriez en avion dès ce soir, dis-je en regardant Sarah.

J'ouvris mon portable et dis mon nom.

— District attorney Williams à l'appareil. Comment allez-vous, Mickey ?

— Très bien, Gabe. Et vous ?

Ma familiarité n'eut pas l'air de le gêner.

— J'entends de bonnes choses en provenance de la salle d'audience, dit-il.

Cette déclaration ne fit que confirmer ce que je pensais depuis toujours. Il ne s'était jamais montré au prétoire, mais il avait quelqu'un dans l'assistance.

— J'espère, oui. Nous devrions en savoir plus sur la suite des événements après le déjeuner.

— Vous envisagez un arrangement ?

— Pas pour l'instant. La défense ne m'a pas fait signe, mais nous devrions commencer à discuter dans peu de temps. Royce doit être en train de conférer avec son client en ce moment même. À sa place, c'est ce que je ferais.

— Bon, vous me tenez au courant avant de signer quoi que ce soit.

Je marquai une pause et pesai le pour et le contre. Je vis Bosch glisser la main dans sa veste et en sortir son portable pour prendre un appel.

— Que je vous dise, Gabe… Vu ma position d'avocat indépendant, je préfère le rester. Je vous informerai de tout arrangement si j'arrive à un accord.

— Je tiens à être de la discussion, insista-t-il.

Je vis quelque chose de sombre passer dans les yeux de Bosch. D'instinct, je sus qu'il était temps de raccrocher.

— Je vous rappelle, monsieur le district attorney. J'ai un autre appel. Ça pourrait être Clive Royce.

Je refermai mon portable au moment même où Bosch fermait le sien et se mettait debout.

— Qu'est-ce qu'il y a ? demanda Maggie.

Bosch était livide.

— Il y a eu une fusillade au bureau de Royce. Il y a quatre types par terre.

— Jessup en fait partie ? demandai-je.

— Non… Il a disparu.

Chapitre 40

Jeudi 8 avril – 13 h 05

Bosch prit le volant, McPherson insistant pour partir avec lui. Haller avait filé avec Sarah au tribunal. Bosch sortit une carte de visite de son portefeuille et y chercha le numéro de téléphone du lieutenant Stephen Wright. Puis il tendit la carte et son portable à McPherson et lui demanda de composer le numéro.

— Ça sonne, dit-elle.

Il lui reprit le téléphone et se le colla à l'oreille au moment même où Wright décrochait.

— Bosch à l'appareil. Dites-moi que vos gars filent le train à Jessup.

— J'aimerais bien, oui !

— Mais bon sang ! Qu'est-ce qui s'est passé ? Pourquoi le SRS ne le suivait-il pas ?

— On descend de ses grands chevaux, Bosch, d'accord ? On le suivait. Un de mes hommes est par terre dans le bureau de Royce.

Bosch reçut la nouvelle comme un coup de poing. Il ne s'était pas rendu compte qu'il y avait un flic parmi les victimes.

— Où êtes-vous ? demanda-t-il à Wright.

— J'arrive. J'y serai dans trois minutes.

— Qu'est-ce que vous avez comme infos pour l'instant ?

— Pas des masses. On le suivait avec un dispositif léger pendant les audiences. Vous le saviez. Une équipe pendant les audiences et tout le monde sur le pont avant et après. Aujourd'hui, mes gars l'ont suivi du tribunal jusqu'au bureau de Royce à l'heure du déjeuner. Jessup et l'équipe de Royce y sont allés à pied. Ils étaient au bureau depuis quelques minutes quand mes gars ont entendu des coups de feu. Ils se sont mis en branle et sont entrés. L'un d'eux s'est fait abattre et l'autre s'est retrouvé coincé. Jessup a filé par-derrière et mon gars a commencé à faire la respiration artificielle à son collègue. Il a bien fallu qu'il laisse partir Jessup.

Bosch hocha la tête. Il ne put s'empêcher de penser à sa fille. Elle serait encore à l'école pendant une heure et demie. Il se dit qu'elle était en sécurité. Pour l'instant.

— Qui d'autre a été touché ? demanda-t-il.

— Pour ce que j'en sais, Royce, son enquêtrice et une avocate. On a eu de la chance que ce soit l'heure du déjeuner. Tous les autres avaient déjà quitté le bureau.

Bosch ne voyait pas très bien en quoi ils avaient de la chance de se retrouver avec un quadruple meurtre et Jessup dans la nature avec une arme.

— C'est pas moi qui vais pleurer pour deux ou trois avocats de la défense, reprit Wright, mais mon gars est le père de deux enfants en bas âge. Et ça, c'est pas bien du tout du tout.

Bosch s'engagea dans la Première Avenue et aperçut les gyrophares un peu plus haut. Le bureau de Royce se trouvait dans une impasse derrière le Kyoto Grand

Hotel, en bordure de Japantown. À deux pas du tribunal.

— Vous avez passé le signalement de la voiture de Jessup à la radio ?

— Oui, tout le monde l'a. Y a forcément quelqu'un qui la verra.

— Où sont vos autres gars ?

— Tout le monde rapplique vers la scène de crime.

— Non, non ! Qu'ils partent à la recherche de Jessup ! Partout où il s'est rendu. Dans les parcs, partout, même chez moi. Ils ne serviront à rien à la scène de crime.

— Je les y retrouve et je leur dis de partir le chercher.

— Vous perdez du temps, lieutenant.

— Parce que vous croyez que je peux les empêcher de passer d'abord à la scène de crime ?

Bosch comprit que Wright était dans une situation impossible.

— J'arrive tout de suite, dit-il. Je vous retrouve dès que vous vous pointez.

— Dans deux minutes.

Bosch referma son portable. McPherson lui demandant ce que Wright venait de lui dire, il la mit vite au courant et s'arrêta derrière une voiture de patrouille.

Il passa sous le ruban jaune en montrant son badge, McPherson faisant comme lui. La fusillade s'étant déroulée à peine vingt minutes plus tôt, c'étaient surtout des flics en tenue qui se trouvaient sur les lieux – ils étaient les premiers à avoir répondu à l'appel –, et c'était le chaos. Il vit un sergent de la patrouille donner des ordres pour sécuriser le périmètre et s'adressa à lui.

— Sergent ? Harry Bosch, division des Vols et Homicides. Qui est en charge de l'enquête ?

— Ce n'est pas vous ?

— Non, moi, j'enquête sur une affaire annexe. Celle-là sera pour quelqu'un d'autre.

— Alors, je sais pas, Bosch. On m'a dit que ce serait quelqu'un de la DVH.

— OK, alors ils sont en route. Y a quelqu'un à l'intérieur ?

— Deux gars de Central Division. Roche et Stout.

Des baby-sitters, se dit Bosch. Dès l'arrivée des types de la DVH, ils seraient virés. Il sortit son portable et appela son lieutenant.

— Gandle à l'appareil.

— Lieutenant, qui s'occupe des quatre morts près du Kyoto ?

— Bosch ? Où êtes-vous ?

— À la scène de crime. C'est mon type, celui du procès, Jessup.

— Merde. Qu'est-ce qui s'est passé ?

— Je ne sais pas. Qui avez-vous envoyé et où sont-ils passés ?

— J'en envoie quatre. Penzler, Kirshbaum, Krikorian et Russell. Mais ils étaient tous en train de déjeuner au Birds. Moi aussi, je pars, mais vous n'avez pas à y être.

— Je sais. Je ne vais pas rester longtemps.

Il referma son portable et chercha McPherson des yeux. Il l'avait perdue dans la confusion. Il la vit en train de s'accroupir à côté d'un homme assis au bord du trottoir, en face du bureau des cautions, juste à côté du cabinet de Royce. Bosch le reconnut : c'était le type que McPherson et lui avaient accompagné le soir où ils avaient surveillé Jessup. Il s'était mis du sang sur les mains et la chemise en essayant de sauver son coéquipier. Bosch les rejoignit.

— … il est allé à sa voiture quand ils sont revenus ici. Juste une minute. Le temps d'y monter et d'en redescendre. Et il est arrivé dans le bureau. Et là, y a eu tout de suite des coups de feu. On est entrés et Manny a été touché dès qu'il a ouvert la porte. J'ai tiré deux ou trois fois, mais il fallait que j'essaie de sauver Manny…

— C'est donc dans sa voiture qu'il avait son arme, non ?

— Forcément. Il y a des détecteurs de métal au tribunal. Il ne l'avait donc pas à l'audience.

— Mais vous ne l'avez pas vue ?

— Non, on n'a jamais vu son arme. Si on l'avait vue, on aurait fait quelque chose.

Bosch les laissa et gagna la porte du cabinet Royce and Associates. Il y arriva au même moment que le lieutenant Wright. Ils entrèrent ensemble.

— Ah, mon Dieu ! s'écria Wright en voyant son homme juste derrière la porte.

— Comment s'appelait-il ? demanda Bosch.

— Manuel Branson. Il a deux enfants et il va falloir que j'aille avertir sa femme.

Branson était étendu sur le dos. Il avait des blessures d'entrée sur le côté gauche du cou et en haut de la joue. Beaucoup de sang en avait coulé. Il semblait bien que la balle qu'il avait reçue dans le cou lui avait sectionné la carotide.

Bosch laissa Wright, longea un bureau de réception et descendit un couloir à droite. Il tomba sur une salle de conférences avec un mur en verre et une porte à chaque extrémité. C'est là que se trouvaient les autres victimes, plus deux inspecteurs qui, gantés et bottés, prenaient des notes sur des écritoires à pinces. Roche et Stout. Bosch s'immobilisa à la première porte, mais n'entra pas dans la salle. Les deux inspecteurs le regardèrent.

— Qui êtes-vous ? demanda l'un d'eux.

— Bosch, DVH.

— C'est vous qui prenez l'enquête ?

— Pas exactement. Je travaille sur quelque chose qui a un lien avec ces meurtres. Les autres arrivent.

— Putain ! Et dire qu'on est à deux rues du PAB !

— Ils n'y étaient pas. Ils déjeunaient à Hollywood. Mais ne vous inquiétez pas, ils arrivent. C'est pas comme si ceux-là allaient filer Dieu sait où.

Il regarda les corps. Clive Royce était assis, mort, dans un fauteuil au bout de la grande table. Il avait la tête renversée en arrière comme s'il regardait le plafond. Il avait reçu une balle au milieu du front, mais aucun sang n'en avait coulé. Celui-ci s'était répandu sur le dos de sa veste et sur son fauteuil par la blessure de sortie.

L'enquêtrice, Karen Revelle, était étendue par terre à l'autre bout de la salle, près de la deuxième porte. Elle donnait l'impression d'avoir essayé de s'enfuir avant d'être abattue. Elle avait le visage face contre terre et Bosch ne put voir ni où ni combien de fois elle avait été touchée.

La jolie associée de Royce, celle dont il ne se rappelait plus le nom, n'était plus jolie du tout. Assise à la diagonale de Royce, elle s'était effondrée sur la table avec une blessure d'entrée à la nuque. La balle lui était ressortie sous l'œil droit et lui avait détruit le visage. Un projectile fait toujours plus de dégâts en sortant qu'en entrant.

— Qu'est-ce que vous en pensez ? demanda un des gars de Central.

— On dirait qu'il est entré en tirant. Il a touché ces deux-là en premier et a flingué la fille au moment où elle essayait de gagner la porte. Après quoi, il a reculé dans le couloir et ouvert le feu sur les mecs du SRS qui entraient.

— Ouais. Ça en a tout l'air.

— Je vais voir dans les autres pièces.

Il continua de descendre le couloir en jetant des coups d'œil dans des bureaux aux portes ouvertes. Il y avait des plaques nominatives sur les portes, l'une d'elles lui rappela que l'associée de Royce s'appelait Denise Graydon.

Le couloir conduisait à une salle de détente avec kitchenette équipée d'un frigo, d'un four micro-ondes et d'une table. Une porte de sortie était entrouverte de quelques centimètres.

Il la poussa d'un coup de coude. Et se retrouva dans une allée bordée de poubelles. Il regarda à droite et à gauche et découvrit un parking à un demi-pâté de maisons sur sa droite. Il se dit que ce devait être celui où Jessup s'était garé et était revenu chercher son arme.

Il réintégra la maison et, cette fois, scruta plus longuement chaque bureau. Son expérience lui disait qu'il entrait dans une zone grise. C'était dans un cabinet d'avocats qu'il se trouvait et que ceux-ci soient morts n'empêchait pas que leurs clients soient toujours protégés par le secret et la confidentialité de leurs rapports. Il ne toucha donc à rien et n'ouvrit aucun tiroir ou dossier. Il se contenta de faire glisser son regard sur toutes les surfaces – et de voir et de lire tout ce qui s'offrait à sa vue.

Il était dans le bureau de Revelle lorsque McPherson le rejoignit.

— Qu'est-ce que vous faites ? lui demanda-t-elle.

— Je jette un coup d'œil.

— On pourrait avoir des ennuis en entrant dans ces bureaux. L'officier de justice que je suis ne peut pas…

— Alors, attendez-moi dehors. Je vous ai dit que je ne faisais que jeter un œil. Je m'assure que les lieux sont sécurisés.

— Ouais, bon, d'accord. Je vous attends dehors. Les médias sont partout. Un vrai cirque.

Bosch s'était penché sur le bureau de Revelle et ne releva pas la tête.

— Bravo, dit-il.

McPherson quitta la pièce au moment même où il découvrait quelque chose sur un bloc-notes posé sur une pile de dossiers, à côté du téléphone.

— Maggie ! lança-t-il. Revenez ! (Elle fit demi-tour.) Regardez un peu ça !

Elle fit le tour du bureau et se pencha pour lire ce qu'il y avait sur la première page. Celle-ci était couverte de notes, de numéros de téléphone et de noms apparemment sans liens entre eux. Certains de ces gribouillis étaient entourés de ronds, d'autres à moitié effacés. Tout semblait indiquer qu'il s'agissait de notes que Revelle prenait en téléphonant.

— Quoi ? demanda McPherson.

Sans toucher la page, Bosch lui indiqua une inscription en bas à droite. Elle se réduisait à deux mots : *Checkers – 804*. Mais il n'en fallait pas plus.

— Merde ! s'écria McPherson. Sarah n'est même pas enregistrée à l'hôtel sous son nom. Comment Revelle a-t-elle eu ce renseignement ?

— Elle a dû nous suivre après l'audience et payer quelqu'un pour avoir le numéro de la chambre, dit Bosch. Il faut donc se dire que Jessup est lui aussi en possession de ces renseignements.

Il sortit son portable et appela Mickey Haller en numérotation rapide.

— Bosch, dit-il. Tu es toujours avec Sarah ?

— Oui, elle est ici, au prétoire. On attend le juge.

— Écoute, ne lui fous pas la trouille, mais elle ne peut pas retourner à l'hôtel.

— D'accord, mais… Comment ça se fait ?

— Quelque chose nous indique que Jessup sait où elle est descendue. On va s'en occuper.

— Bon, mais qu'est-ce que je fais, moi ?

— Je vais envoyer une équipe de protection au tribunal… pour vous deux. Ils sauront ce qu'il faut faire.

— Qu'ils la couvrent, elle. Moi, j'en ai pas besoin.

— C'est toi qui décides. Mais je te recommande d'accepter.

Il referma son portable et regarda McPherson.

— Il faut que je leur envoie une équipe de protection. Prenez ma voiture pour aller chercher les filles et les emmener en lieu sûr. Vous m'appelez dès que c'est fait et je vous envoie une équipe à vous aussi.

— Ma voiture est à deux rues d'ici. Je pourrais juste…

— Ça vous ferait perdre trop de temps. Prenez la mienne et filez. J'appelle l'école et je les avertis que vous allez passer prendre Maddie.

— OK.

— Merci. Appelez-moi quand vous aurez…

Ils entendirent des cris monter devant la maison. Des cris d'hommes en colère. Bosch comprit que c'étaient les amis de Manny Branson. Ils venaient de découvrir leur camarade étalé par terre, sa mort ne faisant que les remplir de colère. Le sang à la bouche, ils se préparaient à la traque.

— Allons-y, dit-il.

Ils retraversèrent la suite pour regagner l'entrée. Bosch vit Wright juste devant, en train de consoler deux hommes du SRS au visage rouge de colère et strié de larmes. Bosch fit le tour du cadavre, se dirigea vers la porte et donna une tape sur le coude de Wright.

— Lieutenant, dit-il, j'ai besoin d'une minute avec vous.

Wright se sépara de ses deux hommes et le suivit. Bosch fit quelques mètres pour pouvoir parler sans être entendu. Il n'avait pas besoin de s'en inquiéter : dans le ciel, il y avait déjà quatre hélicoptères des médias qui tournaient au-dessus de la scène de crime et faisaient tellement de bruit qu'on n'aurait pu entendre la moindre conversation dans tout le pâté de maisons.

— J'ai besoin de deux de vos meilleurs hommes, reprit Bosch en se penchant à l'oreille de Wright.

— D'accord. Qu'est-ce que vous avez sur le feu ?

— Il y a une note sur le bureau d'une des victimes. Et cette note donne l'hôtel et le numéro de chambre de notre témoin principal. Nous devons absolument nous dire que ces infos, notre tireur les a en sa possession. Et le massacre là-dedans nous indique qu'il est en train de liquider tous les gens qui ont à voir avec le procès. Tous ceux qu'il s'imagine lui avoir fait du tort. La liste est longue, mais je pense que notre témoin y figure en bonne place.

— Compris. On s'installe à l'hôtel ?

— Oui, dit Bosch en hochant la tête. Un dehors, un dedans et moi dans la chambre. On attend de voir s'il se pointe.

— Non, dit Wright. Deux dedans et deux dehors. Vous pouvez oublier la chambre… l'équipe ne le laissera jamais passer. Au lieu de ça, vous et moi, nous nous trouvons un endroit surélevé, où nous installons le poste de commandement. C'est comme ça qu'il faut faire.

Bosch acquiesça.

— OK, on y va.

— Sauf qu'il y a un truc.

— Quoi ?

— Si je vous emmène avec moi, vous restez en retrait et ce sont mes hommes qui le capturent.

Bosch le regarda un instant pour voir s'il lui cachait quelque chose.

— J'ai des questions à lui poser, dit-il. Sur ce qu'il foutait à Franklin Canyon et ailleurs. J'ai besoin de lui parler.

Wright regarda par-dessus l'épaule de Bosch et jeta un coup d'œil à la porte du cabinet Royce and Associates.

— Inspecteur, dit-il, j'ai un de mes meilleurs gars mort dans cette baraque. Je ne vous garantis rien. Vous comprenez ?

Bosch marqua une pause, puis il hocha la tête.

— Je comprends, dit-il.

Chapitre 41

Jeudi 8 avril – 13 h 50

Il y avait plus de représentants des médias dans la salle d'audience qu'il n'y en avait jamais eu pendant toute la durée du procès. Les deux premiers rangs de l'assistance étaient remplis de reporters et de cameramen assis épaule contre épaule. Les autres rangées étaient pleines d'employés du tribunal et d'avocats qui avaient appris ce qui était arrivé à Clive Royce.

Sarah Gleason s'était installée dans une rangée près du bureau de l'huissier. Elle était réservée aux membres des forces de l'ordre, mais l'huissier l'y avait assise pour que les journalistes ne puissent pas l'atteindre. En attendant, j'avais pris place à la table de l'accusation et attendais l'arrivée du juge tel le naufragé sur une île déserte. Il n'y avait toujours pas de Maggie. Ni de Bosch. Et il n'y avait personne à la table de la défense. J'étais seul.

— Mickey, chuchota quelqu'un dans mon dos.

Je me retournai et vis la journaliste du *Times*, Kate Salters, qui se penchait par-dessus la barrière.

— Je ne peux pas parler. Il faut que je réfléchisse à ce que je vais dire.

— Bon d'accord, mais… vous croyez que la façon dont vous avez totalement détruit le témoin ce matin pourrait avoir… ?

Je fus sauvé par l'arrivée du juge. Breitman entra dans la salle, bondit dans son box et s'assit. Salters reprit sa place et resta sans réponse à la question que je voulais éviter de me poser jusqu'à la fin de mes jours, enfin… du moins, pour l'instant.

— Veuillez porter aux minutes que nous sommes toujours au procès qui oppose l'État de Californie à Jason Jessup. Maître Michael Haller représente le peuple. Mais les jurés sont absents, ainsi que l'accusé et l'avocat de la défense. Je suis, suite à certains rapports des médias, mais tous non confirmés, au courant de ce qui s'est passé il y a une heure et demie au cabinet de maître Royce. Maître Haller, êtes-vous en mesure d'ajouter quoi que ce soit à ce que j'ai vu et entendu à la télévision ?

Je me levai pour m'adresser à la cour.

— Madame le juge, je ne sais pas ce que les médias ont annoncé pour l'instant, mais je puis vous confirmer que maître Royce et maître Graydon, son associée dans cette affaire, ont été tués à leur cabinet à l'heure du déjeuner. Karen Revelle est elle aussi décédée, ainsi qu'un officier de police qui répondait à l'appel reçu suite à la fusillade. Le suspect a été identifié comme étant Jason Jessup. Il est toujours dans la nature.

À en juger par les murmures qui montèrent de l'assistance derrière moi, ces faits avaient déjà fait l'objet de spéculations, mais n'avaient pas encore été confirmés aux médias.

— Il s'agit là de nouvelles particulièrement tristes, dit Breitman.

— Oui, madame le juge. Tout à fait.

— Cela étant, je pense que pour l'instant, nous avons besoin de mettre nos émotions de côté et d'agir avec prudence. Le problème est de savoir quelles suites donner à ce procès. Je suis à peu près sûre de connaître la réponse à cette question, mais je suis disposée à écouter l'avocat de l'accusation avant de prendre ma décision. Souhaitez-vous être entendu, maître Haller ?

— Oui, madame le juge. Je demande à la cour de suspendre la séance pour le reste de la journée et de séquestrer le jury en attendant de plus amples informations. Je vous demande aussi de révoquer la liberté sur parole accordée à M. Jessup avant ce procès et de lancer un mandat d'arrêt contre lui.

Breitman réfléchit longuement à ces deux requêtes avant de répondre.

— J'ordonne la révocation de la liberté sur parole accordée à M. Jessup et lance un mandat d'arrêt contre lui. Mais je ne vois pas le besoin qu'il y aurait de séquestrer le jury. Aussi regrettable que ce soit, je ne vois pas d'autre solution que d'annuler ce procès pour vice de procédure.

Je savais que ce serait sa première idée. Et j'avais réfléchi à ma réponse depuis que j'étais revenu au tribunal.

— Madame le juge, le peuple s'élève contre cette décision. La loi dit en effet très clairement que M. Jessup renonce *de facto* au droit d'assister au procès en n'y faisant pas volontairement acte de présence. D'après ce que la défense nous a représenté plus tôt, M. Jessup devait être le dernier témoin de la journée. Mais il a manifestement décidé de ne pas témoigner. Au vu de tous ces renseignements, il est donc…

— Maître Haller, je me vois dans l'obligation de vous arrêter là. Je pense que vous oubliez une partie de l'équation et j'ai bien peur que la nouvelle soit connue. Vous vous rappelez peut-être que l'huissier Solantz a reçu pour tâche d'accompagner les jurés dans un restaurant après le problème de retard de lundi dernier.

— Oui.

— Eh bien, sachez que faire déjeuner dix-huit personnes en centre-ville n'est pas facile. L'huissier Solantz avait donc fait en sorte que le groupe prenne le bus et déjeune tous les jours à la Clifton's Cafeteria. Il y a des postes de télévision dans ce restaurant, mais il se débrouillait toujours pour qu'ils ne regardent pas les chaînes locales. Malheureusement, aujourd'hui, un des postes était branché sur CNN, qui faisait un direct sur ce qui était en train de se passer au cabinet de maître Royce. Plusieurs jurés ont vu cette émission et ont compris ce qui était en train de se produire avant que l'huissier réussisse à éteindre l'appareil. Comme vous pouvez l'imaginer, l'huissier Solantz n'est pas très content de lui, et moi non plus.

Je me retournai et jetai un coup d'œil au bureau de Solantz. Celui-ci avait baissé la tête tant il se sentait humilié. Je reportai les yeux sur Breitman et compris que c'était foutu pour moi.

— Inutile de dire que votre idée de séquestrer les jurés était bonne, mais un peu tardive. Au vu de tous ces éléments, j'arrête donc que le jury retenu pour ce procès a été influencé par des événements qui se sont déroulés en dehors de cette enceinte. En conséquence de quoi, je déclare qu'il y a vice de procédure, que le procès est annulé et que l'affaire reprendra lorsque M. Jessup sera ramené devant cette cour.

Elle marqua une pause pour voir si j'avais une objection à faire valoir, mais je n'en avais pas. Je savais que ce qu'elle faisait était juste et inévitable.

— Et maintenant, rappelons les jurés, dit-elle.

Ils regagnèrent le box en file indienne, nombre d'entre eux jetant un coup d'œil à la table de la défense, où il n'y avait plus personne.

Lorsque tout le monde eut repris sa place, le juge se tourna directement vers eux et, d'une voix douce, déclara pour les minutes :

— Mesdames et messieurs les jurés, je suis dans l'obligation de vous informer qu'au vu de certains facteurs qui ne vous sont pas encore très clairs mais ne sauraient manquer de le devenir dans peu de temps, j'ai annulé pour vice de forme ce procès qui oppose l'État de Californie à M. Jason Jessup. C'est avec grand regret que je le fais parce que vous avez tous investi beaucoup de votre temps et de vos efforts dans cette procédure.

Elle marqua une pause pour voir la confusion se marquer sur les visages qu'elle avait devant elle.

— Personne, reprit-elle, n'a envie d'investir autant de temps pour qu'une affaire reste sans conclusion. J'en suis désolée. Et je tiens à vous remercier d'avoir accompli votre devoir. Vous vous êtes tous montré fiables et, pour l'essentiel, vous êtes arrivés tous les jours à l'heure. Je vous ai aussi tous bien regardés pendant la partie consacrée aux témoignages et vous avez tous fait preuve d'une grande attention. La cour ne pourra jamais vous remercier assez. Vous êtes dès maintenant congédiés et déchargés de tout devoir dans ce procès. Vous pouvez rentrer chez vous.

Les jurés regagnèrent leur salle d'attente en file indienne, certains d'entre eux jetant un dernier coup d'œil au prétoire. Dès qu'ils furent partis, Breitman se tourna vers moi.

— Maître Haller, dit-elle, pour ce que ça vaut, je pense que vous vous êtes fort bien acquitté de votre tâche d'avocat de l'accusation. Je suis désolée que ce procès se termine ainsi, mais sachez que vous êtes le bienvenu dans cette cour et ce, de quelque côté que vous jugiez bon de siéger.

— Merci, madame le juge. Je vous suis reconnaissant de ces paroles. Mais j'ai été beaucoup aidé.

— Eh bien, c'est toute votre équipe que je félicite.

Sur quoi, elle se leva et quitta sa place. Je restai longtemps assis à la mienne en écoutant l'assistance quitter la salle et pensant à ce que Breitman venait de dire. Comment et pourquoi se faisait-il qu'un aussi beau travail au prétoire se termine par quelque chose d'aussi horrible que ce qui était arrivé au cabinet de Clive Royce ?

— Maître Haller ?

Je me retournai en m'attendant à voir un reporter. C'était deux policiers en tenue.

— C'est l'inspecteur Bosch qui nous envoie. Nous sommes ici pour vous emmener, vous et Mme Gleason, en lieu sûr.

— Seulement Mme Gleason, et elle est là-bas.

Sarah attendait sur le banc à côté du bureau de l'huissier Solantz.

— Sarah, ces policiers vont prendre soin de vous jusqu'à ce que Jason Jessup soit en prison ou…

Je n'eus pas besoin de finir. Elle se leva et vint vers nous.

— Alors comme ça, le procès est fini ? dit-elle.

— C'est exact. Le juge a conclu au vice de forme. Cela veut dire que si Jessup est attrapé, nous devrons tout recommencer. Avec un nouveau jury.

Elle acquiesça d'un signe de tête et parut un rien abasourdie. J'avais déjà remarqué cet air sur le visage de bien des gens qui abordent le système judiciaire en toute naïveté. Ils quittent le prétoire en se demandant ce qui s'est passé. Ç'allait être la même chose pour Sarah Gleason.

— Vous devriez partir avec ces officiers de police, Sarah. Nous vous recontacterons dès que nous connaîtrons la suite des événements.

Elle se contenta d'acquiescer et tous se dirigèrent vers la porte.

J'attendis encore un moment, seul dans la salle, puis je gagnai le couloir à mon tour. Je vis plusieurs jurés en train de se faire interviewer par les reporters. J'aurais pu rester regarder, mais à ce moment-là, plus rien de ce qu'on pouvait dire sur l'affaire ne m'intéressait. Plus maintenant.

Kate Salters me repéra et se détacha du groupe des journalistes.

— Mickey, on peut parler maintenant ?

— Je n'ai pas envie de parler. Appelez-moi demain.

— L'article, c'est pour aujourd'hui, Mickey.

— Ça m'est égal.

Je la poussai vers les ascenseurs.

— Où allez-vous ?

Je gardai le silence. J'arrivai aux ascenseurs et bondis entre les portes d'une cabine qui attendait. Je me mis dans un coin au fond et vis une femme debout à côté du panneau. Elle me posa la même question que Salters.

— Où allez-vous ?

— Chez moi, répondis-je.

Elle appuya sur le bouton du rez-de-chaussée et nous descendîmes.

CINQUIÈME PARTIE

La capture

Chapitre 42

Jeudi 8 avril – 16 h 40

Bosch s'était installé avec Wright dans un bureau d'emprunt, en face du Checkers Hotel. C'était le poste de commandement et si personne ne pensait Jessup assez bête pour entrer par la grand-porte de l'hôtel, l'endroit leur donnait une bonne vue aussi bien de l'ensemble de l'établissement que de deux autres points de surveillance.

— Je ne sais pas, dit Wright. Ce type est malin, non ?

— Faut croire, répondit Bosch.

— Alors, je ne le vois pas faire ce coup-là, moi. Il serait déjà là s'il avait voulu essayer. Il doit être en route pour le Mexique à l'heure qu'il est et nous, on est là, à surveiller un hôtel.

— Ce n'est pas impossible.

— Si j'étais à sa place, c'est là que j'irais et je ferais profil bas. Je passerais le plus de temps possible à la plage avant qu'on me retrouve et qu'on me réexpédie à San Quentin.

Bosch sentit bourdonner son portable et vit que c'était sa fille.

— Je vais sortir prendre cet appel, dit-il à Wright. Vous avez la situation en main ?

— Oui.

Bosch décrocha au moment où il quittait le bureau pour passer dans le couloir.

— Hé, Mads ! Tout va bien ?

— Y a une voiture de police devant la maison, maintenant.

— Oui, je sais. C'est moi qui l'ai envoyée. C'est juste une précaution supplémentaire.

Ils s'étaient parlé une heure plus tôt, après que Maggie McPherson avait emmené sans encombre les deux filles chez une amie de Porter Ranch. Il avait dit à sa fille que Jessup était dans la nature, et lui avait raconté ce qui s'était passé au cabinet de Royce. Elle ignorait tout de la visite nocturne que Jessup leur avait rendue quinze jours plus tôt.

— Ils n'ont donc toujours pas attrapé ce type ?

— On y travaille et je suis en plein dedans. Reste près de tante Maggie et ne te mets pas en danger. Je passerai te prendre dès que ce sera fini.

— D'accord. Hé, y a tante Maggie qui veut te parler.

McPherson prit la communication.

— Harry, dit-elle, c'est quoi, les nouvelles ?

— Même chose qu'avant. On le cherche et on a quelqu'un dans tous les lieux connus. Je suis avec Wright à l'hôtel de Sarah.

— Faites attention.

— À ce propos… où est Mickey ? Il a refusé la protection de la police.

— Il est chez lui pour l'instant, mais il m'a dit qu'il allait passer.

— OK. C'est bon. On se rappelle plus tard.

— Tenez-moi au courant.

— Je le ferai.

Il referma son portable et regagna le bureau. Wright n'avait pas bougé de la fenêtre.

— Je pense qu'on perd notre temps et qu'on devrait arrêter, dit-il.

— Pourquoi ? Qu'est-ce qui se passe ?

— On a reçu un appel radio. Ils viennent de retrouver la voiture de Jessup. À Venice. Il n'est pas du tout par ici, Bosch.

Bosch savait que laisser sa voiture à Venice pouvait très bien n'être qu'une ruse. On se dirige vers la plage, on laisse la voiture, et on reprend vite fait un taxi pour descendre en centre-ville. Il eut malgré tout bien du mal à ne pas être d'accord avec Wright. Ils faisaient du surplace en restant à cet endroit.

— Merde, dit-il.

— Vous inquiétez pas. On l'aura. Je maintiens une équipe ici et une devant chez vous. Et je renvoie tout le monde à Venice.

— Et la jetée de Santa Monica ?

— Y a déjà des gens. J'ai deux ou trois équipes sur la plage et personne n'est entré sous la jetée ou n'en est sorti.

Il passa sur la fréquence du SRS et commença à redéployer ses hommes. Bosch l'écouta en faisant les cent pas dans la pièce et en essayant de se mettre dans la tête de Jessup. Au bout d'un moment, il ressortit dans le couloir afin de ne pas troubler la chorégraphie de Wright et appela Gandle, son patron aux Vols et Homicides.

— Bosch à l'appareil. Juste pour donner des nouvelles.

— Vous êtes encore à l'hôtel ?

— Oui, mais on est sur le point de vider les lieux et d'aller à la plage de Santa Monica. Vous avez dû apprendre qu'on a retrouvé sa voiture.

— Oui, j'y étais.

Bosch en fut surpris. Avec quatre morts au cabinet de Royce, il pensait que Gandle devait toujours être sur place.

— La voiture est clean, reprit ce dernier. Jessup a toujours son arme.

— Où êtes-vous maintenant ?

— À Venice, dans Speedway. On vient juste d'arriver à la chambre de Jessup. On a mis du temps à obtenir le mandat de perquisition.

— Et y a quelque chose ?

— Non, rien pour l'instant. Quel enfoiré, ce mec ! On le voit en costume au tribunal et on se dit... Je ne sais pas ce que vous en pensez, mais en réalité, il vivait comme une bête !

— Comment ça ?

— Y a des boîtes de conserve ouvertes absolument partout, avec de la bouffe qui pourrit dedans. Y en a aussi qui pourrit sur le plan de travail et y a des ordures dans tous les coins. Il avait accroché des couvertures aux fenêtres pour qu'il fasse aussi noir que dans une grotte... pour que ça ressemble à une cellule de prison. Il écrivait même sur les murs !

Brusquement, il comprit. Il sut pour qui Jessup avait préparé ses oubliettes sous la jetée.

— Quel genre de bouffe ? demanda-t-il.

— Quoi ?

— La bouffe en boîtes. C'est quel genre ?

— Je sais pas… des fruits, des pêches… toutes sortes de trucs qu'on peut acheter frais dans n'importe quelle épicerie. Mais non, lui, il avait tout ça en boîtes. Comme en prison.

— Merci, lieutenant.

Bosch referma son portable et fila vers le bureau. Wright avait lâché sa radio.

— Vos types sont-ils allés sous la jetée pour jeter un coup d'œil à l'entrepôt ou se sont-ils contentés de surveiller ?

— C'est une surveillance légère.

— Ce qui veut dire qu'ils n'ont pas vérifié ?

— Ils ont vérifié le périmètre. Rien n'indiquait qu'il serait passé sous le mur. Ils se sont donc repliés et se sont installés.

— Jessup y est. Ils l'ont raté.

— Comment le savez-vous ?

— Je le sais, c'est tout. Allons-y.

Chapitre 43

Jeudi 8 avril – 18 h 35

Debout devant ma baie vitrée au bout de la salle de séjour, je regardai Los Angeles tandis que le soleil se couchait derrière la ville. Jessup s'y trouvait quelque part. Comme un animal enragé, il allait être traqué, coincé et, je n'en doutais pas, abattu. Telle était la conclusion inévitable de sa façon de jouer.

Jessup était légalement condamnable, mais je ne pouvais m'empêcher de penser à ma propre culpabilité dans cette horrible histoire. Pas au sens juridique, non, en privé, à l'intérieur de moi-même. Je ne pouvais pas ne pas me demander si consciemment ou pas, ce n'était pas moi qui avais mis tout ça en branle le jour où j'avais discuté avec Gabriel Williams et accepté de franchir une ligne rouge au tribunal aussi bien qu'en moi-même. Peut-être avais-je, en décidant de laisser Jessup en liberté sur parole, décidé de son destin, de celui de Royce et de beaucoup d'autres. J'étais avocat de la défense, pas de l'accusation. C'était pour le perdant que je me dressais, pas pour l'État. Peut-être avais-je pris des mesures et effectué certaines manœuvres de façon à ce qu'il n'y ait jamais de verdict et que je n'aie pas à vivre avec dans mes souvenirs et ma conscience.

Songeries d'un homme qui se sent coupable que tout cela. Elles ne durèrent pas. Mon portable sonna, je le sortis de ma poche sans détacher les yeux du panorama de la ville.

— Haller à l'appareil, dis-je.

— C'est moi. Je croyais que tu allais passer.

Maggie McFierce.

— Dans pas longtemps. J'ai quelques trucs à finir. Tout va bien ?

— Pour moi, oui. Mais probablement pas pour Jessup. Tu regardes les nouvelles ?

— Non. Qu'est-ce qu'ils racontent ?

— Ils viennent d'évacuer la jetée de Santa Monica. La Cinquième a un hélico juste au-dessus. Ils ne confirment pas que c'est pour Jessup, mais ils rapportent que le SRS a demandé l'accord de la police de Santa Monica pour arrêter un fugitif. Ils sont sur la plage et encerclent les lieux.

— Les oubliettes ? Jessup a pris quelqu'un en otage ?

— S'il l'a fait, on ne le dit pas.

— Tu as appelé Harry ?

— Je viens d'essayer, mais il n'a pas pris l'appel. Je pense qu'il est sur la plage avec eux.

Je m'éloignai de la fenêtre et pris la télécommande de la télé sur la table basse. J'allumai le poste et passai sur la Cinq.

— Ça y est, j'ai les images, dis-je à Maggie.

Sur l'écran, je découvris une vue aérienne de la jetée et de la plage autour. On aurait dit qu'il y avait des types au bord de l'eau et que, venant du nord et du sud, ils avançaient vers le dessous de la jetée.

— Je crois que tu as raison, dis-je. C'est forcément lui. En fait, les oubliettes qu'il a aménagées là-bas, en bas sont pour lui. C'est comme un lieu sûr où il pouvait se réfugier.

— Comme la cellule de prison à laquelle il était habitué. Je me demande s'il sait qu'ils vont le cueillir. Peut-être a-t-il déjà entendu les hélicos.

— D'après Harry, le bruit des vagues est tellement fort là-dessous qu'on n'entendrait même pas un coup de feu.

— Ça, on pourrait le savoir dans pas longtemps.

Nous regardâmes les images un instant sans rien dire, puis je repris la parole.

— Maggie ? Les filles regardent ce truc elles aussi ?

— Grand Dieu, non ! Elles jouent à des jeux vidéo dans l'autre pièce.

— Bon.

Ils continuèrent de regarder en silence. La voix du speaker faisait écho sur le portable tandis qu'il décrivait bêtement ce qu'on voyait sur l'écran. Au bout d'un moment, Maggie posa la question qui avait dû la travailler toute l'après-midi.

— Tu pensais que ça se terminerait comme ça, dis ?

— Non. Et toi ?

— Non, jamais. Je devais croire que rien ne déborderait de la salle d'audience. Comme d'habitude.

— Ouais.

— Au moins Jessup nous aura-t-il épargné la honte du verdict.

— Comment ça ? On le tenait et il le savait.

— Tu n'as pas regardé les interviews des jurés ?

— Quoi ? À la télé ?

— Oui, le juré nº 10 est sur toutes les chaînes à raconter qu'il aurait voté « pas coupable ».

— Quoi ? Kirns ?

— Oui, le suppléant qui a fait partie du jury. Tous les autres ont dit « coupable, coupable, coupable ». Mais Kirns, lui, dit « non coupable ». On ne l'aurait pas convaincu. Il n'y aurait pas eu unanimité et tu sais bien que Williams n'aurait pas voulu d'un deuxième round. Jessup aurait été libéré.

Je réfléchis et ne pus qu'acquiescer. On avait travaillé pour rien. Il aurait suffi d'un juré qui en veut à la société et Jessup aurait été libéré. Je lâchai l'écran de la télé et regardai au loin à l'ouest, à l'endroit de l'horizon où Santa Monica épouse les contours du Pacifique. Je crus y voir tournoyer les hélicos des médias.

— Je me demande si Jessup le saura jamais, dis-je.

Chapitre 44

Jeudi 8 avril – 18 h 55

Le soleil tombait bas sur le Pacifique en brûlant un sentier d'un vert étincelant à sa surface. Bosch se tenait juste à côté de Wright, à une centaine de mètres de la jetée. Tous deux regardaient l'écran vidéo 13 × 13 du pack frontal attaché à la poitrine de Wright. Ce dernier présidait à l'arrestation de Jason Jessup par les membres du SRS. L'écran montrait une image trouble de l'entrepôt faiblement éclairé sous la jetée. Bosch était en audio, mais n'avait pas de micro. Il entendait les communications de l'opération en cours, mais ne pouvait y contribuer. Tout ce qu'il pourrait avoir envie de dire devrait passer par Wright.

Les voix étaient difficiles à percevoir à cause du bruit de fond des vagues s'écrasant sous la jetée.

— Ici Cinq, on est entrés.

— Stabilisez le visuel, ordonna Wright.

Le point s'étant amélioré, Bosch s'aperçut que la caméra était braquée sur les box du fond de l'entrepôt.

— Celle-là, dit-il en montrant la porte par laquelle il avait vu passer Jessup.

— OK, dit Wright. La cible est la deuxième porte à droite. Je répète : deuxième porte à droite. Mettez-vous en position.

La vidéo fut agitée de soubresauts, puis se stabilisa à la nouvelle position. La caméra s'était rapprochée du but.

— Trois et Quatre sont…

Le reste de la phrase disparut dans le vacarme d'une vague.

— Trois et Quatre, répétez ! lança Wright.

— Trois et Quatre en position.

— Attendez feu vert. Équipe du haut prête ?

— Équipe du haut prête.

Sur la jetée maintenant évacuée se trouvait une autre équipe, qui avait disposé de petits explosifs aux quatre coins de la trappe donnant sur l'endroit où l'on pensait que se terrait Jessup. Dès que Wright en donnerait l'ordre, les équipes du SRS feraient sauter la trappe et entreraient dans l'entrepôt par le haut et par le bas.

Wright serra dans sa main le micro qui courait le long de sa mâchoire et regarda Bosch.

— Prêt ? demanda-t-il.

— Prêt.

Wright relâcha sa prise et donna ses ordres.

— Bien, dit-il, on lui laisse une chance. Trois ? Le haut-parleur est installé ?

— Haut-parleur prêt. On y va. Trois, deux… un.

Wright commença à essayer de convaincre un type caché dans une pièce plongée dans le noir à cent mètres de là de se rendre.

— Jason Jessup ! lança-t-il. Ici le lieutenant Stephen Wright de la police de Los Angeles. Vous êtes cerné en haut et en bas. Sortez les doigts croisés derrière la tête.

Avancez vers les policiers qui vous attendent. Désobéissez à cet ordre et vous serez abattu.

Bosch ôta ses boules Quiès et entendit les paroles étouffées de Wright monter de sous la jetée. Il ne faisait aucun doute que Jessup pouvait entendre les ordres qu'on lui donnait si c'était bien là qu'il se trouvait.

— Vous avez une minute ! reprit Wright en guise de dernier avertissement.

Le lieutenant jeta un coup d'œil à sa montre et ils attendirent. Trente secondes plus tard, il appela ses hommes sous la jetée.

— Alors ?

— Ici Trois. On n'a rien.

— Ici Quatre. Clair.

Wright regarda Bosch d'un air rêveur, comme s'il regrettait qu'on en arrive là.

— OK, dit-il, à mon commandement, on y va. On reste groupés et pas de feu croisé. Équipe du haut… si vous tirez, vous vous assurez de…

Quelque chose bougea sur l'écran vidéo. La porte d'un box s'ouvrit d'un coup, mais pas celle sur laquelle ils se concentraient. La caméra virant brutalement à gauche pour retrouver sa cible, Bosch vit Jessup émerger des ténèbres derrière la porte ouverte. Il leva les bras en l'air, puis se mit à genoux en position de combat.

— Flingue ! cria Wright.

Le tir de barrage qui s'ensuivit ne dura pas plus de dix secondes. Mais il n'en fallut pas davantage pour qu'au moins quatre des officiers postés sous la jetée vident leurs armes, ce crescendo étant ponctué par l'explosion inutile des charges au-dessus. Jessup s'était déjà écroulé sous les balles et Bosch l'avait vu. Comme celui du condamné face au peloton d'exécution, son corps avait tout d'abord paru rester debout sous la violence des impacts. Puis la gravité avait repris ses droits et il s'était effondré sur le sable.

Après quelques instants de silence, Wright décrocha de nouveau la radio.

— Personne de blessé ? Décompte.

Tous les policiers postés sur et sous la jetée se déclarèrent sains et saufs.

— Examen du suspect.

À l'écran, Bosch vit deux officiers s'approcher du cadavre de Jessup. Le premier chercha son pouls tandis que le deuxième tenait le mort en joue.

— Individu hors service.

— Désarmez-le.

— OK.

Wright éteignit la vidéo et regarda Bosch.

— Opération terminée, dit-il.

— Oui.

— Je suis désolé que vous n'ayez pas obtenu vos réponses.

— Moi aussi.

Ils se mirent en route vers la jetée. Wright consulta sa montre et reprit la radio pour annoncer que la fusillade s'était produite à 19 h 18.

Bosch regarda l'océan à sa gauche. Le soleil avait disparu.

SIXIÈME PARTIE

Tout ce qui reste

Chapitre 45

Vendredi 9 avril – 14 h 20

Assis l'un en face de l'autre à une table de pique-nique, Harry Bosch et moi regardions l'équipe du médecin légiste qui creusait. Ils en étaient à la troisième excavation et travaillaient devant l'arbre de Franklin Canyon au pied duquel Jason Jessup avait allumé une bougie.

Je n'étais pas obligé d'être là, mais je l'avais voulu. J'espérais trouver d'autres preuves des infamies de Jason Jessup, comme si cela pouvait m'aider à accepter plus facilement ce qui s'était passé.

Pour l'instant cependant, rien n'avait été trouvé dans ces trois excavations. L'équipe travaillait lentement, évacuant la terre un pouce après l'autre, la tamisant, analysant chaque centimètre qu'elle rejetait. Nous étions là depuis le matin et mes espoirs s'étaient peu à peu évanouis pour n'être plus que cynisme froid sur ce que Jessup avait bien pu fabriquer à cet endroit les soirs où nous l'avions suivi.

Une toile blanche avait été tendue de l'arbre à deux poteaux fichés en dehors de la zone de recherches. Cela mettait les techniciens à l'abri du soleil aussi bien que des hélicos des médias dans le ciel. Quelqu'un avait fait fuiter la nouvelle de la fouille.

Bosch avait posé la pile de dossiers des affaires de personnes disparues sur la table. Il était prêt à ouvrir toutes les archives et à vérifier tous les signalements des femmes portées manquantes dès que des restes humains seraient retrouvés. J'étais, moi, venu seulement armé du journal du matin et relisais l'article paru en première page. Les événements de la veille constituaient la une du *Times*, laquelle était illustrée d'une photo en couleurs de deux officiers du SRS pointant leur arme dans l'ouverture de la trappe. L'article était aussi accompagné d'un encadré en première page consacré au SRS et ainsi intitulé :

ÉNIÈME AFFAIRE,
ÉNIÈME FUSILLADE
DANS L'HISTOIRE SANGLANTE DU SRS

J'avais le sentiment qu'on n'en resterait pas là. Pour l'instant, personne dans les médias n'avait découvert que le SRS savait que Jessup avait réussi à se procurer une arme. Dès que la nouvelle serait connue – et elle finirait par l'être, j'en étais persuadé –, une véritable tempête de controverses se déchaînerait, avec suppléments d'enquêtes et investigations de la commission des Affaires internes[1], la question principale étant alors : pourquoi, quand il avait été établi qu'il avait probablement une arme, cet individu avait-il été autorisé à rester libre ?

1. Équivalent de nos bœuf-carottes.

Tout cela me rendait heureux de n'être plus, même temporairement, au service de l'État. Dans l'arène de la bureaucratie, ce genre de questions et les réponses qu'on y apporte ont tendance à distancier les gens de leur travail.

Je n'avais pas, moi, à m'inquiéter des retombées de telles enquêtes sur mon gagne-pain. J'allais bientôt retrouver mon bureau – à savoir la banquette arrière de ma Lincoln Town Car. J'allais reprendre mon travail d'avocat de la défense. Les limites du travail y sont plus claires, et la mission aussi.

— Maggie McFierce va venir, elle aussi ? demanda Bosch.

Je reposai le journal sur la table.

— Non. Williams l'a réexpédiée à Van Nuys. Elle n'a plus aucun rôle à jouer dans cette affaire.

— Pourquoi Williams ne la transfère-t-il pas en centre-ville ?

— Le deal était qu'on devait obtenir une condamnation pour qu'elle puisse obtenir cette affectation. Et on n'a pas réussi, dis-je en montrant le journal. Et ça ne risquait pas. Il y a un juré qui déclare à qui veut bien l'entendre qu'il aurait voté « non coupable ». Bref, on peut dire que Williams est un type qui tient parole. C'est pas demain la veille que Maggie va avoir de l'avancement.

C'est ainsi que ça marchait dans le monde où la politique et la jurisprudence se mélangent. C'est aussi pourquoi je mourais d'envie de retourner défendre mes damnés.

Nous restâmes silencieux après ça et je songeai à mon ex et à la manière lamentable dont les efforts que j'avais déployés pour l'aider à obtenir une promotion avaient échoué. Je me demandai si elle m'en voudrait de les avoir faits. J'espérais que non. Il ne m'aurait pas été facile de vivre dans un monde où Maggie McFierce m'aurait méprisé.

— Ils ont trouvé quelque chose, lança Bosch.

Je laissai mes pensées de côté et me concentrai sur ce qui se passait. Une technicienne avait pris une pince à épiler pour glisser quelque chose dans un sachet à pièces à conviction. Bientôt elle se releva et vint vers nous. C'était Kathy Kohl, l'archéologue des services de médecine légale.

Elle tendit le sachet en plastique à Bosch, qui le leva en l'air pour l'examiner. Je vis qu'il contenait un bracelet en argent.

— Pas d'ossements, dit Kohl. Juste ça. Nous sommes à quatre-vingt-deux centimètres de profondeur et il est rare de trouver une preuve de meurtre enterrée beaucoup plus bas que ça. Bref, cette excavation ressemble beaucoup aux deux autres. Voulez-vous qu'on continue à creuser ?

Bosch regarda le bracelet dans le sac et leva les yeux sur Kohl.

— On dit encore trente centimètres ? Ça va poser problème ?

— Une journée en plein air vaut toujours mieux qu'une journée au labo. Vous voulez qu'on continue de creuser ? On continuera de creuser.

— Merci, docteur.

— Ça marche.

Elle regagna la fosse et Bosch me tendit le sachet pour examen. Il contenait un bracelet à breloques. Il y avait de la terre dans les chaînons et autour des breloques. Je discernai une raquette de tennis et un avion.

— Tu reconnais ce truc ? demandai-je à Bosch. Ça aurait appartenu à une des disparues ?

Il me montra le tas de dossiers sur la table.

— Non. Je ne me souviens pas d'un quelconque bracelet à breloques dans les listes.

— Il se pourrait que quelqu'un l'ait perdu ici, tout bêtement.

— À quatre-vingt-deux centimètres sous terre ?

— Tu crois donc que c'est Jessup qui l'y a enterré ?

— Peut-être. Je n'aimerais pas beaucoup sortir d'ici sans rien dans les mains. Ce mec ne venait pas ici sans raison. S'il n'a pas enterré ces filles, c'est peut-être parce que c'est ici qu'il les tuait. Je ne sais pas.

Je lui rendis le sachet.

— Harry, dis-je, je crois que tu es un peu trop optimiste. Ça ne te ressemble pas.

— Bon d'accord, mais alors, qu'est-ce que tu crois qu'il fabriquait ici toutes ces nuits, hein ?

— Ce que je crois, c'est que Royce et lui nous menaient en bateau.

— Royce ? Mais qu'est-ce que tu racontes ?

— On s'est fait avoir, Harry. Faut le reconnaître.

Bosch releva le sachet à la lumière et le secoua pour faire tomber la terre.

— Le coup classique de la fausse piste, précisai-je. La bonne attaque, voilà la première règle d'une bonne défense. Il faut mettre en pièces sa propre ligne de défense avant même d'aller au tribunal. On trouve la faiblesse et si on n'arrive pas à rectifier, on cherche des moyens d'égarer l'attention de la partie adverse.

— Ouais.

— La plus grosse faiblesse de la défense, c'était Eddie Roman. Royce s'apprêtait à faire témoigner un menteur et un drogué. Il savait que, le temps aidant, ou bien tu retrouverais ce monsieur, ou bien tu découvrirais des trucs sur lui, voire les deux. Il avait donc besoin de t'égarer. De t'occuper avec des pistes qui n'avaient rien à voir avec l'affaire.

— T'es en train de me dire qu'il savait qu'on suivait Jessup ?

— Il n'aurait pas eu grand mal à le deviner. Je ne me suis pas vraiment opposé à sa demande de liberté pour Jessup. C'était inhabituel et ça a dû le faire réfléchir. Bref, il envoie Jessup dans les collines la nuit pour voir s'il est suivi. Comme nous l'avons déjà vu, il est même probable qu'il l'ait envoyé chez toi pour voir si on allait déclencher quelque chose et ainsi confirmer qu'on le surveillait. Quand il a su que ça n'avait pas marché, que ça n'avait suscité aucune réaction de notre part, Royce s'est probablement dit qu'il se trompait et a laissé tomber. Et Jessup a cessé de monter ici la nuit.

— Et il s'est aussi probablement dit qu'il pouvait préparer ses oubliettes sous la jetée.

— C'est logique, non ?

Bosch mit longtemps à répondre.

— Bon alors, et toutes ces disparues, hein ? dit-il en posant la main sur le tas de dossiers. Tout ça, c'est rien que des coïncidences ?

— Je ne sais pas, dis-je. Il se peut qu'on ne le sache jamais. Tout ce qu'on sait, c'est qu'elles manquent toujours à l'appel et que si Jessup a quelque chose à y voir, ce secret est probablement mort avec lui hier.

Bosch se leva, l'air troublé. Il tenait toujours le sachet dans sa main.

— Je suis désolé, Harry, lui dis-je.

— Ouais, moi aussi.

— Et la suite, c'est quoi maintenant ?

Il haussa les épaules.

— La suite, c'est la prochaine affaire. Je retourne en rotation. Et toi ?

J'écartai les mains et souris.

— Tu le sais bien, dis-je.

— T'es sûr ? T'es sacrément bon comme avocat de l'accusation.

— Ouais, merci, mais faut ce qu'il faut. Sans compter qu'ils ne me laisseraient jamais repasser de leur côté. Pas après ce coup-là.

— Comment ça ?

— Il va falloir qu'ils trouvent quelqu'un à blâmer et ce quelqu'un, ça va être moi. C'est moi qui ai laissé filer Jessup. Tu verras. Les flics, le *Times*, même Gabriel Williams, finiront par tout me coller sur le dos. Mais je m'en fous, du moment qu'ils fichent la paix à Maggie. Je connais ma place en ce monde et je vais la reprendre.

Il acquiesça d'un hochement de tête parce qu'il n'y avait rien d'autre à dire. Il secoua encore une fois le sachet avec le bracelet à breloques à l'intérieur et fit tomber encore plus de terre au fond. Puis il le tint en l'air pour l'examiner de près et je vis tout de suite qu'il avait remarqué quelque chose.

— Qu'est-ce qu'il y a ? lui demandai-je.

Son visage changea d'expression. Il s'était concentré sur une des breloques et en ôtait de la terre en frottant le sac. Qu'il finit par me passer.

— Regarde. C'est quoi, ce truc ?

La breloque était encore sale et ternie. C'était un carré en argent d'un centimètre et demi de côté. Sur une face, juste au milieu, se trouvait un minuscule pivot et de l'autre quelque chose qui ressemblait à un bol ou à une tasse.

— Ça ressemble à une tasse à thé sur une assiette plate, dis-je. Je ne sais pas.

— Non, retourne-la. Ça, c'est le dessous.

Je m'exécutai et vis tout de suite ce qu'il avait vu.

— C'est un... une toque d'étudiant. Une toque d'étudiant et le pivot au-dessus, c'était pour le pompon.

— Oui, et il manque. Il est probablement toujours dans la terre.

— OK, d'accord, et ça veut dire quoi ?

Il se rassit et compulsa vite ses dossiers.

— Tu te rappelles pas ? La première fille que je vous ai montrée, à toi et à Maggie. Valerie Schlicter. Elle a disparu un mois après avoir décroché son diplôme de fin d'études secondaires à Riverside High.

— Tu crois donc...

Il trouva le dossier et l'ouvrit. Il n'était pas bien épais. Il contenait trois photos, dont une où la victime portait la robe et la toque de la cérémonie de remise des diplômes. Il examina vite les quelques pièces versées au dossier.

— On ne parle pas de bracelet à amulettes, dit-il.

— Parce qu'il y a des chances que ce ne soit pas le sien, lui renvoyai-je. Ça serait quand même un sacré coup de pot, tu ne trouves pas ?

Il fit comme si je n'avais rien dit, son esprit bloquant toute réaction adverse.

— Il va falloir que j'aille faire un tour là-bas, dit-il. Elle avait une mère et un frère. Histoire de voir qui il reste et pourrait jeter un œil à ce truc.

— Harry, tu es sûr de...

— Parce que tu crois que j'aurais le choix ?

Il se releva, me reprit le sachet et rassembla ses dossiers. J'entendais presque l'adrénaline bourdonner dans ses veines. Un vrai chien avec un os. L'heure était venue de se mettre en route. Il n'avait qu'une vague possibilité de réussir son coup, mais c'était mieux que rien. Ça ne lui laisserait pas de répit.

Je me levai à mon tour et le suivis jusqu'à l'excavation. Il informa Kohl qu'il allait devoir vérifier cette histoire de bracelet. Et lui demanda de l'appeler si on trouvait quoi que ce soit d'autre dans la fosse.

Nous gagnâmes le parking, Bosch marchant vite et ne regardant même pas par-dessus son épaule pour voir si j'étais toujours avec lui. Nous étions venus dans deux voitures.

— Hé ! lui lançai-je. Attends !

Il s'arrêta au milieu du parking.

— Quoi ?

— Techniquement, je suis toujours l'avocat de l'accusation désigné dans l'affaire Jessup. Alors, avant de déguerpir à toute allure, tu me dis un peu ce que tu as dans le crâne ? C'est ici qu'il aurait enterré son bracelet, mais pas elle ? Parce que pour toi, ç'aurait un sens ?

— Rien n'aura de sens tant que je n'aurai pas identifié ce bracelet. Si quelqu'un me dit qu'il lui appartenait, alors on essaiera de comprendre. N'oublie pas : quand Jessup montait ici, on ne pouvait même pas s'approcher. Ce qui fait qu'on ne sait pas vraiment ce qu'il fabriquait. Peut-être qu'il le cherchait, ce bracelet.

D'accord, je veux bien te suivre jusque-là.

— Faut que j'y aille, dit-il en continuant d'avancer.

Il s'était garé à côté de ma Lincoln. Je le rappelai.

— Tu me tiens au courant, d'accord ?

Il se tourna vers moi une fois arrivé à sa portière.

— Oui, dit-il. Je te fais signe.

Sur quoi, il disparut dans sa voiture, que j'entendis aussitôt rugir. Il conduisait comme il parlait – en déboîtant à toute vitesse et en balançant de la poussière et des gravillons partout en l'air. C'était un homme avec une mission. Je montai dans ma Lincoln, le suivis hors du parking et partis vers Mulholland Drive.

Et le perdis dans le virage devant moi.

REMERCIEMENTS

L'auteur souhaite remercier plusieurs personnes qui l'ont aidé dans ses recherches et la rédaction de ce livre : Asya Muchnick, Michael Pietsch, Pamela Marshall, Bill Massey, Jane Davis, Shannon Byrne, Daniel Daly, Roger Mills, Rick Jackson, Tim Marcia, David Lambkin, Dennis Wojciechowski, John Houghton, le juge Judith Champagne, Terrill Lee Lankford, John Lewin, Jay Stein, Philip Spitzer et Linda Connelly.

L'auteur a aussi tiré un grand profit de sa lecture du livre de Kevin Davis : Defending the Damned : Inside a Dark Corner of the Criminal Justice System.

Michael Connelly
dans Le Livre de Poche

L'Envol des anges n° 32585

Brutalités, racisme, corruption... Howard Elias, le défenseur des droits civiques et de la communauté noire, s'est fait une spécialité de traîner devant les tribunaux la police de Los Angeles. Quand il est retrouvé assassiné dans le funiculaire de l'Angels Flight, à la veille d'un procès, c'est Harry Bosch qui est chargé de l'enquête. Une nouvelle fois, après le passage à tabac de Rodney King et les émeutes qui ont suivi l'acquittement des policiers impliqués, le pays va avoir les yeux rivés sur Los Angeles où tout faux pas risque d'embraser les quartiers noirs.

La lune était noire n° 32435

Cassie Black, la trentaine, un passé douloureux, a connu la prison, à cause d'un casse qui a mal tourné. Alors qu'elle est en liberté conditionnelle, on lui propose de voler une mallette bourrée d'argent dans la suite d'un casino de Las Vegas, le Cleopatra. Un endroit hyper-sécurisé, truffé de caméras et de gardes armés. Le coup n'est pas sans risque mais Cassie, qui ignore la réelle importance de l'enjeu, décide de le tenter. Mais elle ne sait pas que les dés sont pipés…

L'Oiseau des ténèbres n° 32411

Le procès ultra-médiatisé d'un producteur célèbre tient en haleine le gotha de L.A. L'inspecteur Harry Bosch s'est juré de confondre cette ordure à la barre. Mais voici qu'il est lui-même soupçonné par Terry McCaleb, ex-profiler du FBI, du meurtre sadique d'un petit malfrat. Un duel acharné commence alors entre les deux hommes, pourtant liés par une estime mutuelle. Un duel dont personne ne sortira indemne...

Du même auteur :

Les Égouts de Los Angeles, Prix Calibre 38, 1993
Calmann-Lévy, l'intégrale Connelly, 2012

La Glace noire, Seuil, 1995 ; Points, n° P269

La Blonde en béton, Prix Calibre 38, 1996
Seuil, 1996 ; Points, n° P390

Le Poète, Prix Mystère, 1998
Seuil, 1997 ; Points, n° P534 ; Point Deux

Le Cadavre dans la Rolls
Seuil, 1998 ; Points, n° P646

Créance de sang
Grand Prix de littérature policière, 1999
Seuil, 1999 ; Points, n° P835

Le Dernier Coyote
Seuil, 1999 ; Points, n° P781

La lune était noire
Calmann-Lévy, l'intégrale Connelly, 2012 ;
Livre de Poche, 2012

L'Envol des anges
Calmann-Lévy, l'intégrale Connelly, 2012 ;
Livre de Poche, 2012

L'Oiseau des ténèbres
Calmann-Lévy, l'intégrale Connelly, 2012 ;
Livre de Poche, 2012

Wonderland Avenue
Seuil, 2002 ; Points, n° P1088

Darling Lilly
Seuil, 2003 ; Points, n° P1230

Lumière morte
Seuil, 2003 ; Points, n° P1271

Los Angeles River
Seuil, 2004 ; Points, n° P1359

Deuil interdit
Seuil, 2005 ; Points, n° P1476

La Défense Lincoln
Seuil, 2006 ; Points, n° P1690

Chroniques du crime
Seuil, 2006 ; Points, n° P1761

Echo Park
Seuil, 2007 ; Points, n° P1935

À genoux
Seuil, 2008 ; Points, n° P2157

Le Verdict du plomb
Seuil, 2009 ; Points, n° P2397

L'Épouvantail
Seuil, 2010 ; Points, n° P2623

Les Neuf Dragons
Seuil, 2011 ; Point Deux

Le Livre de Poche s'engage pour l'environnement en réduisant l'empreinte carbone de ses livres. Celle de cet exemplaire est de :
500 g éq. CO_2
Rendez-vous sur
www.livredepoche-durable.fr

Composition réalisée par PCA

Achevé d'imprimer en avril 2013 en France par
CPI BRODARD ET TAUPIN
La Flèche (Sarthe)
N° d'impression : 72870
Dépôt légal 1re publication : mai 2013
LIBRAIRIE GÉNÉRALE FRANÇAISE
31, rue de Fleurus – 75278 Paris Cedex 06

31/7572/6